High Top

3권

화학 I

answers & solutions

정답과 해설

Ⅰ 화학의 첫걸음

1. 화학의 유용성

01 의식주와 화학

개념 모아 정리하기 1권 017쪽

❶암모니아 ❷암모니아 ❸나일론 ❹폴리에스터
❺모브 ❻코크스 ❼콘크리트 ❽철근 콘크리트
❾알루미늄 ❿알루미늄 ⓫화석 연료

개념 기본 문제 1권 018~019쪽

01 (1) 철 (2) 암모니아 (3) 철근 콘크리트 **02** 암모니아 **03** ㄷ
04 나일론 **05** ㄴ, ㄷ **06** 모브 **07** ㄱ, ㄷ, ㄹ **08** ㉠ NH_3, ㉡ Fe **09** ㄴ, ㄷ **10** ㄱ, ㄴ **11** ㄱ, ㄷ **12** ㉠ 화석 연료, ㉡ 암모니아, ㉢ 철의 제련

01 (1) 철로 만든 농기구는 돌로 만든 농기구보다 단단하여 철제 농기구의 사용으로 식량 생산량을 증대시킬 수 있었다.
(2) 질소 기체와 수소 기체로 합성한 암모니아는 질소 비료의 대량 생산을 가능하게 하여 식량 생산량을 증대시킬 수 있었다.
(3) 기존의 콘크리트에 비해 철을 넣은 철근 콘크리트는 건축물을 견고하게 해 주어 대규모 건축물을 지을 수 있게 되었다.

02 질소와 수소로 이루어진 암모니아는 하버에 의해 대량 생산법이 개발되었으며 질소 비료의 원료로 사용된다.

03 ㄷ. 암모니아의 합성법 발견으로 질소 비료의 대량 생산이 가능하게 되었다.
바로 알기 ㄱ. 구리는 비교적 무른 금속으로, 단단하지 않아 농기구를 만드는 데 사용할 수 없었다.
ㄴ. 천연 소재의 섬유는 약해서 물고기를 잡는 그물을 만드는 데 적합하지 않다.

04 인공적으로 만든 최초의 합성 섬유는 캐러더스가 합성법을 발견한 나일론이다.

05 ㄴ. 나일론, 폴리에스터 등의 합성 섬유는 대량 생산이 가능하여 인류의 의류 문제 해결에 기여하였다.
ㄷ. 염료는 섬유를 염색할 수 있는 물질로, 천연에서 얻을 수 있는 염료는 그 양이 적어 일부 계층의 사람들만 색깔이 다양한 옷을 입을 수 있었다. 그러나 합성염료의 개발 이후 대량 생산이 가능해져 많은 사람들이 다양한 색깔의 옷을 입을 수 있게 되었다.
바로 알기 ㄱ. 면, 마와 같은 천연 섬유는 식물로부터 얻는 것으로, 식물을 기르기 위한 넓은 경작지가 필요하고 기후의 영향을 받으므로 대량 생산이 어렵다.

06 퍼킨에 의해 개발된 최초의 합성염료는 모브이다.

07 ㄱ. 철은 반응성이 커서 자연 상태에서 산소와 결합한 산화물의 형태로 존재한다.
ㄷ. 철제 농기구는 단단하여, 철제 농기구의 사용은 식량 생산량 증대에 기여하였다.
ㄹ. 현재는 철을 넣은 철근 콘크리트가 건축물을 짓는 데 이용되어 인류의 주거 문제 해결에도 철이 기여하고 있다.
바로 알기 ㄴ. 산화물의 형태로 존재하는 철광석에서 순수한 철을 얻으려면 산소를 떼어내야 하는데, 산소를 떼어내는 방법이 쉽지 않아 구리보다 제련이 어렵다. 따라서 인류는 구리보다 철을 늦게 사용하였다.

08 반응 (가)는 질소 기체와 수소 기체로부터 암모니아를 합성하는 반응으로 ㉠에 해당하는 물질은 암모니아(NH_3)이다.
반응 (나)는 철광석의 주성분인 산화 철로부터 철을 얻는 철의 제련 과정에서 일어나는 반응으로 ㉡에 해당하는 물질은 철(Fe)이다.

09 ㄴ. ㉡은 철이다. 철로 만든 농기구는 식량 생산량 증대에 기여하였다.
ㄷ. 철을 넣은 철근 콘크리트는 매우 단단해서 대규모 건축물을 지을 수 있게 되었다.
바로 알기 ㄱ. ㉠은 암모니아이다. 암모니아는 식물에 필요한 질소를 공급하는 질소 비료의 원료이므로 암모니아의 대량 생산은 인류의 식량 부족 문제 해결에 기여하였다.

10 ㄱ. 화석 연료는 지질 시대의 생물체가 땅속에 묻혀 오랜 시간에 걸쳐 높은 압력과 열을 받아 만들어진 것으로, 그 예로는 석탄, 석유, 천연가스 등이 있다.
ㄴ. 화석 연료는 가정용 난방에 이용되어 쾌적한 주거 생활을 가능하게 하였다.

바로 알기 ㄷ. 화석 연료의 주성분은 탄소와 수소이므로 연소할 때 온실 기체인 이산화 탄소가 배출되어 환경 문제를 일으킨다.

11 ㄱ. 암모니아는 식물에 필요한 질소를 공급하는 질소 비료의 원료로 사용되어 식량 생산량 증대에 기여하였다.
ㄷ. 알루미늄은 가볍고 단단하여 창틀, 건축물의 외장재로 사용된다.
바로 알기 ㄴ. 폴리에스터는 합성 섬유로, 다양한 소재로 사용되어 인류의 의류 문제 해결에 기여하였다. 최초의 합성 섬유는 나일론이다.

12 (가) 지질 시대 생물의 사체가 땅속에서 오랜 시간에 걸쳐 높은 압력과 열을 받아 만들어진 화석 연료(㉠)는 가정용 난방의 연료로 사용되어 쾌적한 주거 생활을 가능하게 하였다.
(나) 질소 비료의 원료로 사용되는 암모니아(㉡)의 합성법 발견은 인류의 식량 문제 해결에 기여하였다.
(다) 자연 상태에서 산화물의 형태로 존재하는 철광석에서 철을 얻어내는 철의 제련(㉢) 방법으로 철의 대량 생산이 가능하게 되었다.

개념 적용 문제

1권 020~023쪽

01 ⑤ **02** ⑤ **03** ④ **04** ② **05** ① **06** ⑤ **07** ⑤ **08** ②

01 ㄴ. 암모니아 합성 반응의 화학 반응식은 다음과 같다.

$$N_2 + 3H_2 \longrightarrow 2NH_3$$

ㄷ. 암모니아의 합성법 개발로 질소 비료의 원료로 사용되는 암모니아를 대량 생산할 수 있게 되어 인류의 식량 문제 해결에 기여하였다.
바로 알기 ㄱ. 암모니아는 공기 중의 질소 기체와 수소 기체를 고온, 고압의 조건에서 촉매 존재 하에 반응시켜 얻는다. 질소 기체에서 질소 원자 사이의 결합은 매우 강해 실온에서는 반응이 쉽게 일어나지 않는다.

02 ㄱ. 철광석의 주성분은 철의 산화물(산화 철)이므로, 산소를 떼어내야 한다. 용광로에 철광석과 함께 넣어 준 코크스(C)가 불완전 연소되어 일산화 탄소(CO)가 생성되고, 일산화 탄소가 산화 철에서 산소를 떼어낸다.
ㄴ. 철광석에는 산화 철뿐만 아니라 모래와 같은 불순물이 들어 있다. 석회석은 철광석의 불순물을 슬래그로 제거한다.
ㄷ. 용광로에서 산화 철은 산소를 잃고 철로 환원된다. 철로 만든 농기구의 사용은 식량 생산량 증대에 기여하였다.

03 (가) 하버에 의해 합성법이 개발되어 질소 비료의 원료로 사용된 물질은 암모니아이다.
(나) 캐러더스에 의해 개발된 최초의 합성 섬유는 나일론이다.
(다) 산화 철에 코크스를 넣어 제련하여 얻은 철은 건축 자재로도 사용된다.

04 학생 C: 합성염료는 천연 염료와 달리 대량 생산이 가능하여 많은 사람들이 다양한 색깔의 옷을 입을 수 있게 해 주었다.
바로 알기 학생 A: 인류가 처음에 입었던 옷은 대부분 자연에서 얻은 것을 그대로 사용하거나 약간의 가공 과정을 거친 천연 섬유로 만들어졌다. 천연 섬유는 쉽게 닳아 오래가지 못했다.
학생 B: 합성 섬유는 대량 생산이 가능하여 많은 사람들이 사용할 수 있다.

05 가정용 난방이나 자동차, 항공기의 연료로 사용되는 것은 화석 연료이며, 합성 섬유의 원료로도 사용되는 화석 연료는 석유이다.

06 ㄱ. A는 질소와 수소로부터 합성되는 암모니아이다. 암모니아 합성법의 개발은 질소 비료의 대량 생산을 가능하게 하여 인류의 식량 부족 문제 해결에 기여하였다.
ㄴ, ㄷ. 연소하여 이산화 탄소와 물을 생성하는 B는 탄소와 수소가 포함된 화석 연료로, 천연가스가 해당된다.

07 ㄱ. 철의 제련 과정에서 용광로에 넣어 준 코크스가 불완전 연소하여 생성된 일산화 탄소는 산화 철에서 산소를 떼어내어 산화 철을 환원시킨다.
ㄴ. 암모니아는 질소와 수소로 이루어진 화합물로, 공기 중의 질소 기체와 수소 기체를 반응시켜 얻는다.
ㄷ. 암모니아는 질소 비료의 원료로 사용된다.

08 ㄷ. 용융된 산화 알루미늄을 전기 분해하여 얻은 알루미늄은 가볍고 단단하여 창틀이나 건물 외장재로 이용된다.
바로 알기 ㄱ. (가)의 반응은 철의 제련 과정 중 하나로, 용광로 속에서 일어나는 반응이다. 즉, 산화 철을 환원시켜 철을 얻는 반응은 실온에서 쉽게 일어나지 않고 고온의 용광로 속에서 일어난다.
ㄴ. (나)의 반응은 알루미늄의 제련 반응이다. 알루미늄은 철

보다 반응성이 커서 코크스를 이용하여 제련할 수 없으므로 전기 분해를 이용하여 제련한다.

06 버드나무 껍질에서 추출한 살리실산과 아세트산을 반응시켜 얻은 탄소 화합물로 최초의 합성 의약품은 아스피린이다.

02 탄소 화합물

개념 모아 정리하기 1권 030쪽

❶ 탄소 ❷ 4 ❸ 정사면체 ❹ 이산화 탄소
❺ 하이드록시기(−OH) ❻ 카복시기(−COOH)
❼ 단위체 ❽ 살리실산

개념 기본 문제 1권 031쪽

01 ㄱ, ㄴ **02** ㄷ **03** ㉠ CH_4, ㉡ 에탄올, ㉢ 식초의 원료
04 플라스틱 **05** ㄱ, ㄴ, ㄹ **06** 아스피린

01 ㄱ, ㄴ. 탄소는 원자가 전자가 4개이므로 다른 원자와 최대 4개의 공유 결합을 형성할 수 있다.
바로 알기 ㄷ. 탄소 원자 사이의 결합은 강하여 탄소로만 이루어진 물질은 안정하다. 따라서 실온에서 반응성이 작다.

02 ㄷ. 일상생활에서 사용되는 탄소 화합물에는 비누, 밥, 플라스틱, 합성 섬유 등이 있다.
바로 알기 ㄱ. 탄소 화합물은 탄소를 중심으로 수소, 산소, 질소 등의 원자가 결합한 물질이다.
ㄴ. 물은 산소와 수소로 이루어진 물질로 탄소 원자를 포함하지 않으므로 탄소 화합물이 아니다.

03 ㉠ 메테인은 가장 간단한 탄소 화합물로, 탄소 원자 1개와 수소 원자 4개로 이루어진 화합물이므로 화학식은 CH_4이다.
㉡ 화학식에 하이드록시기(−OH)를 가지고 있으며 손 소독제로 이용되는 탄소 화합물은 에탄올이다.
㉢ 아세트산은 신맛을 내는 물질로 식초의 원료로 이용된다.

04 원유에서 분리한 나프타를 원료로 하며, 단위체를 연속적으로 결합하여 만든 고분자 물질로 가전제품, 생활용품, 건축 자재 등에 이용되는 탄소 화합물은 플라스틱이다.

05 ㄱ, ㄴ, ㄹ. 녹말, 아스피린, 나일론은 모두 탄소 원자가 수소, 산소 등의 원자와 결합한 탄소 화합물이다.
바로 알기 ㄷ. 스테인리스는 철에 니켈, 크로뮴 등의 금속을 혼합한 물질로 탄소 화합물이 아니다.

개념 적용 문제 1권 032~033쪽

01 ② **02** ⑤ **03** ④ **04** ③ **05** ⑤

01 ① 탄소 원자 사이의 결합은 강하여 실온에서 잘 끊어지지 않고 안정적으로 존재한다.
③, ④, ⑤ 탄소 원자들은 탄소 원자가 연속적으로 결합할 수 있으며, 탄소 원자들 사이에 사슬 모양, 고리 모양, 가지 달린 사슬 모양 등 다양한 배열을 할 수 있어 만들 수 있는 화합물의 종류가 많다. 또, 분자식이 같지만 구조식이 다른 구조 이성질체가 존재한다.
바로 알기 ② 탄소는 지구상에서 존재량이 가장 많은 원소는 아니지만 결합 방식이 다양하고, 다른 원자와 최대 4개까지 결합할 수 있어 화합물의 종류가 매우 많다.

02 ㄱ, ㄷ. 탄소 원자는 원자가 전자가 4개이므로 최대 4개의 원자와 결합할 수 있으며, 탄소 원자들은 결합하여 사슬 모양이나 고리 모양 등 다양한 골격을 형성할 수 있다.
ㄴ. 탄소 원자 사이에는 전자쌍 1개를 공유하는 단일 결합뿐만 아니라 전자쌍 2개를 공유하는 2중 결합, 전자쌍 3개를 공유하는 3중 결합을 형성할 수 있다.

03 ㄱ. X는 메테인(CH_4)으로, 메테인을 구성하는 탄소와 수소는 모두 비금속 원소의 원자이므로 전자쌍을 공유하는 공유 결합을 형성한다.
ㄷ. 메테인은 가정용 도시가스의 주성분으로, 산소와 반응하여 많은 열과 빛을 내는 연소 반응을 한다.
바로 알기 ㄴ. 메테인에서 탄소 원자와 수소 원자 사이의 전자쌍 4개는 정사면체로 배열하므로 분자를 구성하는 원자는 정사면체로 배열되는 입체 구조이다.

04 ㄱ. (가)는 화학식이 C_2H_5OH인 에탄올이고, (나)는 화학식이 CH_3COOH인 아세트산이다.
ㄴ. 에탄올은 살균 작용이 있어 손 소독제로 이용되고, 아세트산은 신맛을 내므로 식초의 원료로 이용된다.
바로 알기 ㄷ. 에탄올은 물에 녹아 분자 상태로 존재하므로 전류가 흐르지 않고, 아세트산은 물에 녹아 이온화하므로 전류가 흐른다.

05 ㄱ. 아스피린은 아세트산과 살리실산을 반응시켜 얻는다. 따라서 A는 살리실산이다.
ㄴ. 아스피린은 탄소 원자가 수소, 산소 등과 결합한 탄소 화합물이다.
ㄷ. 아스피린은 최초로 만들어진 합성 의약품으로, 해열제, 진통제로 사용된다.

03 탄화수소

개념 모아 정리하기 1권 048쪽

❶ 수소	❷ 고리	❸ 불포화	❹ 방향족
❺ 지방족	❻ 포화	❼ 뷰테인	❽ 불포화
❾ 불포화	❿ C_6H_{12}	⓫ 109.5°	⓬ C_6H_{10}
⓭ 2중	⓮ C_6H_6	⓯ 공명	

개념 기본 문제 1권 049~050쪽

01 A: 포화 탄화수소, B: 불포화 탄화수소, C: 알케인, D: 알켄, E: 알카인, F: 방향족 탄화수소 **02** C_4H_{10} **03** ㄱ, ㄴ **04** ㄱ **05** (가) ㄷ (나) ㄴ (다) ㄱ **06** ㄱ **07** (1) C_4H_{10} (2) −89 ℃보다 높고 −0.5 ℃보다 낮다 **08** 벤젠 **09** ㄱ, ㄴ **10** (1) (가) (2) (나), (다) **11** (1) (가), (다) (2) (다)

01 고리 모양 사이클로알케인은 포화 탄화수소이므로 A에는 포화 탄화수소가 적절하다. 탄화수소를 어떤 기준에 의해 2가지로 분류했을 때 한 가지가 포화 탄화수소(A)이므로 B에는 불포화 탄화수소가 적절하다.
사슬 모양 포화 탄화수소인 C는 알케인이다. 사슬 모양 불포화 탄화수소 중 2중 결합을 1개 가진 것은 알켄(D)이고, 3중 결합을 1개 가진 것은 알카인(E)이다. 또, 고리 모양 불포화 탄화수소에는 방향족 탄화수소(F)가 있다.

02 탄소 원자 사이의 결합이 모두 단일 결합인 사슬 모양의 포화 탄화수소는 알케인이다. 알케인은 탄소 원자 수가 4 이상부터 분자식이 같고 구조식이 다른 구조 이성질체가 존재하는데, 탄소 원자 수가 증가할수록 구조 이성질체 수가 증가한다. 탄소 원자 수가 4인 뷰테인(C_4H_{10})은 노말뷰테인과 아이소뷰테인의 2가지 구조 이성질체가 존재한다.

03 ㄱ, ㄴ. 알케인은 탄소 원자가 결합한 골격이 사슬 모양이며, 무극성 분자로 물과 잘 섞이지 않는다.
바로 알기 ㄷ. 탄소 원자 수가 증가할수록 분자 사이의 인력이 증가하여 끓는점이 높아진다.
ㄹ. 탄소 원자 수가 증가할수록 탄소 원자들의 배열 방식이 다양해져 구조 이성질체 수가 증가한다.

04 ㄱ. 주어진 탄화수소는 모두 사슬 모양이고 일반식이 C_nH_{2n}이므로 탄소 원자 사이에 2중 결합이 1개 있다. (가)는 에텐, (나)는 프로펜, (다)는 뷰텐이다.
바로 알기 ㄴ. 탄소 원자 수가 2인 에텐은 탄소 원자를 중심으로 결합한 3개의 원자가 평면 삼각형으로 배열하므로 모든 구성 원자가 같은 평면에 있다. 그러나 탄소 원자 수가 3 이상인 알켄은 입체 구조를 갖는다.
ㄷ. (가)의 결합각(∠HCC)은 약 120°이고, (나)와 (다)에는 결합각(∠HCC)이 109.5°인 부분도 있다.

05 에테인과 에타인은 사슬 모양이므로 기준 (가)로 적절한 것은 ㄷ이다. 또, 에테인은 탄소 원자 사이의 결합이 단일 결합이고, 에타인은 탄소 원자 사이의 결합이 3중 결합이므로 기준 (나)로 적절한 것은 ㄴ이다. 벤젠과 사이클로헥세인은 모두 고리 모양이고, 벤젠에만 해당되는 기준은 평면 구조이다. 따라서 기준 (다)로 적절한 것은 ㄱ이다.

06 ㄱ. 주어진 탄화수소 X는 사이클로헥세인으로 탄소 원자 사이에 단일 결합만 있으므로 포화 탄화수소이다.
바로 알기 ㄴ, ㄷ. 탄소 원자에 결합한 4개의 원자가 사면체로 배열하므로 결합각(∠CCC)은 109.5°이다.

07 (1) 알케인의 일반식은 C_nH_{2n+2}이므로 탄소 수가 4인 탄화수소의 화학식은 C_4H_{10}이다.
(2) 알케인에서 탄소 수가 증가할수록 끓는점이 높아지므로 탄소 수가 3인 프로페인의 끓는점은 −89 ℃보다 높고, −0.5 ℃보다 낮다.

08 고리 모양 탄화수소 중 탄소 원자 1개에 결합한 수소 원자가 1개이고 평면 구조를 가지는 것은 벤젠이다.

09 ㄱ. 벤젠은 탄소 원자 사이의 결합이 2중 결합과 단일 결합이 교대로 있는 것이 아니라 (가)와 (나)의 구조가 혼성된 구조이므로 탄소 원자 사이의 결합 길이가 모두 같다.
ㄴ. 각 탄소 원자에 결합한 3개의 원자가 평면 삼각형으로 배열하고 6개의 탄소 원자가 정육각형으로 배열하므로 결합각은 120°이다.

바로 알기 ㄷ. 벤젠의 구조는 (가)와 (나)가 빠르게 전환하는 것이 아니라 (가)와 (나)의 구조가 혼성되어 있다.

10 (1) 다른 원자 4개와 결합한 탄소 원자를 가진 탄화수소는 입체 구조를 갖는다. 입체 구조인 것은 (가) 한 가지이다.
(2) 탄소 원자 사이에 2중 결합이나 3중 결합을 가지고 있는 불포화 탄화수소는 브로민 첨가 반응을 한다. 벤젠은 안정한 공명 구조를 가지므로 실온에서 첨가 반응이 잘 일어나지 않는다. 따라서 브로민 첨가 반응을 하는 것은 (나)와 (다)이다.

11 (1) (가)는 탄소 원자 사이의 결합이 단일 결합으로 모두 같으므로 탄소 원자 사이의 결합 길이가 모두 같다. 또, (다)는 벤젠으로 공명 구조를 가지므로 탄소 원자 사이의 결합 길이가 모두 같다.
(2) 구성 원자가 모두 동일 평면에 존재하는 평면 구조를 갖는 것은 (다) 벤젠 한 가지이다.

개념 적용 문제

1권 051~056쪽

01 ⑤ **02** ① **03** ⑤ **04** ② **05** ⑤ **06** ① **07** ① **08** ③ **09** ① **10** ③ **11** ③ **12** ⑤

01 탄소 원자 수가 2인 탄화수소는 에테인(C_2H_6), 에텐(C_2H_4), 에타인(C_2H_2)이다. 이들 3가지 탄화수소의 구조식은 다음과 같다.

C_2H_6	C_2H_4	C_2H_2
H₃C–CH₃ 구조식 (아래)	H₂C=CH₂ 구조식 (아래)	H−C≡C−H

```
   H  H         H       H
   |  |          \     /
H− C− C −H        C = C          H−C≡C−H
   |  |          /     \
   H  H         H       H
```

탄소 원자 사이에 2중 결합이 있는 것은 에텐(C_2H_4)이므로 (가)는 에텐이다. 분자를 구성하는 수소 원자 수는 에테인이 에타인보다 많으므로 (나)는 에테인이고, (다)는 에타인이다.
ㄱ. 분자 1개에 포함된 수소 원자 수는 (가)(C_2H_4)가 (다)(C_2H_2)보다 많다.
ㄴ. (나)는 에테인으로 탄소 원자 사이의 결합은 단일 결합이다.
ㄷ. (다)에서 각 탄소 원자에 결합한 원자는 2개이므로 분자 모양은 선형이다.

02 탄소 원자 수가 2이고 탄소 원자 사이의 공유 전자쌍 수의 합이 3인 것은 에타인(C_2H_2)이므로 (가)는 에타인(C_2H_2)이다. 분자 모양이 사슬 모양이고 탄소 원자 수가 3이면서 탄소 원자 사이의 공유 전자쌍 수의 합이 3인 (나)는 프로펜(C_3H_6)이다. 또, 고리 모양이고 탄소 원자 수가 3이면서 탄소 원자 사이의 공유 전자쌍 수의 합이 3인 (다)는 사이클로프로페인(C_3H_6)이다. 이들의 분자식과 구조식은 다음과 같다.

(가)	(나)	(다)
C_2H_2	C_3H_6	C_3H_6

```
              H  H     H         H   H
              |  |    /           \ /
H−C≡C−H    H− C− C = C             C
              |       \           / \
              H        H      H− C − C −H
                                 /     \
                                H       H
```

ㄱ. (가)에서 탄소 원자 간 결합이 3중 결합이므로 브로민 첨가 반응을 한다.
바로 알기 ㄴ. (나)는 탄소 원자 간 결합에 2중 결합이 1개 있으므로 불포화 탄화수소이다.
ㄷ. (나)와 (다)는 분자식이 같으므로 분자를 구성하는 원자 수가 같다.

03 주어진 탄화수소 중 탄소 원자 사이의 결합이 모두 단일 결합인 포화 탄화수소는 뷰테인(
```
   H  H  H  H
   |  |  |  |
H− C− C− C− C −H
   |  |  |  |
   H  H  H  H
```
)과 사이클로펜테인(⬠)이고, 이중에서 사슬 모양인 것은 뷰테인이므로 (가)는 뷰테인, (나)는 사이클로펜테인이다. 또, 사이클로헥센(⬡)과 벤젠(⬡) 중 방향족 탄화수소는 벤젠이므로 (다)는 벤젠이고, (라)는 사이클로헥센이다.
ㄱ. (가)는 분자식이 C_4H_{10}으로 같지만 가지가 1개 달린 다음과 같은 아이소뷰테인이 존재한다.

```
      H
      |
   H− C −H
   H  |  H
   |  |  |
H− C− C− C −H
   |  |  |
   H  H  H
```

ㄴ. (나)의 분자식은 C_5H_{10}이고, (라)의 분자식은 C_6H_{10}으로 분자를 구성하는 수소(H) 원자 수가 같다.
ㄷ. (다)는 벤젠으로 공명 구조를 가지므로 탄소 원자 사이의 결합 길이가 모두 같다.

04 화학 반응이 일어날 때 원자가 새롭게 생성되거나 없어지지 않으므로 반응 전후 원자의 종류와 수가 같도록 하면 X는 C_2H_2이 된다.

ㄴ. C_2H_2은 구성 원자가 모두 같은 직선상에 있는 선형 분자 구조를 갖는다.

바로 알기 ㄱ. X는 에타인으로 탄소 원자 사이에 3중 결합이 있다.

ㄷ. C_2H_2의 연소 반응식을 완성하면 다음과 같다.

$2C_2H_2 + 5O_2 \longrightarrow 4CO_2 + 2H_2O$

따라서 $a=2$, $b=4$, $c=2$이므로 $\frac{b+c}{a}=3$이다.

05 ㄱ. 주어진 탄화수소 (가)~(다)는 모두 탄소 원자 사이의 결합이 단일 결합이므로 포화 탄화수소이다.

ㄴ. 각 분자에서 탄소 원자 1개당 수소 원자 2개가 결합하고 있으므로 $\frac{\text{수소 원자 수}}{\text{탄소 원자 수}}$는 2로 모두 같다.

ㄷ. 탄소와 수소로 이루어진 화합물이므로 완전 연소하면 이산화 탄소와 물이 생성된다.

06 주어진 탄화수소의 가능한 구조식은 다음과 같다.

C_3H_8	H–C(H)(H)–C(H)(H)–C(H)(H)–H
C_3H_6	H–C(H)(H)–C(H)=C(H)(H)
C_3H_6	고리 모양: C(H)(H), H–C(H)–C(H)–H
C_3H_4	$H_2C=C=CH_2$ 또는 H–C≡C–C(H)(H)–H

사슬 모양이 아닌 것은 고리 모양인 사이클로프로페인(C_3H_6)이므로 D는 사이클로프로페인(C_3H_6)이다. 사슬 모양 포화 탄화수소는 프로페인(C_3H_8)이므로 A는 프로페인(C_3H_8)이다. 또, B와 C에 각각 1개의 탄화수소가 해당하므로 B는 2중 결합이 있는 프로펜(C_3H_6)이고, C는 3중 결합이 있는 프로파인(C_3H_4)이다.

ㄱ. B는 프로펜(C_3H_6)이고, D는 사이클로프로페인(C_3H_6)으로 분자식이 같다.

바로 알기 ㄴ. A에는 2중 결합이나 3중 결합이 없으므로 브로민 첨가 반응을 하지 않는다.

ㄷ. C에는 탄소 원자 사이에 3중 결합이 1개 있으므로 C에 수소(H_2) 분자 1개를 첨가하면 프로펜(C_3H_6), 즉 B가 된다.

07 주어진 탄화수소 중 탄소 원자 사이의 결합이 모두 단일 결합만 있는 포화 탄화수소는 헥세인과 사이클로헥세인이고, 이중 사슬 모양은 헥세인이므로 (가)는 헥세인(C_6H_{14})이고, (다)는 사이클로헥세인(C_6H_{12})이다. 또, 사슬 모양이면서 탄소 원자 사이에 2중 결합이 1개 있는 헥센(C_6H_{12})은 불포화 탄화수소이므로 (나)에 해당하고, 벤젠(C_6H_6)은 (라)에 해당한다.

08 사슬 모양 탄화수소에서 2중 결합이 1개 있을 때 첨가될 수 있는 수소 분자(H_2) 수는 1이고, 3중 결합이 1개 있을 때 첨가될 수 있는 수소 분자(H_2) 수는 2이다. 따라서 (가)는 에타인(C_2H_2), (나)는 뷰테인(C_4H_{10}), (다)는 헥센(C_6H_{12})이다.

ㄱ. 에타인에서 각 탄소 원자에 결합한 원자 수는 2이므로 분자 구조는 선형이다.

ㄴ. 분자식이 C_4H_{10}인 탄화수소는 구조식이 다른 노말뷰테인과 아이소뷰테인 2가지 분자가 존재한다.

바로 알기 ㄷ. 헥센(C_6H_{12})과 같은 분자식을 갖는 고리 모양 탄화수소는 사이클로헥세인으로 포화 탄화수소이므로 브로민 첨가 반응을 하지 않는다.

09 ㄱ. 탄소 원자 1개는 다른 원자와 최대 4개까지 결합을 할 수 있으므로 (가)에서 탄소 원자 사이의 결합은 2중 결합이고, 결합각(∠HCC)은 약 120°이다. (나)에서 각 탄소 원자에 결합한 원자 수는 4이므로 결합한 원자들이 사면체로 배열한다. 즉, (나)에서 결합각(∠HCC)은 약 109.5°이다.

바로 알기 ㄴ. (다)에서 각 탄소 원자에 결합한 원자 수는 4이므로 결합한 원자들이 사면체로 배열한다. 따라서 (다)는 입체 구조이다.

ㄷ. (나)와 (다)는 포화 탄화수소이지만 (가)는 불포화 탄화수소이다.

10 주어진 탄화수소 중 탄소 원자 수가 2인 것은 에텐(C_2H_4)과 에타인(C_2H_2)이다. 이중 $\frac{\text{수소 원자 수}}{\text{탄소 원자 수}}$가 1인 것은 에타인이므로 (가)는 에타인이고, (다)는 에텐이다. 또, 벤젠과 사이클로헥세인 중 결합각(∠HCC)이 120°인 것은 벤젠이므로 (나)는 벤젠이고, (라)는 사이클로헥세인이다.

③ (나)는 벤젠으로, 구성 원자가 모두 같은 평면에 있다.

바로 알기 ① 벤젠을 구성하는 탄소 원자 수(㉠)는 6이다.
② (가)는 에타인으로 분자 모양이 선형이므로 결합각(∠HCC)은 180°이다.
④ (다)는 에텐으로 2중 결합이 있다.
⑤ (라)는 탄소 원자 사이의 결합이 모두 단일 결합이므로 포화 탄화수소이다.

11 ㄱ. 주어진 탄화수소 중 사이클로헥세인(⬡)은 적용되고, 에타인(C_2H_2)은 적용되지 않는 기준 (가)는 '포화 탄화수소인가?'이다.
ㄷ. 불포화 탄화수소인 에타인(C_2H_2)과 에텐(C_2H_4) 중 에타인이 적용되는 기준 (다)는 '3중 결합이 있는가?'이다. 이로부터 B는 에텐(C_2H_4)이다. 에텐(C_2H_4)에는 2중 결합이 1개 있으므로 수소 분자(H_2) 1개를 첨가하면 에테인(C_2H_6), 즉 A가 된다.

바로 알기 ㄴ. 주어진 탄화수소 중 사이클로헥세인을 제외한 또 다른 포화 탄화수소는 에테인이므로 A는 에테인(C_2H_6)이다. 따라서 기준 (나)는 '사슬 모양인가?'이다.

12 분자식이 C_5H_{10}이면서 H 원자 3개와 결합한 C 원자($-CH_3$)가 없는 것은 사이클로펜테인이다. 또, 분자식이 C_5H_{12}인 것은 펜테인으로 구조식이 다른 3가지 분자가 존재한다. (가)~(라)에 해당하는 분자의 구조식은 다음과 같다.

구분	탄화수소	구조식
(가)	C_5H_{10}	⬠
(나)	C_5H_{12}	H H H H H H−C−C−C−C−C−H H H H H H
(다)	C_5H_{12}	H H−C−H H H H H−C−C−C−C−H H H H H
(라)	C_5H_{12}	H H−C−H H H H−C−C−C−H H H H−C−H H

ㄱ. (다)는 H 원자 3개와 결합한 C 원자($-CH_3$) 수가 3이다.
ㄴ. 고리 모양 포화 탄화수소는 (가) 사이클로펜테인이다.
ㄷ. (라)에는 H 원자와 결합하지 않은 C 원자가 1개 있다.

통합 실전 문제

1권 058~063쪽

01 ④	02 ④	03 ①	04 ③	05 ④	06 ⑤	07 ③
08 ③	09 ⑤	10 ⑤	11 ③	12 ⑤		

01 (가) 질소 기체와 수소 기체로부터 합성한 암모니아는 질소 비료의 원료로 사용되어 농업 생산력 증대에 기여하였다.
(나) 코크스를 넣어 제련하여 얻은 철은 철근 콘크리트에 사용되어 대규모 건축물을 지을 수 있게 되었다.
(다) 최초의 합성 섬유는 나일론이다.

02 ㄱ. ㉠은 암모니아로, 암모니아의 합성 반응식은 $N_2 + 3H_2 \longrightarrow 2NH_3$이다.
ㄷ. 석유로부터 얻은 원료인 단위체를 반응시켜 만든 ㉢은 플라스틱으로 탄소 화합물이다.

바로 알기 ㄴ. 섬유를 염색하는 데 사용되는 물질은 염료인데, 최초의 합성염료는 모브이다.

03 ㄱ. (가)는 탄소 원자 1개와 수소 원자 4개로 이루어진 메테인이다. 메테인은 가정용 도시가스의 주성분이다.

바로 알기 ㄴ. (나)는 에테인의 수소 원자 1개가 $-OH$로 치환된 에탄올이다. 에탄올은 술의 주성분이다.
ㄷ. (다)는 아세트산으로, 물과 친화력이 있는 카복시기($-COOH$)가 있어 물과 잘 섞인다.

04 ㄱ. (가)는 탄소 원자 1개로 이루어진 가장 간단한 탄화수소인 메테인(CH_4)이다. 메테인에서 탄소 원자는 수소 원자 4개와 결합하고 있다.
ㄴ. 식초의 성분으로, 아스피린을 합성할 때 사용되는 것은 아세트산이다. 아세트산은 신맛을 내는데, 이는 아세트산이 물에 녹아 H^+을 내놓기 때문이다.

바로 알기 ㄷ. (나)는 술의 성분이고, 손 소독제로 사용되는 탄소 화합물인 에탄올이다. 에탄올과 아세트산은 탄소, 수소뿐만 아니라 산소를 포함한다. 따라서 (가)는 탄소와 수소로만 이루어진 탄화수소이지만, (나)와 (다)는 탄소 화합물이다.

05 ㄴ. 포도당을 발효시켜 얻은 A는 에탄올이고, 에탄올을 산화시켜 얻은 B는 아세트산이다. 아세트산은 물에 녹아 H^+을 내놓으므로 산성을 띤다.

ㄷ. 아세트산의 화학식은 CH_3COOH이고, 에탄올의 화학식은 C_2H_5OH로 분자당 산소 원자 수는 아세트산이 에탄올보다 크다.

바로 알기 ㄱ. 에탄올에는 $-OH$가 있지만 물에서 이온화하지 않으므로 에탄올 수용액은 중성이다.

06 ㄱ, ㄴ. 포장용 필름으로 사용되는 플라스틱은 폴리에틸렌(A)이다. 폴리에틸렌은 탄소 원자 사이에 2중 결합을 가진 에틸렌을 첨가 중합하여 합성한다.

ㄷ. 폴리에틸렌은 플라스틱의 한 종류이다.

07 ㄱ. 아스피린은 살리실산과 아세트산을 반응시켜 합성하므로 A는 아세트산이다. 아세트산은 물에 녹아 H^+을 내놓으므로 산성을 띤다.

ㄷ. 아스피린은 진통제, 해열제로 이용된다.

바로 알기 ㄴ. 살리실산과 아세트산이 반응하여 아스피린이 생성될 때 물이 빠져나오므로 B는 물(H_2O)이다. 아세트산(A)의 화학식은 CH_3COOH이므로 분자에 들어 있는 산소 원자 수는 A가 B보다 크다.

08 주어진 조건을 만족하는 탄화수소 (가)~(다)의 구조식은 다음과 같다.

탄화수소	구조식
(가)	$CH_3-CH_2-CH_2-CH_3$ (H−C−C−C−C−H, 각 C에 H 2개씩 위아래 결합)
(나)	사각형 고리: H−C−C−H / H−C−C−H, 각 C에 H 2개씩 결합 (C_4H_8)
(다)	중앙 C에 CH_3(H−C−H, 위에 H) 결합: H−C−C−C−H, 양끝 C에 H 위아래, 중앙 C 아래 H

ㄱ. (가)의 분자식은 C_4H_{10}이고, (나)의 분자식은 C_4H_8이므로 분자에 들어 있는 수소 원자 수는 (가)>(나)이다.

ㄷ. (가)와 (다)는 분자식이 같고 구조식이 다르므로 구조 이성질체 관계이다.

바로 알기 ㄴ. (나)는 탄소 원자 4개가 고리 모양으로 배열하므로 결합각(∠CCC)은 약 90°이다. 또, (다)는 탄소 원자에 결합한 원자 4개가 사면체로 배열하므로 결합각(∠CCC)은 약 109.5°이다. 따라서 결합각(∠CCC)은 (다)>(나)이다.

09 탄소 수가 5인 고리 모양 탄화수소는 사이클로펜테인과 사이클로펜텐이 있는데, A는 포화 탄화수소이므로 사이클로펜테인이고, B는 불포화 탄화수소이므로 사이클로펜텐이다. C는 사슬 모양 탄화수소 중 단일 결합으로만 이루어진 포화 탄화수소이므로 펜테인이고, D는 3중 결합이 있는 펜타인이며, E는 2중 결합이 있는 펜텐이다.

ㄱ. A(사이클로펜테인)와 E(펜텐)는 분자식이 C_5H_{10}으로 같고 구조식은 다른 구조 이성질체 관계이다.

ㄴ. B(사이클로펜텐)와 D(펜타인)는 둘 다 불포화 탄화수소이므로 첨가 반응을 한다.

ㄷ. C(펜테인)는 탄소 수가 5이므로 3가지 구조 이성질체를 갖는다.

10 주어진 사슬 모양 탄화수소의 가능한 구조식은 다음과 같다.

탄화수소	구조식
C_3H_4	$H_2C=C=CH_2$ 또는 $H-C\equiv C-CH_3$ (H−C≡C−C−H, 끝 C에 H 위아래)
C_3H_6	$H-C(H)(H)-C(H)=C(H)(H)$ (H−C−C=C, 첫 C에 H 위아래, 둘째 C에 H 위, 셋째 C에 H 2개)
C_4H_{10}	H−C−C−C−C−H (각 C에 H 위아래) 또는 중앙 C에 CH_3(H−C−H, 위에 H) 결합: H−C−C−C−H

X~Z에는 모두 H 원자 1개와 결합한 C 원자가 있으므로 각 구조식은 다음과 같다.

C_3H_4	C_3H_6	C_4H_{10}
$H-C\equiv C-CH_3$ (H−C≡C−C−H, 끝 C에 H 위아래)	H−C−C=C, 첫 C에 H 위아래, 둘째 C에 H 위, 셋째 C에 H 2개	중앙 C에 CH_3(H−C−H, 위에 H) 결합: H−C−C−C−H, 양끝 C에 H 위아래, 중앙 C 아래 H

H 원자 3개와 결합한 C 원자($-CH_3$) 수는 순서대로 1, 1, 3이므로 X와 Y는 각각 C_3H_4, C_3H_6 중 하나이다. 이때 C_3H_4에서는 C 원자가 같은 직선상에 존재하고, C_3H_6에서는 평면 삼각형으로 배열하므로 결합각(∠CCC)은 C_3H_4이 C_3H_6보다 크다. 따라서 X는 C_3H_6, Y는 C_3H_4, Z는 C_4H_{10}이다.

ㄱ. H 원자 1개와 결합한 C 원자 수는 X와 Y에서 1로 같다.

ㄴ. Y에서 C 원자 사이에 3중 결합이 존재하므로 C 원자는 모두 같은 직선상에 있다.

ㄷ. Z에서 H 원자 3개와 결합한 C 원자($-CH_3$) 수는 3이다.

11 ㄱ. (가)~(라)의 분자식은 각각 C_6H_{12}, C_6H_{10}, C_6H_8, C_6H_6이므로 한 분자가 완전 연소할 때 생성되는 물 분자 수는 H 원자 수가 큰 (나)가 (다)보다 크다.

ㄴ. (가)는 탄소 원자 사이의 결합이 모두 단일 결합이고, (라)는 벤젠으로 공명 구조를 가진다. 따라서 (가)와 (라)는 탄소 원자 사이의 결합 길이가 모두 같다.

바로 알기 ㄷ. 탄소 원자 사이에 2중 결합을 가진 (나)와 (다)는 브로민 첨가 반응을 한다. 그러나 (라)는 안정한 공명 구조를 가지므로 실온에서 첨가 반응을 하지 않는다.

12 ㄱ. (가)와 (나)는 모두 고리 모양이므로 (가)와 (나)에서 H 원자 2개와 결합한 C 원자 수는 분자를 구성하는 C 원자 수와 같다. 따라서 H 원자 2개와 결합한 C 원자 수는 (가)가 3, (나)가 4로 (나)>(가)이다.

ㄴ. 고리 모양 포화 탄화수소의 일반식은 C_nH_{2n}이다. 주어진 탄화수소의 일반식이 모두 C_nH_{2n}이므로 탄소 원자 사이의 결합은 모두 단일 결합이다.

ㄷ. (나)와 (다)는 분자식이 C_4H_8로 같고 구조식이 다르므로 구조 이성질체 관계이다.

사고력 확장 문제

1권 064~065쪽

01 (1) 메테인은 탄소 원자를 중심으로 수소 원자가 정사면체로 배열하므로 결합의 극성이 상쇄되는 대칭 구조를 갖는다. 아세트산에서 산소 원자와 결합한 탄소 원자 주위의 3개의 원자는 평면 삼각형으로 배열하지만 탄소에 결합한 원자의 종류가 달라 결합의 극성이 상쇄되지 않는다.

(2) 메테인은 무극성 분자이고, 아세트산은 극성 분자이다.

모범 답안 (1) 메테인은 결합의 극성이 상쇄되는 대칭 구조를 가지므로 무극성 분자이고, 아세트산은 결합의 극성이 상쇄되지 않는 비대칭 구조를 가지므로 극성 분자이다.

(2) 무극성 분자인 메테인은 물에 잘 녹지 않고, 극성 분자인 아세트산은 물에 잘 녹는다.

	채점 기준	배점(%)
(1)	분자 구조와 관련하여 메테인과 아세트산의 무극성과 극성을 옳게 서술한 경우	50
	무극성과 극성만 옳게 쓴 경우	30
(2)	두 물질의 용해도를 모두 옳게 서술한 경우	50
	한 가지 물질의 용해도만 옳게 서술한 경우	30

02 생물체가 질소를 이용하려면 흡수할 수 있는 형태, 즉 물에 녹아야 한다. 질소 분자(N_2)는 무극성 분자로 물에 잘 녹지 않으므로 공기 중의 질소가 호흡을 통해 체내에 들어오더라도 용해되지 않는다. 또, 질소 분자에서 질소 원자 사이의 결합은 3중 결합으로 매우 강한 결합이므로 실온에서는 이 결합이 쉽게 끊어지지 않아 반응하기 쉽지 않다.

모범 답안 공기 중의 질소는 물에 잘 녹지 않고, 질소 분자(N_2)에서 질소 원자 사이의 결합은 3중 결합으로 매우 강한 결합이므로 실온에서 반응하기 쉽지 않다. 따라서 질소를 생물이 흡수할 수 있는 암모늄 이온(NH_4^+)이나 질산 이온(NO_3^-)의 형태로 전환시킨 질소 비료를 제공한다.

채점 기준	배점(%)
질소 분자의 물에 대한 용해도, 3중 결합과 관련하여 옳게 서술한 경우	100
질소 분자의 물에 대한 용해도와 3중 결합 중 한 가지만 옳게 서술한 경우	50

03 (1) 탄소 수가 2인 탄화수소에는 에테인(C_2H_6), 에텐(C_2H_4), 에타인(C_2H_2)이 있다. 이중에서 탄소 원자 사이에 2중 결합과 3중 결합이 있는 에텐(C_2H_4), 에타인(C_2H_2)은 브로민 첨가 반응을 하는 불포화 탄화수소이지만, 에테인은 포화 탄화수소로 브로민 첨가 반응을 하지 않는다.

(2) 브로민수의 색 변화가 없는 C는 에테인이지만 색 변화가 있는 A와 B를 에텐과 에타인으로 구별할 수 없다. 이때 A와 B에 수소 분자(H_2)를 첨가시켜 에테인으로 만들기 위해 소모된 수소 분자 수를 조사하면 에텐과 에타인을 구별할 수 있다.

모범 답안 (1) 브로민수 탈색 반응을 하는 것은 브로민 첨가 반응을 하는 불포화 탄화수소이고, 브로민수 탈색 반응을 하지 않는 것은 포화 탄화수소이다. 따라서 A와 B는 불포화 탄화수소이고, C는 포화 탄화수소이다.

(2) A와 B 한 분자에 수소 분자(H_2)를 첨가시켜 에테인으로 만들기 위해 필요한 수소 분자(H_2) 수를 조사한다.

	채점 기준	배점(%)
(1)	브로민수 탈색 결과와 관련지어 포화 탄화수소와 불포화 탄화수소로 옳게 분류한 경우	50
	포화 탄화수소와 불포화 탄화수소로 분류만 옳게 한 경우	30
(2)	실험 방법을 옳게 제시한 경우	50

04 탄소 수가 3이므로 $\frac{\text{탄소 원자 수}}{\text{수소 원자 수}}$가 0.5인 (나)에서 수소 원자 수는 6이고, 0.75인 (다)에서 수소 원자 수는 4이므로 (나)와 (다)의 분자식은 각각 C_3H_6, C_3H_4이다. 또, (가)에서 $\frac{\text{탄소 원자 수}}{\text{수소 원자 수}}$가 0.5보다 작으므로 분자식은 C_3H_8이다.

C_3H_8은 사슬 모양 포화 탄화수소이다. 자료에서 다중 결합이 있는 탄화수소에는 3중 결합이 1개 있으므로 이러한 특징을 갖는 탄화수소는 C_3H_4이고, 사슬 모양이다. 나머지 C_3H_6에는 다중 결합이 없으므로 고리 모양 포화 탄화수소이다.

모범 답안 (1) (가) 사슬 모양, (나) 고리 모양, (다) 사슬 모양

(2) (가)~(다)의 구조식은 다음과 같다.

(가)	(나)	(다)
$CH_3-CH_2-CH_3$ (H−C−C−C−H, 각 C에 H 결합)	H₂C 고리(삼각형, 각 C에 H 2개)	$H-C\equiv C-CH_3$

(가)에서는 탄소 원자에 4개의 원자가 결합하고 있으므로 결합각(∠CCC)은 약 109.5°이다. (나)에서는 탄소 원자가 삼각형 고리 구조를 이루므로 결합각(∠CCC)은 60°이다. (다)에서는 탄소 원자가 같은 직선상에 있으므로 결합각(∠CCC)은 180°이다.

따라서 결합각(∠CCC)은 (다)>(가)>(나)이다.

	채점 기준	배점(%)
(1)	(가)~(다)의 분자 모양을 사슬 모양과 고리 모양으로 모두 옳게 분류한 경우	50
	(가)~(다) 중 2가지의 분자 모양을 사슬 모양과 고리 모양으로 옳게 분류한 경우	30
(2)	구조식을 모두 옳게 그리고, 결합각을 옳게 비교하여 서술한 경우	50
	구조식만 옳게 그리거나 결합각만 옳게 비교하여 서술한 경우	30

2. 물질의 양과 화학 반응식

01 몰

집중 분석

1권 079쪽

유제 ⑤

유제 ㄱ. 같은 온도, 같은 압력에서 각 용기에 들어 있는 기체 분자 수비는 부피비와 같으므로 $ZX_2 : X_2 : Y_2 = 1:2:3$이다. 이때 각 기체의 질량이 같으므로 분자 1개의 질량비는 $\frac{1}{\text{부피}}$비와 같고, $ZX_2 : X_2 : Y_2 = 1 : \frac{1}{2} : \frac{1}{3} = 6:3:2$이다. 따라서 분자량은 X_2가 Y_2의 1.5배이다.

ㄴ. 분자량비가 $X_2 : Y_2 = 3:2$이므로 원자량비는 $X : Y = 3:2$이다. 이때 Y의 원자량을 a라고 하면 X의 원자량은 $1.5a$이다. X_2의 분자량은 $3a$이고, ZX_2의 분자량은 X_2 분자량의 2배인 $6a$이므로 Z의 원자량을 b라고 하면 $b+3a=6a$이다. 따라서 $b=3a$이므로 원자량은 Z($3a$)가 X($1.5a$)의 2배이다.

ㄷ. 각 용기에 들어 있는 전체 원자 수는 분자 수에 분자의 구성 원자 수를 곱한 값이므로 전체 원자 수비는 (가) : (나) : (다)$=1\times3 : 2\times2 : 3\times2 = 3:4:6$이다. 따라서 전체 원자 수는 (다)가 (가)의 2배이다.

개념 모아 정리하기

1권 081쪽

❶ 상대적 ❷ 원자량 ❸ 6.02×10^{23} ❹ 6.02×10^{23} ❺ 6.02×10^{23} ❻ 6.02×10^{23} ❼ 22.4 ❽ 22.4 ❾ 22.4 ❿ 22.4

개념 기본 문제

1권 082~083쪽

01 ㄱ **02** ㄴ, ㄷ **03** 8, 22 **04** (나)-(다)-(라)-(가) **05** 6.02×10^{23} **06** ㄱ, ㄴ **07** (가) $4N_A$ (나) N_A (다) $3N_A$ **08** (1) 0.5몰 (2) 11.2 L (3) 6 g (4) 1.204×10^{24}개 **09** ㄱ, ㄴ **10** (1) 0.5몰 (2) 9.03×10^{23}개 (3) 7 g **11** (가)=(나)>(다) **12** (가) 물의 분자량(또는 물의 1몰 질량) (나) 아보가드로수 **13** ㉠ 분자량(또는 몰 질량), ㉡ 아보가드로수(6.02×10^{23}), ㉢ 22.4(L/mol) **14** (가) 44 (나) 14 **15** ㉠ 17, ㉡ 22, ㉢ 5.6

01 ㄱ. 원자량은 원자들의 상대적 질량인데, 현재 사용하는 원자량의 기준은 질량수가 12인 탄소(^{12}C) 원자이다.

바로 알기 ㄴ, ㄷ. 원자량은 어떤 기준 원자의 질량에 대한 원자들의 상대적 질량이므로 단위가 없다.

02 ㄴ. 분자량은 분자들의 상대적 질량으로, 분자를 구성하는 원자들의 원자량의 합이다.

ㄷ. 이온은 원자가 전자를 얻거나 잃어서 형성되는데, 원자의 질량에 비해 전자의 질량은 무시할 수 있을 정도로 작으므로 이온식량은 이온식을 이루는 원자의 원자량과 같다.

바로 알기 ㄱ. 원자의 질량수는 원자핵을 구성하는 양성자수와 중성자수의 합이다. 질량수가 크면 원자량은 증가하지만 핵을 구성하는 입자들이 결합할 때 에너지 방출에 따른 질량 결손이 생기므로 질량수가 원자량과 같지는 않다.

03 원자량의 기준이 되는 ^{12}C의 원자량이 12일 때 O의 원자량이 16이므로, 기준 값을 절반인 6으로 정하였다면 O의 원자량은 8이 된다. 또, 분자량은 분자를 구성하는 원자들의 원자량의 합이므로 CO_2의 분자량은 $6+2\times8=22$가 된다.

04 각 물질의 화학식량은 다음과 같다.

(가) C_2H_6: $2\times12+6\times1=30$

(나) CO_2: $12+2\times16=44$

(다) H_2O_2: $2\times1+2\times16=34$

(라) CH_3OH: $12+4\times1+16=32$

위 물질들을 화학식량이 큰 순서대로 나열하면 (나)-(다)-(라)-(가)이다.

05 1몰은 C 원자 12 g에 들어 있는 원자 수로, 그 수는 6.02×10^{23}개이다. 즉, C 원자 6.02×10^{23}개의 질량이 12 g이므로 C 원자 1개의 질량은 12 g을 6.02×10^{23}으로 나누어서 구한다.

06 ㄱ. 물질 1몰에는 그 물질을 구성하는 입자가 6.02×10^{23}개, 즉 아보가드로수만큼 들어 있다.

ㄴ. 물질 1몰의 질량은 그 물질의 화학식량에 g을 붙인 값이다.

바로 알기 ㄷ. 0 °C, 1기압에서 모든 기체 1몰의 부피는 22.4 L로 같다.

07 (가) 산소 분자(O_2) 2몰에 들어 있는 산소 분자 수는 $2N_A$개이다. 산소 분자 1개에는 산소 원자(O)가 2개 있으므로 산소 원자 수는 $4N_A$이다.

(나) 물 분자(H_2O) 1개에 들어 있는 수소 원자(H)는 2개이다. H_2O 0.5몰에 들어 있는 수소 원자의 양은 1몰이므로 수소 원자 수는 N_A이다.

(다) 염화 나트륨(NaCl) 1몰에는 나트륨 이온(Na^+)과 염화 이온(Cl^-)이 각각 1몰씩 들어 있다. 즉, NaCl 1.5몰에 들어 있는 전체 이온의 양은 3몰이므로 전체 이온 수는 $3N_A$이다.

08 (1) CH_4의 분자량이 16이므로 CH_4 1몰의 질량은 16 g이다. 따라서 CH_4 8 g에 들어 있는 CH_4의 양은 0.5몰이다.

(2) 0 °C, 1기압에서 기체 1몰의 부피는 기체의 종류에 관계없이 22.4 L이므로 CH_4 0.5몰의 부피는 11.2 L이다.

(3) CH_4 0.5몰에 들어 있는 C 원자의 양은 0.5몰이므로 C의 질량은 6 g이다.

(4) CH_4 1개에 들어 있는 H 원자는 4개이다. 따라서 CH_4 0.5몰에 들어 있는 H 원자의 양은 2몰이므로 $2\times6.02\times10^{23}$개이다.

09 ㄱ. CO_2의 분자량이 44이므로 88 g에 들어 있는 CO_2의 양은 2몰이다.

ㄴ. 기체 1몰의 부피가 0 °C, 1기압에서 22.4 L이므로 CO_2 2몰의 부피는 44.8 L이다.

바로 알기 ㄷ. CO_2 1몰에 들어 있는 탄소(C)의 질량이 12 g이므로 CO_2 2몰에 들어 있는 탄소의 질량은 24 g이다.

ㄹ. CO_2 1몰에 들어 있는 산소(O)의 양이 2몰이므로 CO_2 2몰에 들어 있는 산소의 양은 4몰이다.

10 (1) NH_3 분자 3.01×10^{23}개는 0.5몰이다.

(2) NH_3 분자 1개에 들어 있는 수소(H) 원자는 3개이다. 따라서 0.5몰의 NH_3에 들어 있는 수소 원자의 양은 1.5몰이므로 $1.5\times6.02\times10^{23}$개이다.

(3) NH_3 1몰에 들어 있는 질소 원자의 질량이 14 g이므로 NH_3 0.5몰에 들어 있는 질소 원자의 질량은 7 g이다.

11 0 °C, 1기압에서 기체 1몰의 부피는 22.4 L이므로 (가), (나), (다)에서 기체 분자의 양은 각각 0.5몰, 1몰, 0.25몰이다. 각 분자 1몰에 들어 있는 원자 수는 각각 (가)에서 4몰, (나)에서 2몰, (다)에서 5몰이므로 원자 수비는 (가) : (나) : (다)$=0.5\times4 : 1\times2 : 0.25\times5=2 : 2 : 1.25$이다. 따라서 원자 수는 (가)=(나)>(다)이다.

12 일정 질량의 물속에 들어 있는 물의 양(mol)을 구하려면 물 1몰의 질량을 알아야 한다. 따라서 (가)에서 필요한 자료는 물의 분자량(또는 1몰의 질량)이다. 또, 물 분자 수(개수)를 구하려면 1몰에 들어 있는 입자 수, 즉 아보가드로수를 알아야 한다.

13 ㉠ 일정 질량에 들어 있는 기체의 양(mol)을 구하려면 기체 분자 1몰의 질량, 즉 분자량을 알아야 한다.
㉡ 전체 기체 분자 수로부터 기체의 양(mol)을 구하려면 분자 1몰에 들어 있는 분자 수, 즉 아보가드로수를 알아야 한다.
㉢ 기체의 부피로부터 기체의 양(mol)을 구하려면 주어진 조건에서 기체 1몰의 부피를 알아야 한다.

14 0 ℃, 1기압에서 기체 1몰의 부피가 22.4 L이므로 11.2 L에는 X_2O 기체가 0.5몰 있다. 이때의 질량이 22 g이므로 1몰의 질량은 44 g이고 X_2O의 분자량은 44이다. 분자량은 원자량의 합이므로 X의 원자량을 x라고 하면 다음과 같이 구할 수 있다.
$2x+16=44$, $x=14$

15 0 ℃, 1기압에서 기체 1몰의 부피가 22.4 L이므로 A 1몰의 질량은 17 g이다. 따라서 A의 분자량(㉠)은 17이다.
B의 양은 0.5몰이고, B 1몰의 질량이 44 g이므로 B 0.5몰의 질량(㉡)은 22 g이다.
C 1몰의 질량이 32 g이므로 8 g은 C 0.25몰이다. 따라서 C 0.25몰의 부피(㉢)는 5.6 L이다.

개념 적용 문제 1권 084~087쪽

01 ⑤	02 ②	03 ③	04 ②
05 ③	06 ⑤	07 ①	08 ①

01 ㄱ. 분자 1개의 질량에 아보가드로수(6.0×10^{23})를 곱하면 분자 1몰의 질량을 구할 수 있다. 이로부터 각 분자의 분자량은 X가 2, Y가 18, Z가 44이다.
분자량은 분자를 이루는 원자들의 원자량의 합이므로 A의 원자량은 1, B의 원자량은 16, C의 원자량은 12이다. 따라서 원자량은 C가 A의 12배이다.
ㄴ. 각 분자 1 g에 들어 있는 분자 수비는 $\frac{1}{\text{분자량}}$ 비와 같으므로 Y와 Z 1 g에 들어 있는 분자 수비는 Y : Z$=\frac{1}{18}:\frac{1}{44}$이다. 또, 분자 1개당 B 원자 수는 Y가 1, Z가 2이므로 1 g에 들어 있는 B 원자의 개수비는 Y : Z$=\frac{1}{18}:\frac{1}{44}\times2$로 Y가 Z보다 크다.
ㄷ. 기체 1 g의 분자 수비는 X : Y$=\frac{1}{2}:\frac{1}{18}$이고, 같은 온도와 같은 압력에서 같은 수의 기체 분자의 부피는 같으므로 분자 수가 많은 X가 Y보다 부피가 크다.

02 (가)의 구성 원자 수는 2이므로 분자식은 AB이다. 구성 원자 수가 4인 (나)의 분자식이 A_2B_2라면 분자량은 (가)의 2배가 되어야 하는데 2배보다 작으므로 분자식은 A_3B이거나 AB_3이다. A와 B의 원자량을 각각 a, b라고 할 때 가능한 분자량의 조합은 다음과 같다.

분자	(가)	(나)	
분자식	AB	A_3B	AB_3
분자량	$a+b$	$3a+b$	$a+3b$
	10	17	

만약 (나)의 분자식이 A_3B라고 하면 $a+b=10$, $3a+b=17$의 두 식을 만족하는 값은 $a=3.5$, $b=6.5$가 되어 $a>b$인 조건에 위배된다. 따라서 (나)의 분자식은 AB_3이고, $a=6.5$, $b=3.5$이다.
ㄷ. A와 B의 원자량(상댓값)이 각각 6.5, 3.5이므로 AB_5의 분자량(상댓값)은 $6.5+5\times3.5=24$이다. 따라서 분자량은 AB_5가 (가)의 2.4배이다.
바로 알기 ㄱ. (나)의 분자식은 AB_3이므로 (나)를 구성하는 원자 수는 B가 A보다 크다.
ㄴ. 1 g에 들어 있는 분자 수비는 $\frac{1}{\text{분자량}}$비와 같으므로 (가) : (나)$=\frac{1}{10}:\frac{1}{17}$이다.
분자 당 B 원자 수는 (가)와 (나)에서 각각 1, 3이므로 1 g에 들어 있는 B 원자 수비는 (가) : (나)$=\frac{1}{10}:\frac{3}{17}=17:30$이므로 (나)가 (가)의 2배보다 작다.

03 ㄱ. ^{1}H의 원자량이 기준 Ⅰ에서보다 기준 Ⅱ에서 작으므로 H_2의 분자량은 기준 Ⅰ보다 기준 Ⅱ에서 작다.

ㄴ. 기준 Ⅰ에서 아보가드로수는 ${}^{12}C$ 12 g에 들어 있는 ${}^{12}C$ 원자 수이다. 이 값은 ${}^{1}H$ 1.007 g에 들어 있는 ${}^{1}H$ 원자 수와 같다. 그런데 기준 Ⅱ에서는 ${}^{1}H$ 1.000 g에 들어 있는 ${}^{1}H$ 원자 수가 아보가드로수가 되므로 기준 Ⅰ에서보다 작다. 따라서 0 ℃, 1기압에서 기체 1몰에 들어 있는 기체 분자 수가 작아지므로 기체 1몰의 부피는 기준 Ⅱ에서가 기준 Ⅰ에서보다 작다.

바로 알기 ㄷ. 밀도는 단위 부피당 질량이다. 1몰의 부피가 $\frac{1.000}{1.007}$만큼 감소하고, 1몰의 질량 또한 $\frac{1.000}{1.007}$만큼 감소하므로 기체의 밀도는 기준 Ⅰ과 기준 Ⅱ에서 같다.

04 ㄴ. 원자량은 A가 B보다 작으므로 분자량은 AB_2가 A_2B보다 크다. 따라서 같은 질량에 들어 있는 분자 수는 AB_2가 A_2B보다 작다. 이로부터 (다)에서 부피 $V>2$이다.

바로 알기 ㄱ. 기체의 부피는 (가)가 (나)의 2배이므로 분자 수도 (가)가 (나)의 2배이다. 이때 A_2B_4 분자량은 AB_2 분자량의 2배이므로 (나)에서 기체의 질량 y는 (가)에서 기체의 질량 x와 같다. 따라서 $\frac{x}{y}=1$이다.

ㄷ. 기체 분자 수는 (가) : (나)=2 : 1이고, 분자의 구성 원자 수는 A_2B_4가 AB_2의 2배이므로 실린더 속 전체 원자 수는 (가)와 (나)에서 같다.

05 ㄱ. a g에는 A 원자 1몰이 들어 있고, b g에는 B 원자 1몰이 들어 있으므로 (가)의 분자식은 A_2B이고, (나)의 분자식은 AB_2이다. 이때 $a<b$이므로 분자량은 $A_2B<AB_2$이다. 따라서 1 g에 들어 있는 분자 수는 (가)>(나)이다.

ㄷ. 1 g에 들어 있는 분자 수는 (가)>(나)이고, (가) 분자 1개에 들어 있는 A 원자 수와 (나) 분자 1개에 들어 있는 B 원자 수가 같으므로 (가) 1 g에 들어 있는 A 원자 수는 (나) 1 g에 들어 있는 B 원자 수보다 크다.

바로 알기 ㄴ. (다)의 분자식은 A_2B_4이므로 (다)의 분자량은 분자식이 AB_2인 (나)의 분자량의 2배이다. 이때 분자당 원자 수는 (다)가 (나)의 2배이므로 1 g에 들어 있는 원자 수는 (나)와 (다)에서 같다.

06 ㄱ. (나)의 실험식이 XY_2Z이므로 분자식은 XY_2Z의 정수배이다. 이때 (다)의 분자식이 Y_2Z이므로 실험식 또한 Y_2Z이고, 실험식량은 3이 된다. 만약 (나)의 분자식이 XY_2Z에 2 이상의 정수배를 한 것이라면 분자량은 6 이상이 되므로 조건에 부합되지 않는다. 따라서 (나)의 분자식은 XY_2Z이다.

ㄴ. (나)의 분자식은 XY_2Z이고 분자량이 5이며, (다)의 분자량이 3이므로 X의 원자량은 2가 된다. (나)는 실험식 XY_2Z와 분자식이 같으므로 (나)의 실험식량은 5이다. 이때 (가)의 실험식이 XY_3이고 분자식도 XY_3라고 가정하면 분자량이 5가 되어 Y와 Z의 원자량이 같아지므로 타당하지 않다. 이로부터 (가)의 분자식은 XY_3의 정수배이고, X의 원자량이 2이므로 분자당 구성 원자 수는 3 이상이 될 수 없다. 따라서 (가)의 분자식은 X_2Y_6이고 분자량은 $(2\times2)+(6\times\text{Y의 원자량})=5$이므로 Y의 원자량은 $\frac{1}{6}$이다.

또, (다)에서 Y_2Z의 분자량이 3이므로 Z의 원자량은 $\frac{8}{3}$이다. 즉, 원자량은 Z가 X보다 크다.

ㄷ. (나)와 (다)의 분자식은 각각 XY_2Z, Y_2Z로 분자 1개에 들어 있는 Y 원자 수가 같다. 따라서 1 g에 들어 있는 분자 수는 (다)>(나)이므로 1 g에 들어 있는 Y 원자 수는 (다)>(나)이다.

07 ㄱ. 주어진 온도와 압력에서 X_2 V L에 들어 있는 질량이 2.8 g이고, Y_2 $0.5V$ L에 들어 있는 질량이 1.9 g(=4.7 g−2.8 g)이다. 따라서 같은 부피에 들어 있는 질량비는 $X_2:Y_2=28:38=14:19$이다. 즉, 원자량비도 X : Y=14 : 19이므로 원자량은 Y가 X보다 크다.

바로 알기 ㄴ. X의 원자량을 14라고 하면 Y의 원자량은 19이므로 XY_3의 분자량은 71이다. 분자량이 28인 X_2 V L에 들어 있는 질량이 2.8 g이므로 분자량이 71인 XY_3 V L에 들어 있는 질량은 7.1 g이다. 이때 (다)의 부피가 $2V$ L로 넣어 준 XY_3의 양은 $0.5V$ L에 해당하므로 XY_3의 질량은 3.55 g이다. 따라서 (다)에서 질량(w)은 4.7 g+3.55 g=8.25 g이다.

ㄷ. (다)에 들어 있는 각 기체의 몰비는 $X_2:Y_2:XY_3=2:1:1$이다. X 원자 총 수가 5일 때 Y 원자 총 수도 5로 같다.

08 ㄱ. 원자량은 A<C이므로 AC에서 질량 비율은 A<C이다. 마찬가지로 원자량은 B<C이므로 BC에서 질량 비율은 B<C이다. (가)와 (나)는 각각 AC와 AC_2 중 하나이고, AC_2에서는 AC에서보다 C의 질량 비율이 크다. 따라서 (가)는 AC_2이고, (나)는 AC이다. 마찬가지로 판단하면 (다)는 BC이고, (라)는 BC_2이다.

바로 알기 ㄴ. (나)와 (다)의 분자식이 각각 AC, BC이고, C 원자 1개의 질량에 대한 A와 B의 질량 비율을 비교하면 (다)에서가 더 크므로 원자량은 B>A이다.
ㄷ. (나)의 분자식은 AC이고, (라)의 분자식은 BC_2이므로 C 원자 1개당 결합한 A와 B의 개수비는 2 : 1이다.

02 화학 반응식

탐구 확인 문제 1권 096쪽

01 ⑤ **02** ㄱ, ㄷ **03** ③

01 ① 반응 전후 질량 차로 생성된 이산화 탄소의 질량을 구할 수 있는 것은 생성된 이산화 탄소가 물에 녹지 않고 공기 중으로 빠져나가기 때문이다.
② 탄산 칼슘 1.0 g을 넣을 때보다 2.0 g을 넣을 때 생성된 이산화 탄소의 양이 2배가 되므로 사용한 묽은 염산은 탄산 칼슘이 모두 반응하기에 충분하다.
③ 생성물 중에 기체는 이산화 탄소 뿐이므로 반응 전후 질량 차는 발생한 이산화 탄소의 질량과 같다.
④ 탄산 칼슘은 산과 반응하여 이산화 탄소 기체를 발생하므로 묽은 염산 대신 아세트산 수용액을 사용해도 반응의 양적 관계를 확인할 수 있다.
바로 알기 ⑤ 묽은 염산 50 mL는 탄산 칼슘이 모두 반응하기에 충분하므로 70 mL로 실험해도 생성된 이산화 탄소의 질량은 같다.

02 ㄱ, ㄷ. 주어진 화학 반응식에서 반응물인 탄산 칼슘과 생성물인 이산화 탄소의 계수비가 1 : 1임을 확인하려면 실험에서 측정한 탄산 칼슘의 질량과 생성된 이산화 탄소의 질량을 각 물질의 양(mol)으로 환산해야 한다. 따라서 탄산 칼슘의 화학식량과 이산화 탄소의 분자량을 알아야 한다.
바로 알기 ㄴ. 묽은 염산의 양은 충분하므로 주어진 실험에서 반응의 양적 관계를 알아볼 때 묽은 염산의 밀도는 필요하지 않다.

03 ㄱ, ㄴ. 마그네슘과 묽은 염산이 반응하는 화학 반응식은
$Mg(s) + 2HCl(aq) \longrightarrow MgCl_2(aq) + H_2(g)$이다.
마그네슘과 묽은 염산이 반응하면 수소 기체가 발생하는데, 이때 발생한 수소 기체의 부피가 2.24 L이므로 0.1몰에 해당한다. 화학 반응식의 계수비가 $Mg : H_2 = 1 : 1$이므로 반응한 Mg 2.4 g은 0.1몰임을 알 수 있다. 즉, Mg의 1몰 질량인 원자량은 24이다.
바로 알기 ㄷ. 마그네슘과 묽은 염산의 반응 몰비는 계수비와 같으므로 1 : 2이다.

집중 분석 1권 098쪽

유제 ⑤

유제 ㄱ. CO의 연소 반응식은 다음과 같다.
$2CO(g) + O_2(g) \longrightarrow 2CO_2(g)$
연소 전 실린더 속 전체 기체의 부피가 24 L이므로 기체의 양은 1몰이다. 이때 CO의 분자량이 28이므로 CO 5.6 g은 0.2몰이고, O_2의 양은 1몰−0.2몰=0.8몰이다. 반응한 CO와 생성되는 CO_2의 몰비가 1 : 1이므로 생성되는 CO_2의 양은 0.2몰이다. 즉, $x=0.2$이다.
ㄴ. CO 0.2몰과 반응하는 O_2의 양은 0.1몰이므로 연소 후에는 생성된 CO_2 0.2몰과 반응하지 않은 O_2 0.7몰(=0.8몰−0.1몰)이 남아 있다. 즉, 전체 기체의 양이 0.9몰이므로 전체 기체의 부피는 21.6 L이다. 따라서 $V=21.6$이다.
ㄷ. 연소 후 반응하지 않고 남은 O_2의 양이 0.7몰이고 O_2의 분자량은 32이므로 O_2의 질량은 $0.7 \times 32 = 22.4$(g)이다.

개념 모아 정리하기 1권 099쪽

❶ 화학식 ❷ 화학식 ❸ 왼쪽 ❹ 오른쪽
❺ 계수 ❻ 계수 ❼ 부피비

개념 기본 문제 1권 100~101쪽

01 ㄱ, ㄴ **02** (1) 2, 1, 2 (2) CO_2 (3) O_2 **03** 9.03×10^{23}개 **04** $2A_2 + B_2 \longrightarrow 2A_2B$ **05** a: 2, b: 3, c: 4, d: 2 **06** (1) a: 2, b: 1 (2) ㉠ LiOH의 화학식량(1몰의 질량), ㉡ $\frac{1}{2}$, ㉢ CO_2의 분자량(1몰의 질량) **07** ㄱ, ㄷ **08** (1) 22 g (2) 1.204×10^{24}개 (3) 8 g **09** (1) $C_2H_5OH + 3O_2 \longrightarrow 2CO_2 + 3H_2O$ (2) 27 g (3) 0.5몰 (4) 67.2 L **10** (1) 2 (2) 0.25몰 (3) 0.25몰 (4) 24

01 ㄱ. 반응물은 화살표의 왼쪽에 있는 N_2와 H_2이다.

ㄴ. 화학 반응식에서 각 물질의 계수비가 반응 몰비와 같으므로 N_2와 H_2는 1 : 3의 몰비로 반응한다.

바로 알기 ㄷ. N_2와 NH_3의 계수비는 반응 몰비이며 질량비가 아니다. 즉, N_2와 NH_3의 반응 몰비가 1 : 2이므로 반응 질량비를 알려면 각 물질의 분자량을 알아야 한다. 분자량은 각각 28, 17이므로 N_2와 NH_3의 반응 질량비는 28 : $2\times17=14:17$이다.

02 각 반응에서 반응 전후 원자의 종류와 수가 같도록 계수를 맞추거나 적절한 물질의 화학식을 쓰면 다음과 같다.

(1) $2CO + O_2 \longrightarrow 2CO_2$

(2) $Fe_2O_3 + 3CO \longrightarrow 2Fe + 3CO_2$

(3) $2H_2O_2 \longrightarrow 2H_2O + O_2$

03 주어진 반응에서 O_2와 H_2O의 계수비가 1 : 2이므로 3몰의 H_2O을 생성하기 위해 필요한 O_2의 최소한의 양은 1.5몰이고, 1몰에 들어 있는 분자 수는 6.02×10^{23}개이므로 필요한 O_2 분자 수는 $1.5\times6.02\times10^{23}$개이다.

04 반응물은 A_2와 B_2이고, 생성물은 A_2B이다. 반응 전후 원자의 종류와 수가 같도록 각 물질의 계수를 맞추면 다음과 같다.

$2A_2 + B_2 \longrightarrow 2A_2B$

05 반응물과 생성물에서 원자의 종류와 수가 같아야 하므로 각 원자의 반응 전후 개수는 다음과 같다.

원자의 종류	C	H	O
방정식	$a=d$	$4a=2c$	$a+2b=c+2d$

미지수는 4개이고 방정식이 3개이므로 $a=1$이라고 하면 $d=1$, $c=2$, $b=\frac{3}{2}$이다. $a\sim d$가 모두 정수가 되게 전부 2를 곱하면 $a=2$, $b=3$, $c=4$, $d=2$이다.

06 (1) 반응물과 생성물에서 원자의 종류와 수가 같아야 하므로 각 원자의 종류와 수가 같도록 계수를 맞추면 다음과 같다.

$2LiOH(s) + CO_2(g) \longrightarrow Li_2CO_3(s) + H_2O(l)$

(2) LiOH 10 g의 양(mol)을 구하려면 질량을 1몰의 질량으로 나누어야 한다. 따라서 ㉠은 LiOH의 화학식량(또는 1몰의 질량)이다. LiOH과 CO_2는 2 : 1의 몰비로 반응하므로 LiOH x몰과 반응하는 CO_2의 양(y)은 $\frac{1}{2}\times x$이다. 즉, ㉡은 $\frac{1}{2}$이다. CO_2의 양(mol)으로부터 질량을 구하려면 CO_2의 분자량(1몰의 질량)을 곱해 주면 된다. 따라서 ㉢은 CO_2의 분자량(1몰의 질량)이다.

07 ㄱ. 주어진 화학 반응식을 완성하면 다음과 같다.

$6CO_2 + 6H_2O \longrightarrow C_6H_{12}O_6 + 6O_2$

즉, CO_2와 O_2의 반응 계수가 같으므로 반응하는 CO_2 분자 수와 생성되는 O_2 분자 수는 같다.

ㄷ. $a+b=1+6=7$이다.

바로 알기 ㄴ. CO_2와 $C_6H_{12}O_6$의 반응 계수비가 6 : 1이므로 반응하는 CO_2의 질량이 6×44 g일 때 생성되는 $C_6H_{12}O_6$의 질량은 180 g이다. 즉, 반응하는 CO_2의 질량은 생성되는 $C_6H_{12}O_6$ 질량의 $\frac{6\times44}{180}=\frac{22}{15}$(배)이다.

08 (1) 반응하는 CH_4과 생성되는 CO_2의 몰비는 1 : 1이고, CH_4 8 g은 0.5몰이므로 생성되는 CO_2의 양은 0.5몰이다. CO_2 1몰의 질량이 44 g이므로 생성되는 CO_2 0.5몰의 질량은 22 g이다.

(2) CH_4 1몰이 완전 연소하기 위해 필요한 O_2의 최소한의 양이 2몰이므로 분자 개수는 $2\times6.02\times10^{23}$개이다.

(3) 0 °C, 1기압에서 CO_2 11.2 L는 0.5몰이므로 반응한 CH_4은 0.5몰이고, 질량은 8 g이다.

09 (1) C_2H_5OH이 O_2와 반응하여 CO_2와 H_2O을 생성하고, 반응 전후 원자의 종류와 수가 같아야 하므로 화학 반응식을 완성하면 다음과 같다.

$C_2H_5OH + 3O_2 \longrightarrow 2CO_2 + 3H_2O$

(2) C_2H_5OH과 H_2O의 계수비가 1 : 3이고, 분자량은 각각 46, 18이다. C_2H_5OH 23 g은 0.5몰이므로 생성되는 H_2O의 양은 1.5몰이고, 물 1몰의 질량이 18 g이므로 물 1.5몰의 질량은 27 g이다.

(3) C_2H_5OH 11.5 g은 0.25몰이므로 생성되는 CO_2의 양은 0.5몰이다.

(4) C_2H_5OH 46 g은 1몰이므로 C_2H_5OH 1몰을 완전 연소시키기 위해 필요한 O_2의 최소한의 양은 3몰이다. 0 °C, 1기압에서 O_2 3몰의 부피는 67.2 L이다.

10 (1) 반응 전후 원자의 종류와 수가 같아야 하므로 화학 반응식을 완성하면 다음과 같다.

$M(s) + 2HCl(aq) \longrightarrow MCl_2(aq) + H_2(g)$

(2) 0 °C, 1기압에서 H_2 5.6 L의 양은 0.25몰이다.

(3) 화학 반응식의 계수비가 $M : H_2 = 1 : 1$이므로 반응한 M의 양은 0.25몰이다.

(4) 반응한 M 6 g은 0.25몰이므로 1몰의 질량은 24 g이다. 따라서 M의 원자량은 24이다.

개념 적용 문제 1권 102~105쪽

01 ④	**02** ⑤	**03** ③	**04** ①
05 ①	**06** ⑤	**07** ①	**08** ③

01 반응 전후 반응물과 생성물의 원자 종류와 수가 같아야 하므로 주어진 화학 반응식을 완성하면 다음과 같다.

$2C(s) + O_2(g) \longrightarrow 2CO(g)$

$Fe_2O_3(s) + 3CO(g) \longrightarrow 2Fe(s) + 3CO_2(g)$

C 72 g은 6몰이므로 C가 모두 반응하여 생성되는 CO의 양은 6몰이다. 반응한 CO와 생성되는 Fe의 몰비는 3 : 2이므로 CO 6몰이 모두 반응하여 생성되는 Fe의 양은 4몰이다. Fe의 원자량이 56이므로 생성되는 Fe의 질량은 $4\times56=224$(g)이다.

02 ㄱ. C의 연소 반응식은 다음과 같다.

$C(s) + O_2(g) \longrightarrow CO_2(g)$

$C(s)$ 1.2 g의 양은 0.1몰이고, 주어진 온도와 압력 조건에서 $O_2(g)$ 6 L의 양은 0.2몰이다.

$C(s)$, $O_2(g)$, $CO_2(g)$의 계수비가 1 : 1 : 1이므로 C 0.1몰이 모두 반응하여 CO_2 0.1몰을 생성한다.

ㄴ. O_2 0.2몰의 질량은 6.4 g이므로 반응 전 반응물의 질량의 합은 6.4 g+1.2 g=7.6 g이다. 화학 반응에서 질량이 보존되므로 반응 후 실린더 속 물질의 전체 질량은 7.6 g으로 일정하다.

ㄷ. 반응 후 실린더 속에는 생성된 CO_2 0.1몰과 반응하지 않고 남은 O_2 0.1몰이 존재하므로 실린더 속 전체 기체의 부피는 0.2몰에 해당하는 6 L이다.

03 ㄱ. O_2 6.4 g의 양은 0.2몰이므로 반응한 O_2의 양은 0.5몰−0.2몰=0.3몰이다. 이때 화학 반응식에서 C_2H_4과 O_2의 계수비가 1 : 3이므로 반응한 C_2H_4의 양은 0.1몰이다. 따라서 반응 전 실린더에 들어 있던 C_2H_4의 질량(x)은 $0.1\times28=2.8$(g)이다.

ㄴ. 반응하는 C_2H_4과 생성되는 CO_2의 몰비가 1 : 2이므로 생성되는 CO_2의 양은 0.2몰이다. 따라서 생성된 CO_2의 질량은 $0.2\times44=8.8$(g)이다.

바로 알기 ㄷ. 반응물과 생성물이 모두 기체이고, 반응물의 계수의 합과 생성물의 계수의 합이 같으므로 반응한 기체의 양만큼 생성물이 생성된다. 즉, 반응 전후 전체 기체의 부피의 합이 같다. 또, 반응 전후 질량은 일정하므로 기체의 밀도는 반응 전후가 같다.

04 ㄱ. 기체의 온도와 압력이 일정할 때 기체의 부피비는 기체 분자 수비와 같다. 또, 실린더의 높이비는 기체의 부피비와 같다.

화학 반응에서 반응 전후 질량의 합은 항상 같고, O_2 3몰의 질량은 $3\times32=96$(g)이므로 반응 전 질량의 합은 128 g+96 g=224 g이다. 반응 후 질량의 합도 224 g이어야 하므로 반응 후 남은 O_2의 질량은 224 g−160 g=64 g이고, 64 g은 O_2 2몰에 해당한다. 즉, 반응한 O_2의 양이 1몰(=3몰−2몰)이므로 반응 전 실린더 속 X의 양은 2몰이다.

반응 전 전체 기체 5몰의 부피(높이)가 $5h$인데 반응 후 부피(높이)가 $4h$이므로 반응 후 실린더 속에 들어 있는 전체 기체의 양은 4몰이다. 따라서 생성된 Y의 양은 2몰이고, X 2몰이 반응하여 Y 2몰이 생성되었음을 알 수 있다. 이때 X와 Y의 반응 몰비가 같으므로 Y의 반응 계수(a)는 X와 같은 2이다.

즉, 화학 반응식은 $2X(g) + O_2(g) \longrightarrow 2Y(g)$이다.

바로 알기 ㄴ. X 2몰의 질량이 128 g이고, Y 2몰의 질량은 160 g이다. 같은 분자 수의 질량비가 X : Y=128 : 160=4 : 5이므로 분자량은 Y가 X의 $\frac{5}{4}$배(=1.25배)이다.

ㄷ. X 128 g은 2몰이므로 O_2 2몰이 들어 있는 실린더에 넣어 주면 O_2 1몰이 반응하고, O_2 1몰이 남는다.

05 ㄱ. 에타인의 연소 반응식을 완성하면 다음과 같다.

$2C_2H_2(g) + 5O_2(g) \longrightarrow 4CO_2(g) + 2H_2O(l)$

H_2O 3.6 g은 0.2몰이고, H_2O과 C_2H_2의 반응 몰비가 1 : 1이므로 반응 전 실린더 속에 들어 있는 C_2H_2의 양은 0.2몰이다. C_2H_2의 분자량은 26이므로 0.2몰의 질량(x)은 $26\times0.2=5.2$(g)이다.

바로 알기 ㄴ. 반응한 C_2H_2의 양이 0.2몰이므로 반응한 O_2의 양은 0.5몰이다. 주어진 온도와 압력 조건에서 기체 1몰의 부피가 24 L이므로 O_2의 부피는 12 L이다. 따라서 $y=12$이다.

ㄷ. P에서 생성된 H_2O의 양이 0.1몰(1.8 g)이므로 반응의 양적 관계는 다음과 같다.

	$2C_2H_2(g)$	$+ 5O_2(g)$	$\longrightarrow 4CO_2(g)$	$+ 2H_2O(l)$
반응 전(몰)	0.2	0.25	0	0
반응(몰)	−0.1	−0.25	+0.2	+0.1
반응 후(몰)	0.1	0	0.2	0.1

따라서 P에서 $\frac{C_2H_2\text{의 양(mol)}}{CO_2\text{의 양(mol)}}=\frac{0.1}{0.2}=\frac{1}{2}$이다.

06 주어진 온도와 압력 조건에서 기체 1몰의 부피가 24 L이므로 (나)에서 생성된 $CH_4(g)$의 양은 1.5몰(36 L)이고, 반응한 H_2의 양은 3몰이다. 이로부터 (가)에서 반응한 M의 양은 2몰이고 이때의 질량이 w g이므로 1몰의 질량은 $\frac{1}{2}w$ g이다. 즉, M의 원자량은 $\frac{1}{2}w$이다.
(나)에서 H_2 3몰과 반응한 C의 양은 1.5몰이고, 반응 후 남은 C 12 g은 1몰이므로 (나)에서 반응 전 C의 양은 2.5몰로 질량은 30 g이다. 따라서 $a=30$이므로 $a\times$(M의 원자량) $=30\times\frac{1}{2}w=15w$이다.

07 ㄱ. 그림에서 A 7 g과 반응하는 B의 질량은 w g이고, 반응 전후 질량은 일정하므로 반응물 A와 B의 질량의 합은 생성물 C의 질량 8.5 g과 같다. 따라서 $w=1.5\left(=\frac{3}{2}\right)$이다.
B w g이 모두 반응하면 실린더에는 C만 존재하고 이때 C의 부피가 12 L이다. 이후 B를 더 넣어 주어도 C의 양에는 변함이 없고 넣어 준 B의 질량에 의해 부피가 증가한다.
B $\frac{3}{2}w$ g을 넣었을 때 실린더 속에는 반응하지 않은 B $\frac{1}{2}w=\frac{1}{2}\times\frac{3}{2}=\frac{3}{4}$(g)이 남게 되는데, 이때 전체 기체의 부피가 21 L이고, C의 부피가 12 L이므로 B $\frac{3}{4}$ g에 해당하는 부피는 9 L, 즉 $\frac{3}{8}\left(=\frac{9}{24}\right)$몰이다. 따라서 B 1몰의 질량은 2 g이므로 분자량은 2이다.

바로 알기 ㄴ. A 7 g$\left(\frac{6}{24}=\frac{1}{4}\text{몰}\right)$과 모두 반응한 B의 양($w$)은 1.5 g$\left(\frac{3}{4}\text{몰}\right)$이고, 생성된 C의 양은 $\frac{1}{2}$몰$\left(=\frac{12}{24}\text{몰}\right)$이다. 따라서 반응 몰비는 A : B : C$=\frac{1}{4}:\frac{3}{4}:\frac{1}{2}=1:3:2$이다. 화학 반응식의 계수 b와 c는 각각 3, 2이므로 $\frac{c}{b}=\frac{2}{3}$이다.

ㄷ. B $\frac{1}{2}w$ g을 넣었을 때 반응의 양적 관계는 다음과 같다.

	$A(g)$ +	$3B(g)$ ⟶	$2C(g)$
반응 전(몰)	$\frac{1}{4}$	$\frac{3}{8}$	0
반응(몰)	$-\frac{1}{8}$	$-\frac{3}{8}$	$+\frac{1}{4}$
반응 후(몰)	$\frac{1}{8}$	0	$\frac{1}{4}$

반응 후 전체 기체의 양이 $\frac{1}{8}+\frac{1}{4}=\frac{3}{8}$(몰)이므로 전체 기체의 부피($x$)는 $24\times\frac{3}{8}=9$(L)이다.
마찬가지로 B $2w$ g을 넣었을 때 반응의 양적 관계는 다음과 같다.

	$A(g)$ +	$3B(g)$ ⟶	$2C(g)$
반응 전(몰)	$\frac{1}{4}$	$\frac{3}{2}$	0
반응(몰)	$-\frac{1}{4}$	$-\frac{3}{4}$	$+\frac{1}{2}$
반응 후(몰)	0	$\frac{3}{4}$	$\frac{1}{2}$

반응 후 전체 기체의 양이 $\frac{3}{4}+\frac{1}{2}=\frac{5}{4}$(몰)이므로 전체 기체의 부피($y$)는 $24\times\frac{5}{4}=30$(L)이다.
따라서 $x+y=39$이다.

08 실린더에서 기체 반응이 일어날 때 전체 기체의 질량은 일정하다. 밀도는 $\frac{\text{질량}}{\text{부피}}$이므로 밀도 변화는 부피 변화에 의한 것이고, X~Z에서 밀도비는 $\frac{1}{\text{부피}}$비와 같다. X~Z에서 밀도비가 $\frac{5}{2}:\frac{5}{4}:1=10:5:4$이므로 부피비는 $\frac{1}{10}:\frac{1}{5}:\frac{1}{4}=2:4:5$이다.
일정 온도와 압력에서 기체의 부피비는 기체 분자 수비와 같고, Z 이후에는 밀도가 일정하게 유지되는 것으로 보아 Z는 반응이 완결된 지점이다. 이로부터 A 2몰이 모두 반응하면 전체 기체의 양은 5몰임을 알 수 있다. 즉, 반응물과 생성물의 몰비는 2 : 5이므로 화학 반응식의 계수 b는 3이다.
반응 전 A의 양을 2몰이라고 가정하고 Y에서 반응한 A의 양을 $2x$몰이라고 하면 반응의 양적 관계는 다음과 같다.

	$2A(g)$ ⟶	$3B(g)$ +	$2C(g)$
반응 전(몰)	2	0	0
반응 (몰)	$-2x$	$+3x$	$+2x$
반응 후(몰)	$2-2x$	$3x$	$2x$

이때 전체 기체의 양은 $2+3x=4$(몰), $x=\frac{2}{3}$이므로 A의 양($2-2x$)은 $\frac{2}{3}$몰이다. 따라서 $\frac{w_Y}{w_X}=\frac{\frac{2}{3}}{2}=\frac{1}{3}$이다.
또, Y에서 B의 양($3x$)은 2몰이고, 반응이 완결된 Z에서 B의 양은 3몰이므로 $\frac{n_Z}{n_Y}=\frac{3}{2}$이다.
위 결과로부터 $\frac{w_Y}{w_X}\times\frac{n_Z}{n_Y}=\frac{1}{3}\times\frac{3}{2}=\frac{1}{2}$이다.

03 몰 농도

탐구 확인 문제 1권 112쪽

01 ㄱ, ㄴ, ㄷ, ㄹ, ㅂ **02** 9 g

01 0.2 M 수산화 나트륨(NaOH) 수용액 500 mL에는 NaOH 0.1몰이 들어 있다. 따라서 이 농도의 수용액을 만들려면 NaOH 0.1몰의 질량을 전자저울(ㄱ)로 측정한 다음, 이를 비커(ㄹ)에 넣고 소량의 물을 넣은 후 유리 막대(ㅂ)로 잘 저어 녹인다. 이 용액을 500 mL 부피 플라스크(ㄴ)에 넣은 다음, 씻기병(ㄷ)에 들어 있는 증류수를 눈금선까지 넣어 준다.

02 0.1 M 포도당 수용액 500 mL에 녹아 있는 포도당의 양은 0.1 mol/L×0.5 L=0.05 mol이다. 포도당 1몰의 질량이 180 g이므로 용액에 녹아 있는 포도당의 질량은 0.05 mol ×180 g/mol=9 g이다.

집중 분석 1권 114쪽

유제 ㄱ, ㄴ

유제 ㄱ. 2 % 용액은 용액 100 g에 녹아 있는 용질의 질량이 2 g이다. NaOH 1몰의 질량이 40 g이므로 2 g은 0.05몰이다.
ㄴ. 0.2 M 수용액 100 mL에 들어 있는 용질의 양은 0.2 mol/L×0.1 L=0.02 mol이다. NaOH 1몰의 질량이 40 g이므로 0.02몰의 질량은 0.8 g이다.
바로 알기 ㄷ. (나)에서 용액의 밀도가 1 g/mL이므로 100 mL의 질량은 100 g이다. 즉, 용액 100 g에 녹아 있는 용질의 질량이 0.8 g이므로 퍼센트 농도는 0.8 %이다.

개념 모아 정리하기 1권 115쪽

❶ 용해 ❷ 용액 ❸ 용매 ❹ 용질
❺ 용질 ❻ 용매 ❼ M

개념 기본 문제 1권 116~117쪽

01 (가) 용매: 물, 용질: 설탕 (나) 용매: 물, 용질: 아세트산 등 (다) 용매: 물, 용질: 이산화 탄소 등 **02** (가), (다) **03** ㄱ **04** 0.1 M **05** ㄴ **06** ㄱ, ㄷ **07** 에탄올의 몰 분율: 0.2, 물의 몰 분율: 0.8 **08** (1) ㄱ, ㄴ (2) 20 % **09** 1.375 M **10** 2 **11** 60 **12** 1 M

01 (가)~(다)에서 용매와 용질은 각각 다음과 같다.

용액	용매	용질
(가)	물	설탕
(나)	물	아세트산 등
(다)	물	이산화 탄소 등

02 극성 용질은 극성 용매와 잘 섞이고, 무극성 용질은 무극성 용매와 잘 섞이므로 용액을 형성하는 것은 (가)와 (다)이다.
바로 알기 (나)에서 벤젠은 무극성 용매이고 염화 나트륨은 이온성 물질이므로 잘 섞이지 않는다. 이온성 물질은 극성 용매와 잘 섞인다.

03 ㄱ. 용질 X가 물에서 수화되어 용액을 형성하는 것으로 보아 X는 극성 물질이다.
바로 알기 ㄴ. X는 극성 물질이므로 무극성 용매인 벤젠에는 잘 녹지 않는다.
ㄷ. 사염화 탄소는 무극성 물질이므로 X의 예로 적절하지 않다.

04 H_2SO_4 4.9 g은 0.05 mol이고, 용액의 부피가 0.5 L이므로 이 용액의 몰 농도는 $\frac{0.05\ \text{mol}}{0.5\ \text{L}}$=0.1 M이다.

05 ㄴ. 1 % NaOH 수용액 50 g에는 용질 0.5 g과 용매 49.5 g이 들어 있다. 이때 용액을 가열하여 물 40 g을 증발시키면 용매는 9.5 g, 용질은 0.5 g이 되므로 용액의 퍼센트 농도는 5 %가 된다.
바로 알기 ㄱ. 1 % 수용액은 용액 100 g에 용질 1 g이 녹아 있는 용액이고, 5 % 수용액은 용액 100 g에 용질 5 g이 녹아 있는 용액이다. 1 % NaOH 수용액 100 g에 NaOH 0.1몰, 즉 4 g을 녹이면 용액의 질량은 104 g이 되고, 용질의 질량은 5 g이 되므로 용액의 퍼센트 농도는 5 %보다 작다.
ㄷ. 1 % NaOH 수용액 20 g에는 용질이 0.2 g 녹아 있다. 또, 6 % NaOH 수용액 20 g에는 용질이 1.2 g 녹아 있다.

두 용액을 혼합한 전체 용액 40 g에는 용질이 1.4 g 녹아 있으므로 용액의 퍼센트 농도는 $\frac{1.4}{40}\times100=3.5(\%)$이다.

06 ㄱ. 용액 110 g에 녹아 있는 용질의 질량(10 g)이 같으므로 두 용액의 퍼센트 농도가 같다.
ㄷ. 물의 몰비가 (가) : (나)=1 : 2이고 용질의 몰비도 (가) : (나)=1 : 2이므로 용질의 몰 분율은 (가)와 (나)에서 같다.
바로 알기 ㄴ. 두 수용액의 밀도가 다르므로 부피비는 (가) : (나)≒1 : 2이고, 녹아 있는 용질의 몰비는 (가) : (나)=1 : 2이므로 몰 농도는 다르다.

07 에탄올 23 g은 0.5몰이고, 물 36 g은 2몰이다. 따라서 에탄올의 몰 분율은 $\frac{0.5}{2.5}=0.2$이고, 물의 몰 분율은 $\frac{2.0}{2.5}=0.8$이다.

08 (1) 몰 농도로부터 용액 1 L에 들어 있는 용질의 양(mol)에 대한 정보를 알 수 있다. 퍼센트 농도는 용액 100 g에 녹아 있는 용질의 질량에 대한 값이다. 주어진 몰 농도를 퍼센트 농도로 환산하려면 용액의 부피를 용액의 질량으로 환산해야 하므로 환산 인자인 용액의 밀도(ㄴ)가 필요하다. 또, 용액에 들어 있는 용질의 양(mol)을 용질의 질량으로 환산해야 하므로 용질의 화학식량(ㄱ)이 필요하다.
(2) 6 M NaOH 수용액이 1 L 있다고 가정하면 용액 1 L에 용질이 6몰 들어 있다. 용액 1 L의 질량은 용액의 부피와 용액의 밀도의 곱으로부터 구할 수 있다. 즉, 용액 1 L의 질량은 1000 mL×1.2 g/mL=1200 g이다. 용액 1200 g 속에 용질이 6몰 녹아 있고, 6몰의 질량은 6 mol×40 g/mol=240 g이다.
따라서 퍼센트 농도는 $\frac{240}{1200}\times100=20\ (\%)$이다.

09 10 % 수용액 100 g에 들어 있는 용질의 질량은 10 g이고, 이 양은 0.1몰이다. 또, 2 M 수용액 500 mL에 들어 있는 용질의 양은 1.0몰이므로 혼합 용액에 들어 있는 용질의 양은 1.1몰이다. 따라서 혼합 용액의 몰 농도는 $\frac{1.1\ \text{mol}}{0.8\ \text{L}}=$ 1.375 M이다.

10 4 % NaOH 수용액 100 g에는 NaOH이 4 g 녹아 있다. (나)에 녹아 있는 NaOH의 질량이 4 g이고, 이 양은 0.1몰이다. 즉, 수용액 (나)는 용액 50 mL에 용질이 0.1몰 녹아 있는 용액이므로 몰 농도는 $\frac{0.1\ \text{mol}}{0.05\ \text{L}}=2$ M이다.

11 용액의 몰 농도가 0.5 M이고, 용액의 부피가 100 mL이므로 용액에 들어 있는 용질의 양은 0.5 mol/L×0.1 L=0.05 mol이다. 즉, X 3 g은 0.05 mol이므로 1몰의 질량은 60 g이다. 따라서 X의 분자량은 60이다.

12 (가) 용액에 들어 있는 용질의 양은 1 mol/L×0.2 L=0.2 mol이다. 포도당 0.2 mol의 질량은 0.2 mol×180 g/mol=36 g이다.
(나)에서 포도당 54 g을 더 넣어 주었으므로 용질의 질량은 90 g이다. 즉, 포도당의 양은 0.5 mol이다. (다)에서 용액의 부피가 500 mL이므로 용액의 몰 농도는 $\frac{0.5\ \text{mol}}{0.5\ \text{L}}=1$ M이다.

개념 적용 문제

1권 118~122쪽

01 ① **02** ③ **03** ③ **04** ⑤
05 ② **06** ① **07** ① **08** ②
09 ⑤ **10** ④

01 ㄱ. (가)에서 용질 X를 물 분자가 둘러싸서 안정화하므로 X는 물 분자에 의해 수화된다.
바로 알기 ㄴ. (나)에서 용질 Y는 물과 섞이지 않는 것으로 보아 무극성 물질이다. 주어진 물질 설탕과 아이오딘 중 무극성 물질은 아이오딘이므로 Y는 아이오딘이다.
ㄷ. (나)에서 용액이 형성되지 않는 것으로 보아 용매 입자와 용질 입자 사이의 인력은 용매 입자 사이의 인력보다 작다.

02 ㄱ. (가)는 용액 150 g에 용질 50 g이 녹아 있는 용액이고, (나)는 용액 75 g에 용질 25 g이 녹아 있는 용액이므로 두 수용액의 퍼센트 농도는 같다.
ㄷ. 용매의 몰비는 (가) : (나)=2 : 1이고, 용질의 몰비도 (가) : (나)=2 : 1이므로 용매와 용질의 몰 분율은 (가)와 (나)에서 같다.
바로 알기 ㄴ. (가)의 질량은 (나)의 질량의 2배이고 용질의 양(mol)도 2배이지만, 온도가 서로 달라 부피는 (가)가 (나)의 2배가 되지 않는다. 따라서 (가)와 (나)의 몰 농도는 서로 다르다.

03 0.50 M NaOH 수용액 100 mL에 들어 있는 용질의 양(mol)은 0.50 mol/L × 0.1 L = 0.05 mol이다.

따라서 혼합 용액에 들어 있는 용질의 전체 양은 0.3 mol이고, 용액의 부피가 0.5 L이므로 혼합 용액의 몰 농도는 $\frac{0.3\text{ mol}}{0.5\text{ L}} = 0.6\text{ M}$이다.

04 ㄱ. 수용액의 밀도가 d g/mL이므로 1 L, 즉 1000 mL의 질량은 1000 mL × d g/mL = 1000d g이다.

ㄴ. 0.5 M인 수용액 1000 mL에 들어 있는 용질 X의 양은 0.5몰이고, 화학식량이 100이므로 용액 속 용질의 질량은 50 g이다.

ㄷ. 주어진 용액은 용액 1000d g에 용질이 50 g 녹아 있는 용액이므로 퍼센트 농도는 $\frac{50}{1000d} \times 100 = \frac{5}{d}$ %이다.

05 ㄷ. 25 % 용액 100 g이 있다고 할 때 용액의 부피는 100 mL이다. 또, 20 % 용액 100 g이 있다고 할 때 용액의 부피가 100 mL이므로 용액의 몰 농도는 용액 속 용질의 양(mol)에 비례한다. 용질의 양은 (가)가 (나)의 $\frac{5}{4}$배이므로 용액의 몰 농도도 (가)가 (나)의 $\frac{5}{4}$배이다.

바로 알기 ㄱ. 25 % 용액은 용액 100 g에 용질이 25 g의 비율로 녹아 있는 용액이다. (가)의 질량을 100 g이라고 가정하면 (가)에는 용질 A가 25 g 녹아 있다. 여기에 물 x g을 첨가하여 20 % 용액이 되었으므로 다음과 같은 관계식이 성립한다.

$\frac{25}{100+x} \times 100 = 20(\%)$, $x = 25$

따라서 첨가한 물의 질량은 (가)에 녹아 있는 A의 질량과 같다.

ㄴ. 25 % 용액 100 g에는 용매 75 g에 용질 25 g이 녹아 있고, 20 % 용액 100 g에는 용매 80 g에 용질 20 g이 들어 있다. A의 화학식량을 x, 물의 분자량을 y라고 하면 (가)에서 A의 몰 분율은 $\frac{\frac{25}{x}}{\frac{25}{x}+\frac{75}{y}} = \frac{25y}{25y+75x}$이고, (나)에서 A의 몰 분율은 $\frac{\frac{20}{x}}{\frac{20}{x}+\frac{80}{y}} = \frac{20y}{20y+80x}$이다. 이때 $x=y$이면 (가)가 (나)의 $\frac{5}{4}$배가 되는데 $x \neq y$이므로 A의 몰 분율은 (가)가 (나)의 $\frac{5}{4}$배가 아니다.

06 ㄱ. 0.5 M 용액 100 mL에 들어 있는 용질의 양은 0.5 mol/L × 0.1 L = 0.05 mol이고, A의 화학식량이 40이므로 용액 속 A의 질량은 2 g이다. 이때 용액의 밀도가 1.02 g/mL이므로 용액 100 mL의 질량은 102 g이고, 용매의 질량은 100 g이다.

또, (나)에서 2 % 용액 100 g에 들어 있는 용질 A의 질량은 2 g이고 용매의 질량은 98 g이다. 이로부터 (가)와 (나)에서 A의 질량이 같지만 용매의 질량은 (가)에서가 (나)에서보다 크므로 A의 몰 분율은 (가)가 (나)보다 작다.

바로 알기 ㄴ. (나)에 물 98 g을 첨가하면 용액의 질량은 198 g이 되고, 용액 속 용질의 질량은 2 g이므로 용액의 퍼센트 농도는 1 %보다 크다.

ㄷ. (가)와 (나)를 혼합한 용액의 질량은 202 g이고 용질의 질량은 4 g이므로 용액의 퍼센트 농도는 2 %보다 작다.

07 HA 수용액의 밀도가 d g/mL이므로 V mL의 질량은 V(mL) × d(g/mL) = Vd(g)이다.

시약병에 들어 있는 HA 수용액의 퍼센트 농도가 x %이므로 이는 용액 100 g에 용질이 x g 들어 있다는 의미이다. 따라서 용액 Vd(g)에 들어 있는 용질의 질량은 $\frac{xVd}{100}$ g이다.

용질의 질량을 화학식량으로 나누어 용액 속 용질의 양(mol)을 구하면 $\frac{xVd}{100a}$ mol이다. 이 양이 용액 500 mL에 들어 있으므로 용액의 몰 농도는 $\frac{\frac{xVd}{100a}}{0.5} = \frac{xdV}{50a}$ (M)이다.

08 ㄷ. (나) 100 mL에 들어 있는 요소의 양은 1 mol/L × 0.1 L = 0.1 mol이므로 1 L 부피 플라스크에 넣고 만든 용액의 몰 농도는 0.1 M이다.

바로 알기 ㄱ. (가) 용액의 퍼센트 농도가 1 %이고 밀도가 1.0 g/mL이므로 1 L의 질량은 1000 g이고, 용액 1000 g에 들어 있는 요소의 질량은 10 g이다. 요소의 분자량이 60이므로 요소 10 g은 $\frac{1}{6}$몰이다. (가)의 부피가 1 L이므로 (가)의 몰 농도는 $\frac{1}{6}$ M이다.

ㄴ. (나) 용액의 몰 농도가 1 M이고 부피가 0.5 L이므로 용액 속에 들어 있는 요소의 질량은 0.5 mol × 60 g/mol = 30 g이다.

09 ㄱ. (가)의 몰 농도가 $2b$(M)이고, 용액의 부피가 x(L)이므로

용액 속 용질 A의 양은 $2b$ mol/L$\times x$ L$=2bx$ mol이다. 마찬가지로 (나)에 들어 있는 용질 B의 양은 $6bx$ mol이다. 이때 A와 B의 화학식량을 각각 M_A, M_B라고 하면 (가)에 들어 있는 A의 질량과 (나)에 들어 있는 B의 질량이 같으므로 다음 관계식이 성립한다.

$2bx(\text{mol})\times M_A(\text{g/mol})=6bx(\text{mol})\times M_B(\text{g/mol})$, $M_A=3M_B$

따라서 화학식량은 A가 B의 3배이다.

ㄴ. (다)에 녹아 있는 A의 양은 $3xy$ mol이고 (가)에 녹아 있는 A의 양인 $2bx$ mol과 같으므로 $y=\frac{2}{3}b$이다.

ㄷ. 용액의 질량은 (다)가 (가)의 3배이고, 녹아 있는 용질의 질량은 같으므로 퍼센트 농도는 (가)가 (다)의 3배이다.

10 4 % NaOH 수용액 100 g에 들어 있는 NaOH의 질량은 4 g이고 NaOH의 화학식량이 40이므로 용질의 양은 0.1몰이다. 또, 1.0 M HCl(aq) 100 mL에 들어 있는 용질의 양도 0.1몰이다.

화학 반응식에서 NaOH(aq)과 HCl(aq)이 1 : 1의 몰비로 반응하므로 생성된 NaCl의 양은 0.1몰이다. NaCl의 화학식량이 58.5이므로 0.1몰의 질량은 5.85 g이다. 이때 용액의 질량은 200 g이므로 혼합 용액에서 NaCl 수용액의 퍼센트 농도는 $\frac{5.85}{200}\times 100(\%)$이다.

통합 실전 문제

1권 124~129쪽

01 ①	**02** ④	**03** ③	**04** ②
05 ②	**06** ②	**07** ⑤	**08** ⑤
09 ①	**10** ②	**11** ⑤	**12** ⑤

01 ㄱ. 같은 온도와 같은 압력에서 기체 A 2 L의 질량이 w g일 때 기체 B 1 L의 질량이 w g이므로 같은 부피의 질량비는 A : B$=$1 : 2이다. 따라서 분자량은 B가 A의 2배이다.

바로 알기 ㄴ. 같은 온도와 같은 압력에서 기체의 종류에 관계없이 같은 부피에는 같은 수의 분자가 들어 있으므로 단위 부피당 기체 분자 수는 (가)와 (나)에서 같다.

ㄷ. (가)에서 기체의 밀도는 $\frac{w}{2}$(g/L)이고, (나)에서 기체의 밀도는 $\frac{2w}{3}$(g/L)이다. 즉, 기체의 밀도는 (나)에서가 (가)에서의 $\frac{4}{3}$배이다.

02 ㄴ. 실험식은 (가)가 AB_2C, (나)가 CB, (다)가 AB_2이다. (가)의 실험식은 분자식과 같은 AB_2C이므로 실험식량은 분자량과 같은 66이다. AB_2의 실험식량은 66보다 작은데, (다)의 분자식이 AB_2라면 실험식량도 100이 되므로 타당하지 않다.

(다)의 분자식은 (AB_2)의 정수배인데, 분자량이 100이 되려면 분자식은 A_2B_4가 되어야 한다.

따라서 실험식량은 (가)가 66, (나)가 35, (다) 50이므로 (가)가 가장 크다.

ㄷ. 1 g에 들어 있는 분자 수비는 (가) : (나) : (다)$=\frac{1}{66}:\frac{1}{70}:\frac{1}{100}$이다. 또, 한 분자에 들어 있는 B 원자 수는 (가)와 (나)에서 2이고, (다)에서 4이므로 1 g에 들어 있는 B 원자 수비는 $\frac{2}{66}:\frac{2}{70}:\frac{4}{100}$이다. 따라서 (다)$>$(가)$>$(나)이다.

바로 알기 ㄱ. (다)의 분자식은 A_2B_4이다.

03 ㄱ. (가)에서 실린더에 들어 있는 XH_4 18 L의 양은 0.75몰이고, 이 질량이 12 g이므로 1몰의 질량은 16 g이다. 즉, XH_4의 분자량은 16이다. 이때 H의 원자량은 1이므로 X의 원자량은 12이다.

ㄷ. 꼭지를 열어도 전체 기체의 양(mol)은 변하지 않는다. (가)와 (나)에서 기체의 온도와 압력이 같고, (나)에서 실린더에 들어 있는 기체의 부피가 6 L이므로 용기의 부피는 12 L이고, 용기에 들어 있는 XH_4의 양은 0.5몰이다.

(나)에서 XH_4의 양은 0.5몰이고, 분자 1개에 들어 있는 원자는 5개이므로 전체 원자의 양은 2.5몰이다. 따라서 용기 속 전체 원자 수는 $\frac{5}{2}N_A$이다.

바로 알기 ㄴ. (나)에서 용기에 들어 있는 XH_4의 양은 0.5몰이다. XH_4 1몰에 들어 있는 수소 원자의 질량이 4 g이므로 0.5몰에 들어 있는 수소 원자의 질량은 2 g이다.

04 ㄷ. (가)의 분자식은 AB이고, (나)의 분자식은 A_2B 또는 AB_2 중 하나이다. A와 B의 원자량을 각각 a, b라고 하면 다음과 같은 관계식이 성립한다.

$a+b=15$, $2a+b=23$ 또는 $a+2b=23$일 때 $a<b$인 조건을 충족하려면 (나)의 분자식은 AB_2이어야 한다.

$a+b=15$, $a+2b=23$의 식을 풀면 $a=7$, $b=8$이므로 A_2B_3의 분자량(상댓값)은 38이고, (가)의 분자량인 15의 2.5배는 37.5이므로 (가)의 2.5배보다 크다.

바로 알기 ㄱ. (나)를 구성하는 원자 수는 B가 A보다 크다.

ㄴ. 1 g에 들어 있는 분자 수비는 (가) : (나)$=\frac{1}{15}:\frac{1}{23}$이다. 또, 분자당 B 원자 수비는 (가) : (나)=1 : 2이므로 1 g에 들어 있는 B 원자 수비는 (가) : (나)$=\frac{1}{15}:\frac{2}{23}$이다. 즉, (나)가 (가)의 $\frac{30}{23}$배이므로 (나)가 (가)의 1.5배보다 작다.

05 ㄴ. 실험 Ⅰ에서 A 0.7 g의 양을 a몰, B 3.2 g의 양을 b몰이라고 하면 화학 반응식으로부터 양적 관계는 다음과 같다.

	$A(g)$	$+\ 2B(g)$	$\longrightarrow 2C(g)$
반응 전(몰)	a	b	0
반응(몰)	$-a$	$-2a$	$+2a$
반응 후(몰)	0	$b-2a$	$2a$

이때 반응 후 용기 속 B와 C의 몰비가 1 : 1이므로 $b-2a=2a$, 즉 $b=4a$이다. 이로부터 같은 양(mol)의 질량비가 A : B$=0.7:\frac{3.2}{4}=7:8$이므로 분자량비도 A : B=7 : 8이다. A와 B의 분자량(상댓값)을 각각 7, 8이라고 하면 실험 Ⅰ에서 A 0.1몰이 모두 반응하여 C 0.2몰을 생성한다. 실험 Ⅱ에서 생성된 C의 질량은 실험 Ⅰ에서와 같으므로 그 양은 0.2몰이다. 또, 반응 후 A와 C의 몰비가 1 : 1이므로 반응 후 남은 A의 양은 0.2몰이다. 따라서 반응 전 A의 양은 0.1몰+0.2몰=0.3몰이므로 질량(x)은 2.1 g이다.

바로 알기 ㄱ. 화학 반응식으로부터 A 분자 1개와 B 분자 2개가 반응하여 C 분자 2개가 생성되고, 반응 전후 질량은 보존되므로 A~C의 분자량 사이에는 다음과 같은 관계식이 성립한다.

A의 분자량+(B의 분자량×2)=C의 분자량×2

즉, 7+8×2=C의 분자량×2이므로 C의 분자량은 11.5이다. 따라서 분자량비는 A : C=7 : 11.5=14 : 23이다.

ㄷ. 실험 Ⅰ에서 남은 B의 양은 0.2몰, 즉 1.6 g이고, 실험 Ⅱ에서 남은 A의 양은 0.2몰, 즉 1.4 g이다. 따라서 질량의 합은 3.0 g이다.

06 생성된 $X_2(g)$의 부피가 480 mL이고, 주어진 온도와 압력에서 기체 1몰의 부피가 24 L이므로 생성된 X_2의 양은 0.02몰이다. 화학 반응식에서 MX_3와 X_2의 계수비가 2 : 1이므로 반응한 MX_3 w g은 0.04몰이다. 이로부터 MX_3 1몰의 질량은 $25w$ g이므로 MX_3의 화학식량은 $25w$이다. 또, 화학 반응 전후 질량이 보존되므로 생성된 X_2의 질량은 $0.2w$ g(=w g$-0.8w$ g)이다. 즉, 0.02몰의 질량이 $0.2w$ g이므로 X_2의 분자량은 $10w$이다. 따라서 X의 원자량은 $5w$이다.

MX_3의 화학식량=M의 원자량+X의 원자량×3=M의 원자량+($5w$×3)=$25w$이므로 M의 원자량은 $10w$이다.

07 ㄱ. H_2와 CH_4의 연소 반응식은 각각 다음과 같다.

- $2H_2 + O_2 \longrightarrow 2H_2O$
- $CH_4 + 2O_2 \longrightarrow CO_2 + 2H_2O$

용기 Ⅰ에서 반응 몰비가 $H_2 : O_2 : H_2O=2:1:2$이므로 반응 질량비는 $H_2 : O_2 : H_2O=2\times2:1\times32:2\times18=1:8:9$이다. 이로부터 반응의 질량 관계는 다음과 같다.

	$2H_2$	$+\ O_2$	$\longrightarrow 2H_2O$
반응 전(g)	1.0	x	0
반응(g)	-1	-8	$+9$
반응 후(g)	0	$x-8$	9

반응 후 용기 속 물질의 질량의 합은 $(x-8)+9=10.6$이므로 반응 전 O_2의 질량(x)은 9.6(g)이다.

용기 Ⅱ에서 반응 질량비가 $CH_4 : O_2 : CO_2 : H_2O=16:2\times32:44:2\times18=4:16:11:9$이다. 이로부터 반응의 질량 관계는 다음과 같다.

	CH_4	$+\ 2O_2$	$\longrightarrow CO_2$	$+\ 2H_2O$
반응 전(g)	2.4	y	0	0
반응(g)	$-\frac{y}{4}$	$-y$	$+\frac{11y}{16}$	$+\frac{9y}{16}$
반응 후(g)	$2.4-\frac{y}{4}$	0	$\frac{11y}{16}$	$\frac{9y}{16}$

반응 후 용기 속 물질의 질량의 합은 $\left(2.4-\frac{y}{4}\right)+\frac{11y}{16}+\frac{9y}{16}=8.8$이므로 반응 전 O_2의 질량(y)은 6.4(g)이다. 따라서 반응 전 용기 속 O_2의 질량은 용기 Ⅰ에서가 Ⅱ에서의 1.5배이다.

ㄴ. Ⅱ에서 O_2 6.4 g은 0.2몰이므로 생성된 CO_2의 양은 0.1몰이다.

ㄷ. Ⅰ에서 생성된 H_2O의 질량은 9 g이고, Ⅱ에서는 0.2몰, 즉 3.6 g이다. 따라서 생성된 H_2O의 질량의 합은 12.6 g이다.

08 ㄱ. 반응 전후 질량은 같고 부피는 반응 후가 반응 전보다 작으므로 밀도는 반응 후가 반응 전보다 크다.

ㄴ. 반응물은 X_2와 Y_2이고, 어느 한 기체가 모두 소모될 때까지 반응시켰을 때 반응 후 X_2가 남았으므로 반응 몰비는 $X_2 : Y_2=1:3$이다. 또, 반응 전 분자 수가 5개일 때의 부피가 5이고 반응 후 전체 기체의 부피가 3이므로 생성물(Z)의 분자 모형은 2개이다. 이로부터 화학 반응식을 완성하면 다음과 같다.

$X_2 + 3Y_2 \longrightarrow 2Z$

반응 전후 원자의 종류와 수가 같아야 하므로 Z의 분자식은 XY_3이다.

ㄷ. X_2 2개의 질량이 w_1 g일 때 Y_2 3개의 질량이 w_2 g이므로 각 분자 1개의 질량비는 $X_2 : Y_2 = 3w_1 : 2w_2$이다. 따라서 원자량비도 $X : Y = 3w_1 : 2w_2$이다.

09 ㄱ. 꼭지 Ⅰ을 열어 반응을 완결시켰을 때 반응 후 용기에는 B와 C가 존재하므로 A 4.0 g이 모두 반응하였다. 이때 생성된 C의 질량이 5.0 g이므로 반응한 B의 질량은 1.0 g이다. 화학 반응식의 계수비가 A : B=2 : 1이므로 A 분자 2개의 질량을 4.0 g이라고 할 때 B 분자 1개의 질량은 1.0 g이다. 따라서 분자 1개의 질량비는 A : B=2 : 1이므로 분자량은 A가 B의 2배이다.

바로 알기 ㄴ. (다)에서 꼭지를 열기 전 용기에는 B (w_1-1.0) g, A w_2 g, C 5.0 g이 들어 있다. (나)의 결과로부터 반응 질량비는 A : B : C=4 : 1 : 5인데, (다) 과정 이후 C의 질량이 20.0 g이므로 과정 (다)에서 생성된 C의 질량은 15.0 g이다. 이로부터 반응한 B의 질량은 3 g이므로 $w_1-1.0=3.0$이고, $w_1=4.0$이다. 또, 반응한 A의 질량은 12.0 g이고, 반응 후 반응하지 않은 A가 남아 있으므로 $w_2>12.0$이다. 따라서 $\frac{w_2}{w_1}>3$이다.

ㄷ. 분자량은 A가 B의 2배이므로 B의 분자량을 b라고 할 때 A의 분자량은 $2b$이고 C의 분자량은 $2b\times2+b=$C의 분자량$\times$2, C의 분자량$=2.5b$이다.

(나)에서 반응 후 용기에 들어 있는 B의 질량은 3.0 g이고, C의 질량은 5.0 g이다. 즉, B의 양이 $\frac{3}{b}$몰일 때 C의 양은 $\frac{5}{2.5b}$몰이다. 따라서 기체의 양(mol)은 B : C=3 : 2이므로 B의 양은 C의 양의 $\frac{3}{2}$배이다.

10 ㄴ. 퍼센트 농도는 용액 100 g에 녹아 있는 용질의 질량(g)이다. 따라서 세 용액의 퍼센트 농도는 모두 같다.

바로 알기 ㄱ, ㄷ. 몰 농도는 용액 1 L에 녹아 있는 용질의 양(mol)이고, 용질의 몰 분율은 용질의 양(mol)을 용액을 이루는 전체 성분 물질의 양(mol)으로 나눈 값이다. 세 용액의 용질의 양(mol)이 다르므로 세 용액의 몰 농도와 용질의 몰 분율은 모두 다르다.

11 ㄱ. (가)에 들어 있는 용질의 양은 1 mol/L$\times$0.1 L=0.1 mol이다. (가)에 증류수를 가해 부피가 200 mL가 되면 용액의 몰 농도는 $\frac{0.1\ \text{mol}}{0.2\ \text{L}}=0.5\ \text{M}$이다.

ㄴ. (나)에 들어 있는 용질의 양은 1 g이다. (나)에 증류수를 넣어 용액의 질량이 200 g이 되면 용액 200 g에 용질 1 g이 녹아 있게 되므로 퍼센트 농도는 $\frac{1}{200}\times100=0.5(\%)$이다.

ㄷ. (가)에 들어 있는 용질의 질량은 0.1 mol$\times$40 g/mol=4 g이다. (가) 용액의 질량은 100 g이므로 (가)와 (나) 두 용액을 혼합하면 용액의 질량은 200 g이 되고, 용액 속 용질의 질량은 5 g이므로 용액의 퍼센트 농도는 $\frac{5}{200}\times100=2.5(\%)$이다.

12 ㄱ. 주어진 화학 반응식을 완성하면 다음과 같다.

$$MBr_2(aq) + 2AgNO_3(aq) \longrightarrow 2AgBr(s) + M(NO_3)_2(aq)$$

따라서 $\frac{b}{a}=1$이다.

ㄴ. 0.2 M $AgNO_3$ 수용액 100 mL에 들어 있는 용질의 양은 0.02 mol이다. 화학 반응식의 양적 관계로부터 반응한 $AgNO_3$의 양(mol)과 생성된 AgBr의 양(mol)이 같으므로 생성된 AgBr의 양은 0.02 mol이다. AgBr의 화학식량이 188이므로 0.02 mol의 질량은 3.76 g이다.

ㄷ. 넣어 준 MBr_2 4.0 g 중 2.0 g이 반응하지 않고 남았으므로 반응한 MBr_2의 질량은 2.0 g이다. 화학 반응식의 양적 관계로부터 반응한 MBr_2 2.0 g은 0.01 mol이다. 이로부터 MBr_2의 화학식량은 200이므로 다음 관계식이 성립한다.

M의 원자량+(80$\times$2)=200

따라서 M의 원자량은 40이다.

사고력 확장 문제

1권 130~133쪽

01 (1) 원자 1개의 질량에 아보가드로수를 곱한 값이 원자 1몰의 질량이다. W 원자 1몰의 질량은 $\frac{1}{6}\times10^{-23}\times6\times10^{23}=1$(g)이다.

(2) X, Y, Z의 원자량은 각 원자 1개의 질량에 아보가드로수를 곱하여 구할 수 있다. 이로부터 각 원자의 원자량은 X가 12, Y가 14, Z가 16이다. 분자량은 분자를 이루는 원자들의 원자량을 합하여 구한다.

(3) Y_2와 W_2가 반응하여 YW_3를 생성하는 반응의 화학 반응식은 다음과 같다.

$Y_2 + 3W_2 \longrightarrow 2YW_3$

따라서 반응 몰비는 $Y_2 : W_2 : YW_3 = 1 : 3 : 2$이다.

모범 답안 (1) W 원자 1개의 질량에 아보가드로수를 곱한 값이 W 원자 1몰의 질량이다. W 원자 1몰의 질량이 1 g이므로 W 원자 1 g에는 아보가드로수, 즉 6×10^{23}개의 원자가 들어 있다.

(2) XZ_2의 분자량은 $44(=12+2\times16)$이고, Y_2Z의 분자량은 $44(=2\times14+16)$이다.

(3) Y_2와 W_2가 반응하여 YW_3를 생성하는 반응의 화학 반응식은 $Y_2 + 3W_2 \longrightarrow 2YW_3$이므로 반응 몰비는 $Y_2 : W_2 : YW_3 = 1 : 3 : 2$이다.

Y_2 14 g은 0.5몰이고 W_2 2 g은 1몰이므로 W_2 1몰이 모두 반응하여 YW_3 $\frac{2}{3}$몰이 생성된다. 이때 생성된 YW_3 $\frac{2}{3}$몰의 분자 개수는 $\frac{2}{3} \times 6 \times 10^{23} = 4 \times 10^{23}$(개)이다.

	채점 기준	배점(%)
(1)	원자량의 개념이나 아보가드로수를 이용하여 원자의 개수를 구하는 과정을 옳게 서술한 경우	40
(2)	XZ_2와 Y_2Z의 분자량을 모두 옳게 구한 경우	20
(3)	화학 반응식의 양적 관계로부터 YW_3 분자 개수를 옳게 구한 경우	40
	화학 반응식은 완성하였으나 YW_3 분자 개수가 옳지 않은 경우	20

02 같은 온도, 같은 압력에서 기체의 부피비는 분자 수비와 같다. 또, 용기 내 기체의 부피비는 길이비와 같다. 따라서 (가)에서 헬륨과 산소의 부피비는 3 : 2이고, (나)에서 헬륨과 산소의 부피비는 3 : 7이다. 이때 용기 왼쪽 헬륨의 양은 (가)와 (나)에서 변화가 없다.

모범 답안 같은 온도, 같은 압력에서 기체의 부피비는 분자 수비와 같다. (가)에서 헬륨과 산소의 몰비는 3 : 2이고, 헬륨의 양이 0.6몰이므로 산소의 양(x몰)은 0.4몰이다. 또, (나)에서 헬륨과 산소의 몰비는 3 : 7이고, 헬륨의 양에는 변화가 없으므로 산소의 양은 1.4몰이다. 즉, 넣어 준 산소의 양(y g)은 1.4몰−0.4몰=1.0몰이므로 32 g이다. 따라서 x는 0.4, y는 32이다.

채점 기준	배점(%)
x와 y를 모두 옳게 구한 경우	100
x와 y 중 한 가지만 옳게 구한 경우	50

03 같은 온도, 같은 압력에서 기체의 부피비는 분자 수비와 같다. 따라서 같은 온도와 압력에서 기체의 부피가 2배이면 분자 수도 2배이다.

모범 답안 CH_4과 O_2의 분자량비는 $16 : 32 = 1 : 2$이고, 부피가 10 L인 용기 (가)에 들어 있는 CH_4 x g의 양을 1몰이라고 가정하면 (나)에 들어 있는 O_2의 양은 부피가 (가)의 2배이므로 2몰이 들어 있어야 한다. 이때 분자량은 O_2가 CH_4의 2배이므로 질량은 $4x$ g이다. 마찬가지로 (다)에 들어 있는 O_2의 양은 (가)에서와 같은 1몰이므로 질량은 $2x$ g이다. (라)에서는 부피가 (가)의 2배이므로 질량은 (가)의 2배인 $2x$ g이다. 따라서 각 기체의 질량은 (나)가 $4x$ g, (다)가 $2x$ g, (라)가 $2x$ g이다.

채점 기준	배점(%)
(나)~(라)의 질량을 모두 옳게 구한 경우	100
(나)~(라) 중 2개의 질량만 옳게 구한 경우	60
(나)~(라) 중 1개의 질량만 옳게 구한 경우	30

04 (1) 포도당($C_6H_{12}O_6$)의 구성 원소가 C, H, O이므로 포도당이 완전 연소하면 이산화 탄소와 물을 생성한다. 이를 바탕으로 포도당의 연소 반응의 화학 반응식을 완성하면 다음과 같다.

$C_6H_{12}O_6(s) + 6O_2(g) \longrightarrow 6CO_2(g) + 6H_2O(l)$

(2) 포도당($C_6H_{12}O_6$)의 분자량은 $12\times6+1\times12+16\times6=180$이다. 주어진 온도와 압력에서 산소 22.4 L의 양은 1몰이고, 화학 반응식에서 포도당과 산소의 반응 몰비가 1 : 6이다.

모범 답안 (1) $C_6H_{12}O_6(s) + 6O_2(g) \longrightarrow 6CO_2(g) + 6H_2O(l)$

(2) 포도당 18 g의 양은 0.1몰이고 산소 22.4 L의 양은 1몰이다. 화학 반응식에서 계수비는 반응 몰비이므로 포도당 0.1몰이 모두 반응하여 $CO_2(g)$ 0.6몰과 $H_2O(l)$ 0.6몰을 생성하고, 반응물인 $O_2(g)$ 0.4몰은 반응하지 않고 남는다. 따라서 반응 후 실린더 속 기체의 양은 0.6몰+0.4몰=1.0몰이므로 전체 기체의 부피는 22.4 L이다.

	채점 기준	배점(%)
(1)	화학 반응식을 옳게 완성한 경우	40
(2)	화학 반응식의 양적 관계와 관련지어 생성물과 반응물의 양과 전체 기체의 부피를 옳게 구한 경우	60
	전체 기체의 부피만 옳게 구한 경우	40

05 (1) C_3H_8의 연소 반응의 화학 반응식에서 반응 전후 원자의 종류와 수가 같도록 계수를 맞추어 화학 반응식을 완성하면 다음과 같다.

$C_3H_8(g) + 5O_2(g) \longrightarrow 3CO_2(g) + 4H_2O(l)$

(2) 화학 반응식에서 계수비는 반응 몰비와 같다.

(3) C_3H_8의 분자량이 44이므로 C_3H_8 22 g은 0.5몰이다. C_3H_8과 O_2의 반응 몰비는 1 : 5이다. 0 °C, 1기압에서 모든 기체 1몰의 부피는 22.4 L이다.

모범 답안 (1) a: 5, b: 3, c: 4

(2) 화학 반응식의 계수비에 의하면 O_2와 CO_2의 반응 몰비가 5 : 3이다. 따라서 O_2 1몰이 모두 반응할 때 생성되는 CO_2의 양은 0.6몰이고, CO_2의 분자량이 44이므로 CO_2 0.6몰의 질량은 $0.6 \times 44 = 26.4$ (g)이다.

(3) C_3H_8의 분자량이 44이므로 C_3H_8 22 g은 0.5몰이다. C_3H_8 0.5몰을 완전 연소시키기 위해 필요한 O_2의 최소 양은 2.5몰이므로 0 °C, 1기압에서 $2.5 \times 22.4 = 56$(L)이다.

	채점 기준	배점(%)
(1)	a, b, c를 모두 옳게 구한 경우	20
(2)	화학 반응의 양적 관계를 이용하여 CO_2의 질량을 옳게 구한 경우	40
	CO_2의 질량만 옳게 구한 경우	20
(3)	O_2의 최소 부피를 옳게 구하고 그 과정을 옳게 서술한 경우	40
	O_2의 최소 부피만 옳게 구한 경우	20

06 (1) 반응 (가)에서 반응물은 Cu와 O_2이고, 생성물은 CuO이므로 화학 반응식은 다음과 같다.

$2Cu(s) + O_2(g) \longrightarrow 2CuO(s)$

반응 (나)에서 반응물은 CuO와 H_2이고, 생성물은 Cu와 X이므로 화학 반응식은 다음과 같다.

$CuO(s) + H_2(g) \longrightarrow Cu(s) + X(H_2O(l))$

모범 답안 (1) 반응 (가)와 (나)의 화학 반응식은 각각 다음과 같다.

(가) $2Cu(s) + O_2(g) \longrightarrow 2CuO(s)$

(나) $CuO(s) + H_2(g) \longrightarrow Cu(s) + H_2O(l)$

따라서 물질 X는 H_2O이다.

(2) Cu 12.8 g의 양은 0.2몰이고 (가)에서 반응하는 Cu와 생성되는 CuO의 몰비가 1 : 1로 같으므로 생성되는 CuO의 양은 0.2몰이다. (나)에서 반응하는 CuO와 생성되는 X(H_2O)의 몰비가 1 : 1이므로 CuO 0.2몰이 반응하여 생성되는 X(H_2O)의 양은 0.2몰이다. X(H_2O)의 분자량은 18이므로 X 0.2몰의 질량은 3.6 g이다.

	채점 기준	배점(%)
(1)	반응 (가)와 (나)의 화학 반응식을 모두 옳게 나타내고, 물질 X를 옳게 쓴 경우	40
	반응 (가)와 (나) 중에서 한 가지의 화학 반응식만 옳게 나타낸 경우	20
(2)	화학 반응식의 양적 관계와 관련지어 생성되는 X의 질량을 옳게 구한 경우	60
	X의 질량만 옳게 구한 경우	30

07 (1) 용액의 퍼센트 농도는 다음과 같이 구할 수 있다.

$$\text{퍼센트 농도(\%)} = \frac{\text{용질의 질량(g)}}{\text{용액의 질량(g)}} \times 100$$

용액의 밀도를 알고 있을 때 질량은 용액의 부피×밀도로 구할 수 있다.

(2) 몰 농도는 다음과 같이 구할 수 있다.

$$\text{몰 농도(M)} = \frac{\text{용질의 양(mol)}}{\text{용액의 부피(L)}}$$

모범 답안 (1) 진한 염산의 밀도가 1.25 g/mL이므로 진한 염산 20.0 mL의 질량은 25 g(=1.25 g/mL × 20.0 mL)이다.

진한 염산 25 g에 들어 있는 용질의 질량은 $25 \times \frac{36.5}{100}$(g)이고, 이 양은 $\dfrac{\frac{25 \times 36.5}{100}}{36.5} = \frac{25}{100} = 0.25$(몰)이다. 이 양이 용액 250 mL (=0.25 L)에 들어 있으므로 묽은 염산의 몰 농도는 1.0(M)이다.

(2) 묽은 염산의 밀도가 1.0 g/mL이므로 묽은 염산 250 mL의 질량은 250 g이다.

이 용액 속에 들어 있는 용질의 질량은 $25 \times \frac{36.5}{100} = 9.125$(g)이므로 용액의 퍼센트 농도는 $\frac{9.125}{250} \times 100 = 3.65$(%)이다.

	채점 기준	배점(%)
(1)	몰 농도를 구하는 과정에서 오류가 없고 몰 농도가 옳은 경우	50
	몰 농도를 구하는 과정에서 오류가 없지만 몰 농도가 옳지 않은 경우	20
(2)	퍼센트 농도를 구하는 과정에서 오류가 없고 농도가 옳은 경우	50
	퍼센트 농도를 구하는 과정에서 오류가 없지만 농도가 옳지 않은 경우	20

08 염산과 수산화 나트륨 수용액의 반응을 화학 반응식으로 나타내면 다음과 같다.

$HCl(aq) + NaOH(aq) \longrightarrow NaCl(aq) + H_2O(l)$

모범 답안 0.1 M HCl(aq) 100 mL에 들어 있는 HCl의 양은 0.01몰이고, 0.2 M NaOH(aq) 50 mL에 들어 있는 NaOH의 양도 0.01몰이다. HCl과 NaOH은 1 : 1의 몰비로 반응하여 1몰의 비로 NaCl을 생성하므로 생성된 NaCl의 양은 0.01몰이고, 이 질량은 0.585 g이다. (가)와 (나)의 밀도는 1.0 g/mL이므로 (다)의 질량은 1.0 g/mL × 150 mL = 150 g이다.

따라서 퍼센트 농도는 $\frac{0.585}{150} \times 100 = 0.39$(%)이다.

채점 기준	배점(%)
계산 과정과 퍼센트 농도가 모두 옳은 경우	100
계산 과정은 옳지만 퍼센트 농도가 옳지 않은 경우	40

Ⅱ 원자의 세계

1. 원자의 구조

01 원자의 구성 입자

개념 모아 정리하기 1권 147쪽

❶전자 ❷직진 ❸(−) ❹원자핵
❺(+) ❻중성자 ❼양성자 ❽양성자

개념 기본 문제 1권 148~149쪽

01 (가) ㄷ (나) ㄱ (다) ㄴ **02** (가) 중성자 (나) 전자 (다) 양성자 **03** ㄴ **04** (가) 8 (나) 11 (다) 12 (라) 17 (마) 35 **05** (1) 3 (2) 4 (3) 3 **06** ㅁ **07** ㄴ, ㄷ **08** (1) 18가지 (2) 6가지 **09** (1) A, B, C, D (2) B와 C (3) A와 B, C와 D (4) A와 B, C와 D (5) A와 B, C와 D **10** 79.91

01 톰슨은 음극선 실험을 통해 물질의 종류에 관계없이 (−)전하를 띠는 질량이 매우 작은 입자가 존재함을 발견하였고, 이 입자를 전자라고 하였다.
(가) 음극선이 지나는 길에 물체를 놓아두었을 때 그림자가 생기는 것은 음극선이 직진하는 성질이 있기 때문이다. 음극선이 휘어지는 성질이 있다면 물체의 그림자 부분에도 음극선이 도달할 수 있으므로 그림자가 생기지 않아야 한다.
(나) 음극선이 지나는 길에 바람개비를 놓아두었을 때 바람개비가 회전하는 것은 음극선이 질량을 가진 입자의 흐름이기 때문이다. 질량을 가진 입자는 다른 물체를 움직이게 할 수 있다.
(다) 음극선이 지나는 길에 전기장을 걸었을 때 음극선이 (+)극 방향으로 휘어지는 것은 음극선이 (−)전하를 띠기 때문이다. 음극선이 전하를 띠지 않는다면 전기장의 영향을 받지 않아야 하며, (+)전하를 띤다면 (−)극 방향으로 휘어져야 한다.

02 (가) 1932년 채드윅은 알파(*α*) 입자를 베릴륨(Be) 박판에 충돌시켰을 때, 전하를 띠지 않는 입자가 방출되는 것을 발견하였고, 이 입자를 중성자라고 하였다.
(나) 1897년 톰슨은 거의 진공 상태(10^{-6}기압)로 만든 유리관에 높은 전압(10^4 V)을 걸어 주었을 때 (−)극에서 (+)극 쪽으로 이동하는 입자의 흐름을 발견하였고, 이 입자를 전자라고 하였다.
(다) 1886년 골트슈타인은 낮은 압력의 기체가 들어 있는 관에 높은 전압을 걸어 주었을 때 (−)극 쪽으로 움직이는 양극선의 존재를 발견하였고, 후에 1914년 러더퍼드는 양극선의 정체가 양성자임을 밝혀 냈다.

03 러더퍼드는 알파(*α*) 입자를 얇은 금박에 충돌시켰을 때 대부분의 알파(*α*) 입자는 직진하여 금박을 통과하지만, 극히 일부의 알파(*α*) 입자는 큰 각도로 휘는 현상을 관찰하였다. 이로부터 원자의 대부분이 빈 공간이고, 중심에 (+)전하를 띠고 원자 질량의 대부분을 차지하는 입자가 존재한다는 것을 발견하였고, 이를 원자핵이라고 하였다.

04 중성인 원자에서 양성자수와 전자 수는 같고, 질량수는 양성자수와 중성자수를 합한 값과 같다.

원자	양성자수	중성자수	전자 수	질량수
A	8	10	8	18
B	11	12	11	23
C	17	18	17	35

05 ${}^{7}_{3}\mathrm{Li}$에서 원소 기호의 왼쪽 위에는 질량수, 왼쪽 아래에는 원자 번호가 표시된다. 따라서 원소 기호의 왼쪽 위에 표시된 7은 Li 원자의 질량수를 의미하며, 원소 기호의 왼쪽 아래에 표시된 3은 원자 번호를 의미한다.
(1) 양성자수는 원자 번호와 같으므로 3이다.
(2) 중성자수는 '질량수−양성자수'이므로 4이다.
(3) 전자 수는 양성자수와 같으므로 3이다.

06 ㅁ. 질량수는 양성자수와 중성자수를 합한 값으로, 원소 기호의 왼쪽 위에 표시된다. 따라서 ${}^{18}\mathrm{O}$와 ${}^{18}\mathrm{F}$의 질량수는 18로 같다.
바로 알기 ㄱ, ㄹ. O의 원자 번호는 8, F의 원자 번호는 9이다. 따라서 O의 양성자수는 8, F의 양성자수는 9로, 두 원자의 양성자수는 서로 다르다.
ㄴ. 원자는 양성자수와 전자 수가 같으므로 O의 전자 수는 8, F의 전자 수는 9이다.
ㄷ. 중성자수는 질량수에서 양성자수를 뺀 값이므로 O의 중성자수는 18−8=10, F의 중성자수는 18−9=9이다.

07 ㄴ. (가)~(다)는 양성자수가 모두 같으므로 핵전하량이 모두 같다.

ㄷ. (가)~(다)는 양성자수가 같지만 중성자수가 달라 질량수가 모두 다르므로, 원자 번호가 같고 질량수가 다른 동위 원소 관계이다. 동위 원소 관계의 (가)~(다)는 화학적 성질이 같다.

바로 알기 ㄱ. 질량수는 양성자수와 중성자수를 합한 값이다. (가)~(다)는 양성자수가 같지만 중성자수가 다르므로 질량수가 모두 다르다.

08 (1) 물 분자는 수소 원자 2개와 산소 원자 1개가 결합하여 생성된다. 수소 원자 2개가 결합하는 방법은 ^{1}H 2개, ^{2}H 2개, ^{3}H 2개, ^{1}H 1개와 ^{2}H 1개, ^{1}H 1개와 ^{3}H 1개, ^{2}H 1개와 ^{3}H 1개가 각각 결합한 경우의 6가지이고, 산소 원자는 ^{16}O, ^{17}O, ^{18}O 3가지이다. 따라서 수소 원자 2개와 산소 원자 1개가 결합하여 생성될 수 있는 물 분자의 종류는 $6\times3=18$가지이다.

(2) 염화 수소 분자는 수소 원자 1개와 염소 원자 1개가 결합하여 생성된다. 수소 원자는 ^{1}H, ^{2}H, ^{3}H 3가지이고, 염소 원자는 ^{35}Cl, ^{37}Cl 2가지이다. 따라서 수소 원자 1개와 염소 원자 1개가 결합하여 생성될 수 있는 염화 수소 분자의 종류는 $3\times2=6$가지이다.

09 (1) A, B, C, D는 모두 양성자수와 전자 수가 같으므로 중성인 원자이다.

(2) 질량수는 양성자수와 중성자수를 합한 값이다. 따라서 각 원자의 질량수는 A가 1, B가 3, C가 3, D가 4이다.

(3) 동위 원소는 양성자수가 같고 중성자수가 다른 원소이다. A와 B는 양성자수가 1로 같으나 중성자수는 각각 0, 2로 서로 다르므로 동위 원소 관계이고, C와 D는 양성자수가 2로 같으나 중성자수가 각각 1, 2로 서로 다르므로 동위 원소 관계이다.

(4) 원자 번호는 양성자수와 같으므로 A와 B의 원자 번호는 1이고, C와 D의 원자 번호는 2이다.

(5) 원소의 화학적 성질은 양성자수(=전자 수)에 의해 결정된다. A와 B는 동위 원소 관계로, 양성자수나 전자 수가 같으므로 A와 B의 화학적 성질이 같다. 마찬가지로 C와 D는 동위 원소 관계로 화학적 성질이 같다.

10 Br의 평균 원자량은 다음과 같다.

$$\frac{78.92\times50.69}{100}+\frac{80.92\times49.31}{100}=79.9062$$

개념 적용 문제 1권 150~153쪽

01 ③ **02** ② **03** ⑤ **04** ③ **05** ② **06** ④ **07** ③ **08** ⑤

01 음극선이 지나는 길에 전기장을 걸어 주었을 때 음극선이 (+)극 쪽으로 휘어지는 것은 음극선이 (−)전하를 띠고 있기 때문이다. 또, 알파(α) 입자를 얇은 금박에 충돌시켰을 때 대부분의 알파(α) 입자는 얇은 금박을 직선으로 통과하지만 극히 일부의 알파(α) 입자는 크게 휘어지거나 튕겨 나온다. 그 이유는 원자의 대부분은 빈 공간이지만 매우 작은 공간에 (+)전하를 띠는 입자가 밀집되어 있기 때문이다.

ㄷ. X는 전자, Y는 원자핵이다. 전자의 질량은 원자핵의 질량에 비해 무시할 수 있을 정도로 매우 작다.

바로 알기 ㄱ. X는 전자로, (−)전하를 띤다.

ㄴ. Y는 원자핵으로, 원자의 대부분은 빈 공간이며 원자핵은 작은 공간에 밀집되어 있다.

02 금(Au)은 양성자수가 79이고, 알루미늄(Al)은 양성자수가 13이다. 금은 알루미늄보다 원자핵의 크기와 전하량이 크다. 따라서 동일한 조건에서 각 금속판에 알파(α) 입자를 충돌시키면 금보다 알루미늄에서 산란된 알파(α) 입자 수가 더 적다. 이것은 산란된 알파(α) 입자 수가 핵전하량과 관계가 있기 때문이다.

03 질량수는 양성자수와 중성자수를 합한 값으로, B^{x+}에서 양성자수는 11, 질량수는 23이므로 중성자수(m)는 12이다. 따라서 C^{y+}의 양성자수와 중성자수는 모두 m이므로 12이고, 질량수(n)는 양성자수와 중성자수를 합한 값이므로 24이다.

ㄴ. A^{x-}에서 전자 수는 $9+x$이고, B^{x+}에서 전자 수는 $11-x$이므로 다음과 같은 식이 성립한다.

$9+x=11-x$, $\therefore x=1$

따라서 전자 수는 10이다.

ㄷ. C^{y+}에서 전자 수는 $12-y=10$이므로 $y=2$이다. 따라서 $x+y=1+2=3$이다.

바로 알기 ㄱ. $m+n=12+24=36$이다.

04 Z의 원자 번호가 9이므로 Z의 양성자수는 9이고, Z^{-}은 Z 원자가 전자 1개를 얻어 생성된 이온이므로 전자 수가 10이다. Z^{-}에서 ㉡의 수가 b, ㉠과 ㉢의 수가 $b+1$이므로 b는 양성자수인 9이고, ㉠과 ㉢의 수는 중성자수와 전자 수 중 하나이다. 여기서 ㉠을 전자라고 가정하면 원자 X에서 양성

자수=전자 수이므로 $a=5$가 되고, ㉢의 수는 $a+1=6$이 된다. Y에서 ㉡의 수는 $\frac{1}{2}(a+b)$이므로 $a=5$, $b=9$를 대입하면 ㉡의 수는 7이 되고, Y에서 ㉠과 ㉡의 수가 같으므로 ㉠은 전자, ㉢은 중성자임을 알 수 있다.

만약 ㉠이 중성자, ㉢이 전자라면 X에서 $a=4$가 되므로 Y에서 양성자수인 ㉡이 $\frac{1}{2}(a+b)=\frac{1}{2}(4+9)=6.5$가 되어 성립하지 않는다는 것을 알 수 있다.

ㄱ. ㉠은 전자이며, $a=5$, $b=9$이다.

ㄴ. X의 전자 수 $a=5$이고, 중성자수 $a+1=6$이다.

바로 알기 ㄷ. Y는 양성자수가 7이고, 중성자수가 8이므로 질량수는 15이다.

05 ${}^{4}_{2}He^{2+}$에서 양성자수는 2, 중성자수는 2, 질량수는 4이다. 원자핵 (가)에서 ㉠과 ㉡의 수가 1씩 증가하였을 때 ${}^{4}_{2}He^{2+}$이 생성되므로 원자핵 (가)는 ${}^{4}_{2}He^{2+}$보다 양성자수와 중성자수가 1씩 작아야 한다. 따라서 양성자수 2인 He에서 양성자수가 1로 감소하면 H이므로 (가)는 ${}^{2}_{1}H^{+}$이다. (나)는 $\frac{\text{중성자수}}{\text{양성자수}}=2$로 중성자수가 양성자수의 2배이므로 ${}^{3}_{1}H^{+}$이다. (가)가 ㉠과 반응하여 (나)가 되므로 ㉠은 중성자이고, ㉡은 양성자이다. (다)는 (가)에서 양성자수가 1 커지므로 ${}^{3}_{2}He^{2+}$이다. 즉, (가)는 ${}^{2}_{1}H^{+}$, (나)는 ${}^{3}_{1}H^{+}$, (다)는 ${}^{3}_{2}He^{2+}$이다.

ㄷ. 질량수는 (가) 2, (나) 3, (다) 3으로, (가)<(나)=(다)이다.

바로 알기 ㄱ. ㉠은 중성자, ㉡은 양성자이다.

ㄴ. 양성자수는 원자 번호와 같으므로 (가)=(나)<(다)이다.

06 동위 원소는 양성자수가 같고, 중성자수가 달라 질량수가 다른 원소이다. 양성자수는 원자 번호와 같다.

원자 번호	동위 원소	양성자수	중성자수	전자 수
6	${}^{12}C$	6	6	6
	${}^{13}C$	6	7	6
7	${}^{14}N$	7	7	7
	${}^{15}N$	7	8	7
8	${}^{16}O$	8	8	8
	${}^{17}O$	8	9	8
	${}^{18}O$	8	10	8

ㄱ. ${}^{15}N$과 ${}^{16}O$의 중성자수는 8로 같다.

ㄷ. 동위 원소 관계에 있는 원소는 화학적 성질이 같다.

바로 알기 ㄴ. ${}^{17}O$과 ${}^{18}O$의 전자 수는 8로 같다.

07 X_2 분자는 ${}^{a}X_2$, ${}^{a}X^{a+2}X$, ${}^{a+2}X_2$ 3가지가 존재하고, 존재 비율 합이 1이므로 X의 동위 원소는 2가지이다. 각 분자의 존재 비율은 ${}^{a}X_2$ $\frac{1}{4}$, ${}^{a}X^{a+2}X$ $\frac{1}{2}$, ${}^{a+2}X_2$ $\frac{1}{4}$로, 각 원자의 존재 비율은 ${}^{a}X : {}^{a+2}X=1:1$이다.

ㄱ. ${}^{a}X : {}^{a+2}X$의 존재 비율은 1 : 1로 같다.

ㄷ. ${}^{a}X$의 존재 비율은 $\frac{1}{2}$이고, ${}^{a+2}X$의 존재 비율도 $\frac{1}{2}$이므로 X의 평균 원자량은 다음과 같이 구할 수 있다.

$(a\times\frac{1}{2})+((a+2)\times\frac{1}{2})=a+1$

따라서 X의 평균 원자량은 a+1이다.

바로 알기 ㄴ. 동위 원소는 양성자수가 같고 중성자수가 달라 질량수가 다른 원자로, ${}^{a}X$와 ${}^{a+2}X$은 양성자수가 같다. 중성자수와 질량수는 ${}^{a+2}X$가 ${}^{a}X$보다 2만큼 더 크다.

08 X와 Y의 동위 원소가 결합하여 생성될 수 있는 XY_4 분자는 다음과 같다.

X	Y_4	XY_4	분자량
${}^{12}X$	${}^{35}Y_4$	${}^{12}X{}^{35}Y_4$	152
	${}^{35}Y_3{}^{37}Y$	${}^{12}X{}^{35}Y_3{}^{37}Y$	154
	${}^{35}Y_2{}^{37}Y_2$	${}^{12}X{}^{35}Y_2{}^{37}Y_2$	156
	${}^{35}Y{}^{37}Y_3$	${}^{12}X{}^{35}Y{}^{37}Y_3$	158
	${}^{37}Y_4$	${}^{12}X{}^{37}Y_4$	160
${}^{13}X$	${}^{35}Y_4$	${}^{13}X{}^{35}Y_4$	153
	${}^{35}Y_3{}^{37}Y$	${}^{13}X{}^{35}Y_3{}^{37}Y$	155
	${}^{35}Y_2{}^{37}Y_2$	${}^{13}X{}^{35}Y_2{}^{37}Y_2$	157
	${}^{35}Y{}^{37}Y_3$	${}^{13}X{}^{35}Y{}^{37}Y_3$	159
	${}^{37}Y_4$	${}^{13}X{}^{37}Y_4$	161

ㄴ. X의 동위 원소 중 존재 비율이 매우 큰 원소는 ${}^{12}X$이므로 ${}^{12}X$가 결합된 분자가 ${}^{13}X$가 결합된 분자보다 존재 비율이 매우 크다. 그런데 Y_4가 결합할 수 있는 경우의 수는 ${}^{35}Y_4$ 1가지, ${}^{35}Y_3{}^{37}Y$ 4가지, ${}^{35}Y_2{}^{37}Y_2$ 6가지, ${}^{35}Y{}^{37}Y_3$ 4가지, ${}^{37}Y_4$ 1가지이고, ${}^{35}Y$의 확률은 $\frac{3}{4}$, ${}^{37}Y$의 확률은 $\frac{1}{4}$이므로 Y_4의 존재 비율은 다음과 같다.

${}^{35}Y_4$: $\left(\frac{3}{4}\times\frac{3}{4}\times\frac{3}{4}\times\frac{3}{4}\right)\times1=\frac{81}{256}$

${}^{35}Y_3{}^{37}Y$: $\left(\frac{3}{4}\times\frac{3}{4}\times\frac{3}{4}\times\frac{1}{4}\right)\times4=\frac{108}{256}$

${}^{35}Y_2{}^{37}Y_2$: $\left(\frac{3}{4}\times\frac{3}{4}\times\frac{1}{4}\times\frac{1}{4}\right)\times6=\frac{54}{256}$

$^{35}Y^{37}Y_3$: $\left(\frac{3}{4}\times\frac{1}{4}\times\frac{1}{4}\times\frac{1}{4}\right)\times4=\frac{12}{256}$

$^{37}Y_4$: $\left(\frac{1}{4}\times\frac{1}{4}\times\frac{1}{4}\times\frac{1}{4}\right)\times1=\frac{1}{256}$

따라서 존재 비율이 가장 큰 XY_4 분자는 분자량이 154인 경우이다.

ㄷ. XY_4 분자 중 분자량이 가장 작은 분자는 $^{12}X^{35}Y_4$ 분자이고, 분자량이 가장 큰 분자는 $^{13}X^{37}Y_4$ 분자이다. 자연계에는 X의 동위 원소 중 ^{12}X가 ^{13}X보다 존재 비율이 크고, Y의 동위 원소 중 ^{35}Y가 ^{37}Y보다 존재 비율이 크므로, $^{12}X^{35}Y_4$ 분자의 존재 비율이 $^{13}X^{37}Y_4$ 분자의 존재 비율보다 크다.

바로 알기 ㄱ. X와 Y의 동위 원소가 결합하여 생성될 수 있는 XY_4 분자의 분자량은 10가지이다.

02 현대 원자 모형

개념 모아 정리하기 1권 167쪽

❶돌턴 ❷톰슨 ❸러더퍼드 ❹보어
❺오비탈 ❻작을 ❼낮 ❽모양
❾$+\frac{1}{2}$(또는 $-\frac{1}{2}$) ❿$-\frac{1}{2}$(또는 $+\frac{1}{2}$)
⓫s ⓬p

개념 기본 문제 1권 168~169쪽

01 (다)-(마)-(가)-(라)-(나) **02** (가) **03** ㄱ, ㄴ, ㄷ
04 (1) (나) (2) 에너지 흡수 **05** (1) E_1 (2) b (3) c, d **06** ㄱ, ㄷ
07 (1) × (2) × (3) ○ (4) ○ (5) ○ **08** ㄴ, ㄷ **09** (가) 4 (나) 16 (다) 4 (라) 32 **10** ㄱ, ㄹ

01 (가)는 러더퍼드의 원자 모형, (나)는 현대 원자 모형, (다)는 돌턴의 원자 모형, (라)는 보어의 원자 모형, (마)는 톰슨의 원자 모형이다.
돌턴의 원자 모형이 가장 먼저 제안되었고, 이후 톰슨의 원자 모형, 러더퍼드의 원자 모형, 보어의 원자 모형이 순차적으로 제안되어 현대 원자 모형에 이르렀다.

02 러더퍼드의 알파(α) 입자 산란 실험을 통해 원자의 중심에는 원자핵이 있으며, 그 주위를 (−)전하를 띤 전자가 돌고 있다는 원자 모형이 제안되었다. 하지만 러더퍼드의 모형으로는 원자의 안정성을 설명할 수 없었으며, 수소 원자의 선 스펙트럼 역시도 설명할 수 없는 문제가 있었다.

03 ㄱ, ㄴ. 보어의 원자 모형에 따르면 원자핵 주위의 전자는 원자핵 주위에 무질서하게 존재하는 것이 아니라 특정한 에너지를 가진 몇 개의 원 모양 궤도를 따라 빠르게 돌고 있으며, 이 궤도를 전자 껍질이라고 한다.
ㄷ. 바닥상태는 어떤 원자의 전자 배치가 가장 낮은 에너지를 가지는 안정한 상태이다.
바로 알기 ㄹ. 보어의 수소 원자 모형에 의하면 수소 원자의 스펙트럼이 불연속적으로 나타나는 이유는 수소 원자의 에너지 준위가 불연속적이기 때문일 뿐, 다양한 모양의 궤도가 존재하기 때문이 아니다.

04 (가)는 들뜬상태이고, (나)는 바닥상태이다. 따라서 (나)에서 (가)와 같이 전자가 전이되는 것은 바닥상태에 있는 전자가 에너지를 흡수하여 들뜬상태로 된 경우이다.

05 (1) 전자 껍질의 에너지 준위는 주 양자수(n)가 커질수록 증가하므로 E_1이 가장 에너지 준위가 낮다.
(2) 방출하는 에너지가 클수록 빛의 파장이 짧다. a~d 중 b가 가장 방출하는 에너지가 크므로 방출하는 빛의 파장이 가장 짧다.
(3) a와 b는 자외선을 방출하고, c와 d는 가시광선을 방출한다.

06 ㄱ. s 오비탈은 방향성이 없으며, 전자 존재 확률은 핵으로부터의 거리에 의해서만 결정된다.
ㄷ. p 오비탈은 p_x, p_y, p_z 오비탈이 존재하며, 이 오비탈은 모두 에너지 준위가 같다.
바로 알기 ㄴ. $2s$ 오비탈과 $2p$ 오비탈은 모두 주 양자수가 2로, 같은 전자 껍질에 존재한다.

07 (1) 주 양자수(n)는 오비탈의 크기와 에너지를 결정하는 양자수이다.
(2) 방위 양자수(l)는 오비탈의 모양을 결정하는 양자수이다.
(3) 주 양자수가 n인 오비탈의 방위 양자수(l)는 0, 1, 2 ⋯, ($n-1$)까지 총 n개가 존재한다.
(4) 방위 양자수가 l인 오비탈은 자기 양자수(m_l)가 $-l$에서 l까지의 값을 갖는다. 따라서 p 오비탈의 방위 양자수는 1이므로 자기 양자수는 −1, 0, 1의 값을 갖는다.
(5) 스핀 자기 양자수(m_s)는 전자의 운동 방향을 결정하는 양자수로, 서로 다른 두 가지 스핀 상태가 존재하며 스핀 자기 양자수는 $+\frac{1}{2}$과 $-\frac{1}{2}$의 값을 갖는다.

08 $1s$, $2s$, $2p_x$, $2p_y$, $2p_z$ 오비탈의 양자수는 다음과 같다.

오비탈	$1s$	$2s$	$2p_x$	$2p_y$	$2p_z$
주 양자수(n)	1	2	2	2	2
방위 양자수(l)	0	0	1	1	1

자기 양자수(m_l)는 s 오비탈이 0, p 오비탈이 -1, 0, 1의 값을 가진다.

ㄴ. 5개 오비탈의 방위 양자수(l) 합은 $0+0+1+1+1=3$이다.

ㄷ. 5개 오비탈의 자기 양자수(m_l) 합은 $0+0+(-1)+0+1=0$이다.

바로 알기 ㄱ. 5개 오비탈의 주 양자수(n) 합은 $1+2+2+2+2=9$이다.

09 (가) 전자 껍질이 N이므로 주 양자수 $n=4$이다.

(나) 전자 껍질에 존재하는 총 오비탈 수는 n^2이다.

(다) 오비탈의 종류는 $4s$, $4p$, $4d$, $4f$로 총 4가지이다.

(라) 각 오비탈에는 전자가 최대 2개 들어가므로 최대 허용 전자 수는 $2n^2=32$이다.

10 주 양자수가 n인 오비탈은 방위 양자수(l)를 0, 1, …, $(n-1)$까지 가질 수 있고, 자기 양자수(m_l)는 $-l$에서 l까지의 값을 가질 수 있다. 또, 스핀 자기 양자수(m_s)는 $+\frac{1}{2}$, $-\frac{1}{2}$의 값을 가질 수 있다.

바로 알기 ㄴ. 스핀 자기 양자수(m_s)는 $+\frac{1}{2}$ 또는 $-\frac{1}{2}$의 값만 가질 수 있다.

ㄷ. 주 양자수(n)가 3인 오비탈의 방위 양자수(l)는 0, 1, 2까지만 가능하다.

ㅁ. 방위 양자수(l)가 3인 오비탈의 자기 양자수(m_l)는 -3, -2, -1, 0, 1, 2, 3까지만 가능하다.

개념 적용 문제

1권 170~173쪽

01 ② **02** ① **03** ③ **04** ④ **05** ① **06** ④ **07** ① **08** ②

01 톰슨은 음극선 실험 결과로부터 원자 내 전자의 존재를 알아냈으며, 전자를 포함하는 원자 모형 B를 제안하였다. 러더퍼드는 알파(α) 입자 산란 실험 결과로부터 원자핵의 존재를 알아냈으며, 원자핵을 포함하는 원자 모형 C를 제안하였다. A는 원자는 쪼개지지 않는다는 돌턴의 원자 모형이고, D는 전자가 일정한 궤도를 원운동한다는 보어의 원자 모형이며, E는 전자의 확률 분포를 나타내는 현대의 원자 모형이다.

02 ㄴ. 현대 원자 모형은 전자 존재 확률을 모형으로 나타낸 것으로, 현대 원자 모형에서 오비탈은 보어의 원자 모형에서 전자가 원운동하고 있는 궤도와는 전혀 다른 개념이다.

바로 알기 ㄱ. (가)는 보어의 원자 모형이다. 보어의 원자 모형으로 수소 원자의 선 스펙트럼 설명은 가능하지만, 전자가 2개 이상인 원자의 선 스펙트럼은 설명할 수 없다.

ㄷ. (다)는 톰슨의 원자 모형으로, 알파(α) 입자 산란 실험의 결과를 설명할 수 없다.

03 ㄷ. b는 전자가 $n=3$에서 $n=2$로 전이하면서 가시광선이 방출되는 경우이고, d는 전자가 $n=4$에서 $n=3$으로 전이하면서 적외선이 방출되는 경우이다.

바로 알기 ㄱ. 수소 원자의 가시광선 영역의 선 스펙트럼은 높은 에너지 준위의 전자가 $n=2$로 전이할 때 방출된다. 이때 파장이 가장 큰 656 nm의 전자기파는 에너지가 가장 작으므로 $n=3$에서 $n=2$로 전이할 때 방출된다.

ㄴ. a는 $n=2$에서 $n=1$로 전이하는 경우이므로 가시광선보다 파장이 짧은 자외선이 방출된다.

04 ㄱ. A는 전자가 $n=1$에서 $n=\infty$로 전이하면서 에너지를 흡수하는 경우이고, B는 전자가 $n=2$에서 $n=1$로 전이하면서 에너지를 방출하는 경우이다.

ㄷ. 수소 원자에서 에너지 준위는 주 양자수에 의해서만 결정되므로 $2s$와 $2p_x$의 에너지 준위는 $n=2$의 에너지 준위와 같다.

바로 알기 ㄴ. A에서 흡수하는 에너지는 주 양자수(n) 1인 오비탈의 에너지 준위와 값이 같고, B는 주 양자수(n) 2에서 1로 전자가 전이하는 경우로 에너지는 $-\frac{k}{2^2}-\left(-\frac{k}{1^2}\right)=\frac{3}{4}k$ kJ/mol이다. 따라서 A와 B에 해당하는 에너지의 비를 구하면 $A : B=k : \frac{3}{4}k=4 : 3$이다.

05 ㄱ. 주 양자수(n)가 커질수록 에너지 준위가 증가한다.

바로 알기 ㄴ. 다전자 원자일 경우 $2s$ 오비탈과 $2p_x$ 오비탈의 주 양자수는 같지만, 두 오비탈의 에너지 준위가 서로 다르다.

ㄷ. 주 양자수가 1인 경우는 $1s$ 오비탈만 존재한다. p 오비탈은 주 양자수가 2 이상에만 존재한다.

06 주 양자수가 1 또는 2이므로 크기가 작은 s 오비탈 (가)는 $1s$ 오비탈, 크기가 큰 (나)는 $2s$ 오비탈, (다)는 $2p$ 오비탈이다.

ㄴ. 수소 원자에서 오비탈의 에너지 준위는 주 양자수에 의해서만 영향을 받는다. 따라서 에너지 준위는 $1s<2s=2p$이므로 (가)<(나)=(다)이다.

ㄷ. 모든 오비탈에서 전자가 가질 수 있는 스핀 자기 양자수 (m_s)는 $+\frac{1}{2}$ 또는 $-\frac{1}{2}$이다.

바로 알기 ㄱ. 방위 양자수(l)는 오비탈의 모양을 결정하는 양자수로, 구 모양의 오비탈인 (가)와 (나)의 방위 양자수(l)는 모두 0이다.

07 주 양자수(n)는 4보다 작아야 하므로 x는 1 또는 2이고, y는 3 또는 4이어야 한다. 따라서 전자가 전이하는 경우의 수는 4가지이다.

$x=1$, $y=3$인 경우 에너지 출입은 다음과 같다.

$n_{전이 후}$ \ $n_{전이 전}$	1	3
3	에너지 흡수	—
1	—	에너지 방출

$x=1$, $y=4$인 경우 에너지 출입은 다음과 같다.

$n_{전이 후}$ \ $n_{전이 전}$	1	3
4	에너지 흡수	에너지 흡수
2	에너지 흡수	에너지 방출

$x=2$, $y=3$인 경우 에너지 출입은 다음과 같다.

$n_{전이 후}$ \ $n_{전이 전}$	2	4
3	에너지 흡수	에너지 방출
1	에너지 방출	에너지 방출

$x=2$, $y=4$인 경우 에너지 출입은 다음과 같다.

$n_{전이 후}$ \ $n_{전이 전}$	2	4
4	에너지 흡수	—
2	—	에너지 방출

빛이 방출되는 전자 전이가 3가지인 경우는 $x=2$, $y=3$일 때이다.

ㄱ. λ_c는 주 양자수 $n=2$에서 $n=1$로 전이하는 경우이고, λ_d는 주 양자수 $n=4$에서 $n=1$로 전이하는 경우이다. $n\geq2$인 전자 껍질에서 $n=1$로 전이할 때에는 자외선이 방출된다.

바로 알기 ㄴ. d와 c는 주 양자수 $n=1$로 전이하는 경우이며, d의 전이 전 주 양자수가 더 크므로 d의 에너지가 가장 크다. a는 주 양자수 $n=2$에서 $n=3$으로 전이하는 경우이고, b는 주 양자수 $n=4$에서 $n=3$으로 전이되는 경우이므로 b의 에너지가 가장 작다. 따라서 에너지의 크기는 $d>c>a>b$이다.

ㄷ. d는 $n=4$에서 $n=1$로 전이하는 경우이고 b는 $n=4$에서 $n=3$으로 전이하는 경우이며, c는 $n=2$에서 $n=1$로 전이하는 경우이므로 $d=b+c$가 성립하지 않는다.

08 ㄷ. $n=2$에서 $n=1$로 전이할 때 방출되는 에너지는 $-\frac{k}{2^2}-\left(-\frac{k}{1^2}\right)=\frac{3}{4}k$이다. 그런데 선 Ⅱ와 선 Ⅲ의 에너지의 비가 4 : 1이므로 (나)의 에너지는 $\frac{3}{16}k$이다. 이것은 $n=4$에서 $n=2$로 전이할 때 방출되는 에너지 값과 같다.

바로 알기 ㄱ. 파장과 에너지는 서로 반비례하므로, 파장의 비는 $a:b:c=\frac{1}{5}:\frac{1}{4}:1$이다. 따라서 $a=4k$, $b=5k$, $c=20k$이므로 $a+b\neq c$이다.

ㄴ. 스펙트럼 선 Ⅰ과 Ⅱ의 에너지의 비가 5 : 4이므로 (가)의 에너지는 $\frac{15}{16}k$이다. 이것은 $n=4$에서 $n=1$로 전이할 때 방출되는 에너지 값과 같다.

03 전자 배치

개념 모아 정리하기 1권 181쪽

❶ 8 ❷ = ❸ = ❹ <
❺ < ❻ < ❼ 낮은
❽ 파울리 배타 원리 ❾ 훈트 규칙
❿ $1s^22s^22p_x{}^22p_y{}^22p_z{}^2$ ⓫ $1s^22s^22p_x{}^22p_y{}^22p_z{}^2$

개념 기본 문제 1권 182쪽

01 ㄱ, ㄷ, ㄹ **02** $1s<2s=2p<3s=3p=3d<4s$ **03** (1) $2p<3p<5s<4d$ (2) $2s<4s<3d<4p$ (3) $3d<4p<5p<6s$ **04** ㄱ, ㄷ, ㄹ **05** (1) A (2) C (3) D (4) B, E **06** (1) $1s^2 2s^2 2p^6$ (2) $1s^2 2s^2 2p^6$ (3) $1s^2 2s^2 2p^6 3s^2 3p^6$ (4) $1s^2 2s^2 2p^6 3s^2 3p^6$

01 ㄱ. $_3$Li은 원자 번호가 3인 원소로, 3개의 전자가 다음과 같이 배치된다. ➡ K(2)L(1)

ㄷ. 전자 껍질에 전자가 채워질 때에는 에너지 준위가 낮은 전자 껍질부터 차례로 채워지며, K 전자 껍질, L 전자 껍질, M 전자 껍질 순으로 전자가 채워진다. 즉, 에너지 준위는 K<L<M이다.

ㄹ. 각 전자 껍질에 채워질 수 있는 최대 허용 전자 수는 $2n^2$이므로 주 양자수 2인 L 전자 껍질에는 최대 8개의 전자가 채워진다.

바로 알기 ㄴ. 원자가 전자는 원자의 바닥상태 전자 배치에서 가장 바깥 전자 껍질에 존재하며 화학 결합에 관여하는 전자로, 원자가 전자 수가 같은 원자는 화학적 성질이 비슷하다. 원자가 전자 수는 각각 A가 1, B가 0, C가 1로, B와 C의 화학적 성질은 다르다.

02 수소 원자에서 오비탈의 에너지 준위는 주 양자수에 의해서만 결정된다. 따라서 같은 전자 껍질 내에서 오비탈의 에너지 준위는 다른 양자수와 관계없이 같은 값을 가진다.

03 주 양자수는 오비탈의 크기와 에너지를 결정하는 양자수로, 보어의 원자 모형에서 전자 껍질을 나타낸다. n은 1, 2, 3, … 등의 정수 값을 가지며, n이 커지면 오비탈의 크기는 커지고 전자는 핵으로부터 더 멀리 떨어진다. 따라서 n이 커지면 핵과 전자 사이에 작용하는 힘이 약해지고 전자는 더 큰 에너지를 가지게 되어 불안정해진다.

주 양자수(n)	1	2	3	4	5	…
전자 껍질	K	L	M	N	O	…

방위 양자수는 오비탈의 3차원적 모양을 결정하는 양자수로, 전자 부껍질 또는 부 양자수라고도 한다. 주 양자수 n인 오비탈은 방위 양자수(l)를 0, 1, …, $(n-1)$까지 가질 수 있다. 따라서 주 양자수가 n인 전자 껍질에는 n종류의 서로 다른 모양의 오비탈이 존재한다. 전자 부껍질은 방위 양자수로 표시하기보다는 주로 s, p, d, f의 문자 기호를 사용하는데, $l=0$일 때 s, $l=1$일 때 p, $l=2$일 때 d로 표시한다.

전자 껍질 (주 양자수)	K ($n=1$)	L ($n=2$)		M ($n=3$)		
방위 양자수(l)	0	0	1	0	1	2
오비탈	$1s$	$2s$	$2p$	$3s$	$3p$	$3d$

같은 전자 껍질에서 오비탈의 에너지 준위는 $ns<np<nd$이고, 다전자 원자에서 오비탈의 에너지 준위는 $(n+l)$이 커질수록 커지고, $(n+l)$이 같을 경우에는 n이 클수록 크다. 따라서 (1)~(3)의 에너지 준위를 각각 비교하면 다음과 같다.

(1) $2p<3p<5s<4d$

(2) $2s<4s<3d<4p$

(3) $3d<4p<5p<6s$

04 $1s^2 2s^2 2p^6 3s^2 3p^5$의 전자 배치를 그림으로 나타내면 다음과 같다.

$1s^2$	$2s^2$	$2p^6$			$3s^2$	$3p^5$		
↑↓	↑↓	↑↓	↑↓	↑↓	↑↓	↑↓	↑↓	↑

ㄱ. 홀전자는 p 오비탈에 1개 존재한다.

ㄷ. 에너지 준위가 가장 낮은 전자 껍질부터 차례로 전자가 채워진 바닥상태의 전자 배치이다.

ㄹ. 주 양자수 $n=3$이므로 전자가 들어 있는 전자 껍질이 3개이다.

바로 알기 ㄴ. 원자가 전자는 가장 바깥 전자 껍질에 있으면서 화학 결합에 참여할 수 있는 전자로, 주 양자수가 3인 오비탈에 7개의 전자가 있으므로 원자가 전자는 7개이다.

05 (1) 쌓음 원리에 의하면 다전자 원자에서 오비탈에 전자가 채워질 때에는 에너지 준위가 낮은 오비탈부터 채워져야 한다. 이러한 쌓음 원리에 위배되는 전자 배치는 A이다.

(2) 파울리 배타 원리에 의하면 한 오비탈에는 2개의 전자가 배치되며, 이때 두 전자의 스핀 방향은 달라야 한다. 이러한 파울리 배타 원리에 위배되는 전자 배치는 C이다.

(3) 훈트 규칙에 의하면 에너지 준위가 같은 여러 개의 오비탈에 전자가 들어갈 때에는 홀전자 수가 많을수록 안정하다. 이러한 훈트 규칙에 위배되는 전자 배치는 D이다.

(4) 바닥상태 전자 배치는 에너지가 가장 낮은 안정한 상태의 전자 배치로, 쌓음 원리, 파울리 배타 원리, 훈트 규칙을 모두 만족한다. 이 세 가지를 모두 만족하는 전자 배치는 B와 E이다.

06 바닥상태의 전자 배치는 쌓음 원리, 파울리 배타 원리, 훈트 규칙을 모두 만족한다. 원자가 전자를 잃고 양이온이 될 때에는 에너지 준위가 가장 높은 오비탈의 전자를 잃고, 원자가 전자를 얻어 음이온이 될 때에는 에너지 준위가 가장 낮은 오비탈부터 전자가 들어간다.

(1) $_{8}O^{2-}$ ➡ $1s^22s^22p^6$

(2) $_{12}Mg^{2+}$ ➡ $1s^22s^22p^6$

(3) $_{18}Ar$ ➡ $1s^22s^22p^63s^23p^6$

(4) $_{19}K^{+}$ ➡ $1s^22s^22p^63s^23p^6$

개념 적용 문제

1권 183~186쪽

01 ③ **02** ③ **03** ② **04** ① **05** ⑤ **06** ④ **07** ② **08** ⑤

01 원자의 전자 수는 양성자수와 같고, 양성자수는 원자 번호와 같다.

ㄷ. 바닥상태 전자 배치에서 가장 바깥 전자 껍질에 존재하며, 화학 결합에 관여하는 전자를 원자가 전자라고 한다. 수소를 제외하고 원자가 전자 수가 같은 원소는 화학적 성질이 비슷하다는 특징이 있다. 따라서 각 원자의 원자가 전자 수는 A 1, B 7, C 1, D 7이므로 A와 C, B와 D의 원자가 전자 수가 같다. 하지만 A는 수소이므로 C와 화학적 성질이 다르고, B와 D의 화학적 성질은 비슷하다.

바로 알기 ㄱ. 원자 A의 전자 수는 1이므로, 양성자수도 1이다.

ㄴ. 보어의 원자 모형에서 전자 껍질에 전자가 채워질 때에는 K 전자 껍질, L 전자 껍질, M 전자 껍질에 차례로 전자가 채워진다. 원자 C의 M 전자 껍질에 채워진 전자 수가 1이므로, K 전자 껍질과 L 전자 껍질에 채워진 전자 수가 각각 2, 8이어야 한다. 따라서 원자 C의 총 전자 수는 11이다.

02 원자 A의 전자 수는 8이고, 원자 B의 전자 수는 11이다. 따라서 원자 A, B의 바닥상태 전자 배치를 오비탈 기호로 나타내면 다음과 같다.

A: $1s^22s^22p^4$

B: $1s^22s^22p^63s^1$

ㄷ. 원자 A, B의 바닥상태 전자 배치에서 p 오비탈 3개에 모두 전자가 들어 있으므로 전자가 들어 있는 p 오비탈의 수는 서로 같다.

바로 알기 ㄱ. 원자 A의 원자가 전자 수는 6이고, B의 원자가 전자 수는 1이다.

ㄴ. 홀전자 수는 A 2, B 1이다.

03 각 원자의 바닥상태 전자 배치를 오비탈 기호로 나타내면 다음과 같다.

A: $1s^22s^22p^4$

B: $1s^22s^22p^63s^1$

C: $1s^22s^22p^63s^23p^5$

D: $1s^22s^22p^63s^23p^64s^2$

ㄴ. 바닥상태의 원자 B와 C의 홀전자 수는 1로 같다.

바로 알기 ㄱ. A의 원자가 전자 수는 6, B의 원자가 전자 수는 1이다.

ㄷ. 바닥상태의 원자에서 전자가 들어 있는 오비탈 수는 C가 9, D가 10이다.

04 ㄱ. (가) 원자의 전자 배치는 $1s^22s^1$이다. 따라서 2주기 1족 원소인 Li이고, 원자가 전자 수는 1이다.

바로 알기 ㄴ. 전자 배치는 (나) $1s^22s^22p^2$, (다) $1s^22s^22p^4$이므로 원자가 전자 수가 (나)는 4이고, (다)는 6이다.

ㄷ. (가), (나), (다)의 양성자수는 각각 3, 6, 8이고, (라)의 전자 배치는 $1s^22s^22p^3$이므로 양성자수는 7이다.

05 ㄴ. 가장 바깥 전자 껍질에 존재하는 전자 수가 C는 1, D는 2이다.

ㄷ. 홀전자 수는 A가 3, B가 1이다.

바로 알기 ㄱ. A~D의 전자 배치는 모두 쌓음 원리, 훈트 규칙, 파울리 배타 원리를 만족하는 바닥상태의 전자 배치이다.

06 질소 원자의 바닥상태 전자 배치는 $1s^22s^22p^3$이다. 여기서 원자가 전자는 $2s^2$, $2p^3$의 전자이고, 원자가 전자는 B와 C에 들어 있다. 그런데 오비탈 A와 C의 모양이 다르므로 A는 $1s$, C는 $2p$, B는 $2s$이다.

ㄱ. 오비탈의 크기는 주 양자수가 커질수록 커지므로 $A<B$이다.

ㄷ. $2p$ 오비탈인 C에는 전자 3개가 p_x, p_y, p_z 오비탈에 각각 1개씩 배치되어 있다. 따라서 p 오비탈에 배치된 전자는 모두 홀전자이다.

바로 알기 ㄴ. 다전자 원자에서 오비탈의 에너지 준위는 $(n+l)$이 클수록 증가하므로 $A<B<C$이다.

07 X와 Y의 전자 껍질 수가 같으므로 X와 Y는 같은 주기여야 한다. 또, p 오비탈에 들어 있는 전자 수가 X가 Y의 5배이

므로 Y의 p 오비탈에 2개 이상의 전자가 배치되어 있을 경우, X의 p 오비탈에는 10개 이상의 전자가 배치되어야 하므로 Y의 p 오비탈에는 2개 이상의 전자가 배치될 수 없다. 즉 Y의 p 오비탈에는 1개의 전자가 배치되어 있고, X의 p 오비탈에는 5개의 전자가 배치되어 있다. 따라서 X와 Y의 전자 배치를 오비탈 기호로 나타내면 다음과 같다.

X: $1s^2 2s^2 2p^5$

Y: $1s^2 2s^2 2p^1$

X^-과 Z^{2+}의 전자 수가 같으므로 Z의 전자 배치를 오비탈 기호로 나타내면 다음과 같다.

Z: $1s^2 2s^2 2p^6 3s^2$

ㄷ. Z에서 전자가 들어 있는 총 오비탈 수는 6이다.

바로 알기 ㄱ. X의 원자가 전자 수는 7이다.

ㄴ. 홀전자는 오비탈 내에서 짝을 이루지 못한 전자로, Y의 홀전자 수는 1이다.

08 전자가 들어 있는 전자 껍질 수는 B>A, D>C이므로 B와 D는 3주기 원자이고, A와 C는 2주기 원자이다. 이를 토대로 주어진 조건에 맞는 원자의 바닥상태 전자 배치를 오비탈 기호로 나타내면 다음과 같다.

A: $1s^2 2s^2 2p^4$ ➡ 홀전자 수: 2

B: $1s^2 2s^2 2p^6 3s^2$ ➡ 홀전자 수: 0

C: $1s^2 2s^2 2p^6$ ➡ 홀전자 수: 0

D: $1s^2 2s^2 2p^6 3s^2 3p^3$ ➡ 홀전자 수: 3

ㄴ. 홀전자 수는 각각 A 2, B 0, C 0, D 3으로, D가 가장 크다.

ㄷ. B의 바닥상태 전자 배치는 $1s^2 2s^2 2p^6 3s^2$이고, 안정한 이온이 되었을 때 전자 배치는 $1s^2 2s^2 2p^6$이므로, 전자가 들어 있는 오비탈 수는 감소한다.

바로 알기 ㄱ. 전자 수는 양성자수와 같고, 양성자수는 원자 번호와 같다. A는 원자 번호가 8인 산소이고, C는 원자 번호가 10인 네온이므로 원자 번호는 C가 A보다 크다.

통합 실전 문제

1권 188~191쪽

01 ⑤ **02** ④ **03** ③ **04** ① **05** ③ **06** ⑤ **07** ② **08** ①

01 질량수는 양성자수와 중성자수를 합한 값이므로, 각 이온의 양성자수와 중성자수는 다음과 같다.

이온	양성자수	중성자수	질량수
A^{a+}	x	$x+1$	$2x+1$
B^{b-}	y	y	$2y$
C^{c+}	$x-1$	x	$2x-1$

A~C 이온의 전자 배치가 모두 아르곤(Ar)과 같으므로, A~C 이온의 전자 수는 모두 18이다.

따라서 A^{a+}의 전자 수는 $x-2=18$이므로 $x=20$이고, B^{b-}의 전자 수는 $y+2=18$이므로 $y=16$이다. 따라서 각 이온의 양성자수, 중성자수, 전자 수, 질량수는 다음과 같다.

이온	양성자수	중성자수	전자 수	질량수
A^{a+}	$x=20$	$x+1=21$	$x-2=18$	$2x+1=41$
B^{b-}	$y=16$	$y=16$	$y+2=18$	$2y=32$
C^{c+}	$x-1=19$	$x=20$	18	$2x-1=39$

ㄴ. A, B, C의 질량수는 각각 41, 32, 39이다. 따라서 질량수는 A>C>B이다.

ㄷ. a+b+c=2+2+1=5이다.

바로 알기 ㄱ. 원자 번호는 양성자수와 같으므로 A, B, C의 원자 번호는 각각 20, 16, 19이다. 따라서 원자 번호는 A>C>B이다.

02 양성자수가 같고 중성자수가 달라 질량수가 다른 원소를 동위 원소라고 한다. 따라서 A와 C는 양성자수가 16으로 같으므로 동위 원소 관계이고, B와 D도 양성자수가 15로 같으므로 동위 원소 관계이다.

질량수는 양성자수와 중성자수를 합한 값으로, 각 원자의 중성자수는 다음과 같다.

원자	A	B	C	D
질량수	33	32	32	31
양성자수	16	15	16	15
중성자수	33−16 =17	32−15 =17	32−16 =16	31−15 =16

ㄱ. A와 C가 동위 원소 관계이고, B와 D가 동위 원소 관계이다.

ㄷ. C의 중성자수는 16이고, D의 중성자수도 16이다. 따라서 C와 D의 중성자수는 서로 같다.

바로 알기 ㄴ. 양성자수는 전자 수와 같다. B의 양성자수는 15이므로 전자 수도 15이고, C의 양성자수는 16이므로 전자 수도 16이다. 따라서 B와 C의 전자 수는 서로 다르다.

03 ㄱ. X_2의 분자량이 가장 작은 것은 158이므로 X의 원자량이 가장 작은 것은 79이다. 또 X_2의 분자량이 가장 큰 것은 162이므로 X의 원자량이 가장 큰 것은 81이다. 따라서 X의 동위 원소는 2가지이다.

ㄴ. ${}_{79}X$가 2개 결합한 X_2의 존재비와 ${}_{81}X$가 2개 결합한 X_2의 존재비가 같은 것으로 보아 ${}_{79}X$와 ${}_{81}X$의 존재비는 같다는 것을 알 수 있다.

바로 알기 ㄷ. MgX_2의 화학식량이 가장 작은 경우는 Mg의 원자량이 24인 것과 X의 원자량이 79인 것 2개가 결합한 경우로, 이때의 화학식량은 182이다. 또, MgX_2의 화학식량이 가장 큰 것은 Mg의 원자량이 25인 것과 X의 원자량이 81인 것 2개가 결합한 경우로, 이때의 화학식량은 187이다. 따라서 가능한 화학식량은 182, 183, 184, 185, 186, 187의 6가지이다.

04 (가)는 원자의 중심에 원자핵이 존재하고 핵 주위를 전자가 원운동하고 있는 것으로 보아 러더퍼드의 태양계 모형을 나타낸 것이다. (나)는 원자핵 주위에 궤도가 존재하는 것으로 보아 보어의 원자 모형을 나타낸 것이다. (다)는 오비탈 모형으로 현대 원자 모형을 나타낸 것이다.

ㄱ. 알파(α) 입자 산란 실험 결과를 통해 제시된 원자 모형은 러더퍼드의 태양계 모형이다.

바로 알기 ㄴ. 보어의 원자 모형은 수소 원자의 선 스펙트럼을 설명할 수 있지만, 전자가 2개 이상인 다전자 원자의 스펙트럼을 설명하지는 못한다. 따라서 원자 번호 3인 리튬(Li)의 선 스펙트럼 결과는 보어 모형으로 설명할 수 없다.

ㄷ. (다)는 전자가 존재할 확률을 나타낸 모형이다. 전자가 궤도를 따라 원운동하는 모형은 보어의 원자 모형이다.

05 수소 원자의 선 스펙트럼에서 전자가 $n=1$인 전자 껍질로 전이될 때 방출되는 에너지는 라이먼 계열, 전자가 $n=2$인 전자 껍질로 전이될 때 방출되는 에너지는 발머 계열, 전자가 $n=3$인 전자 껍질로 전이될 때 방출되는 에너지는 파셴 계열이다.

ㄱ. (다)가 파셴 계열이므로, $x=3$이다. 에너지 크기는 라이먼 계열>발머 계열>파셴 계열로, 에너지와 파장은 반비례하므로 파장의 크기는 a<b<c이다.

ㄷ. 수소 원자에서 전자가 $n=4$에서 $n=2$로 전이될 때 가시광선 영역의 에너지가 방출된다.

바로 알기 ㄴ. (가)의 에너지는 $-\frac{1312}{3^2}-\left(-\frac{1312}{3^2}\right)=\frac{1312\times8}{9}$ kJ/mol이고, (다)의 에너지는 $-\frac{1312}{5^2}-\left(-\frac{1312}{3^2}\right)=\frac{1312\times16}{225}$ kJ/mol이다. 따라서 (가) : (다)의 에너지비는 $\frac{1312\times8}{9}:\frac{1312\times16}{225}=\frac{8}{9}:\frac{16}{225}=25:2$이다.

06 원자 A~D의 전자 배치와 원자가 전자 수는 다음과 같다.

원자 A는 s 오비탈 수가 2이므로 $1s$, $2s$ 오비탈이 존재하고, p 오비탈이 2개 존재한다. 따라서 $2s$ 오비탈에는 전자가 모두 채워진 상태이고, 홀전자 수가 2이므로 2개의 p 오비탈에는 각각 전자가 1개씩 배치된 상태여야 한다.

➡ $1s^22s^22p_x^{\,1}2p_y^{\,1}$

원자 B는 s 오비탈 수가 2이므로 $1s$, $2s$ 오비탈이 존재하고, p 오비탈이 3개 존재하므로 s 오비탈에는 전자가 모두 채워진 상태이다. 또, 홀전자 수가 0인 것으로 보아 3개의 p 오비탈에는 전자가 2개씩 배치된 상태여야 한다.

➡ $1s^22s^22p_x^{\,2}2p_y^{\,2}2p_z^{\,2}$

원자 C는 s 오비탈 수가 3이므로 $1s$, $2s$, $3s$ 오비탈이 존재하고, p 오비탈 수가 6이므로 $2p_x$, $2p_y$, $2p_z$, $3p_x$, $3p_y$, $3p_z$ 오비탈이 존재한다. 따라서 3개의 s 오비탈에는 전자가 모두 채워진 상태이고, 홀전자 수가 2이므로 2개의 $3p$ 오비탈에 전자가 1개씩 배치되고 나머지 오비탈에는 전자가 모두 2개씩 배치된 상태여야 한다.

➡ $1s^22s^22p_x^{\,2}2p_y^{\,2}2p_z^{\,2}3s^23p_x^{\,2}3p_y^{\,1}3p_z^{\,1}$

원자 D는 s 오비탈 수가 3이므로 $1s$, $2s$, $3s$ 오비탈이 존재하고, p 오비탈 수가 6이므로 $2p_x$, $2p_y$, $2p_z$, $3p_x$, $3p_y$, $3p_z$ 오비탈이 존재한다. 따라서 3개의 s 오비탈에는 전자가 모두 채워진 상태이고, 홀전자 수가 3이므로 3개의 $3p$ 오비탈에 전자가 1개씩 배치되고 나머지 오비탈에는 전자가 모두 2개씩 배치된 상태여야 한다.

➡ $1s^22s^22p_x^{\,2}2p_y^{\,2}2p_z^{\,2}3s^23p_x^{\,1}3p_y^{\,1}3p_z^{\,1}$

원자 A~D의 전자 수, 원자가 전자 수, 전자 껍질 수는 다음과 같다.

원자	A	B	C	D
전자 수	6	10	16	15
원자가 전자 수	4	0	6	5
전자 껍질 수	2	2	3	3

ㄴ. 양성자수는 전자 수와 같으므로 전자 수가 클수록 양성자수가 큰 원자이다. 따라서 전자 수가 가장 큰 C의 양성자수가 가장 크다.
ㄷ. 전자 껍질 수는 A, B가 2로 같고, C, D가 3으로 서로 같다.
바로 알기 ㄱ. 원자가 전자 수는 C가 가장 크다.

07 2주기에서 전자가 들어 있는 오비탈 수가 가장 작은 경우는 1*s*, 2*s* 오비탈만 존재할 때이고, 3주기에서 전자가 들어 있는 오비탈 수가 가장 큰 경우는 1*s*, 2*s*, 2*p*, 3*s*, 3*p*가 존재할 때이다. 따라서 오비탈 수는 2일 때 가장 작고, 9일 때 가장 크다. 전자가 들어 있는 오비탈 수가 1 : 4를 만족하기 위해서는 A의 오비탈 수는 2, B의 오비탈 수는 8이어야 한다. 따라서 A는 $_{3}Li(1s^{2}2s^{1})$ 또는 $_{4}Be(1s^{2}2s^{2})$이고, B는 $_{14}Si(1s^{2}2s^{2}2p^{6}3s^{2}3p^{2})$이다.
2, 3주기 원소 중 $\frac{p \text{ 오비탈의 총 전자 수}}{s \text{ 오비탈의 총 전자 수}}=2$인 원소는 $_{18}Ar(1s^{2}2s^{2}2p^{6}3s^{2}3p^{6})$이다. 따라서 C는 $_{18}Ar$이다.
$_{18}Ar$의 경우 *s* 오비탈의 총 전자 수가 6이므로 A의 *s* 오비탈의 총 전자 수는 4이다. 따라서 A는 $_{4}Be$이다.
ㄷ. B의 경우 *p* 오비탈에 들어 있는 전자 수가 8이고, C의 경우 *p* 오비탈에 들어 있는 전자 수가 12이다. 따라서 전자 수는 B : C=2 : 3이다.
바로 알기 ㄱ. 원자 번호는 C가 가장 크다.
ㄴ. A의 원자가 전자 수는 2이고, C의 원자가 전자 수는 0이므로 원자가 전자 수는 서로 다르다.

08 가장 바깥 전자 껍질이 L 전자 껍질인 경우 주 양자수(n)가 2이고, M 전자 껍질인 경우 주 양자수(n)가 3이다.
원자 X의 가장 바깥 전자 껍질은 L 전자 껍질로, 1*s*, 2*s*, 2*p* 오비탈이 존재할 수 있다. 주 양자수(n)가 2인 전자 껍질에 전자가 4개 존재하고, *s* 오비탈과 *p* 오비탈에 각각 3개의 전자가 존재해야 하므로 원자 X의 전자 배치는 $1s^{2}2s^{1}2p^{3}$이다.
원자 Y의 가장 바깥 전자 껍질은 L 전자 껍질로, 1*s*, 2*s*, 2*p* 오비탈이 존재할 수 있다. 주 양자수(n)가 2인 전자 껍질이면서 *s* 오비탈에 4개의 전자, *p* 오비탈에 5개의 전자가 존재해야 하므로 원자 Y의 전자 배치는 $1s^{2}2s^{2}2p^{5}$이다.
원자 Z의 가장 바깥 전자 껍질은 M 전자 껍질로, 1*s*, 2*s*, 2*p*, 3*s*, 3*p* 오비탈이 존재할 수 있다. 주 양자수(n)가 3인 전자 껍질에 전자가 2개 존재하고, *s* 오비탈에 5개의 전자, *p* 오비탈에 6개의 전자가 존재해야 하므로 원자 Z의 전자 배치는 $1s^{2}2s^{2}2p^{5}3s^{1}3p^{1}$ 또는 $1s^{2}2s^{1}2p^{6}3s^{2}$ 등이 가능하다.
ㄱ. Y의 L 전자 껍질에 있는 전자 수 ㉠은 7이다.
바로 알기 ㄴ. Y의 바닥상태의 오비탈 전자 배치는 $1s^{2}2s^{2}2p^{5}$이므로 홀전자 수는 1이다.
ㄷ. Z는 *s* 오비탈의 전자 수가 5이고 *p* 오비탈의 전자 수가 6이므로 원자 번호가 11인 Na이다. 따라서 바닥상태의 전자 배치를 전자 껍질로 나타내면 K(2)L(8)M(1)이고, 오비탈 기호로 나타내면 $1s^{2}2s^{2}2p^{6}3s^{1}$이다. 즉, Z는 바닥상태의 전자 배치가 아니다.

사고력 확장 문제

1권 192~195쪽

01 **모범 답안** (1) (가) 돌턴의 원자 모형, (나) 톰슨의 원자 모형, (다) 러더퍼드의 원자 모형, (라) 보어의 원자 모형, (마) 현대 원자 모형
(2) 각 모형의 특징과 한계점은 다음과 같다.

모형	특징	한계점
(가)	• 원자는 더 이상 쪼개지지 않는다. • 같은 원소의 원자는 질량이 같고, 다른 원소의 원자는 질량이 다르다. • 화학 반응이 일어날 때 원자는 배열만 바뀌고 새로 생성되거나 소멸되지 않는다.	• 전자와 원자핵 등의 발견으로 원자가 더 작은 입자로 이루어졌음이 밝혀졌다. • 동위 원소가 발견되었다.
(나)	(+)전하가 고르게 분포된 구 속에 (−)전하를 띤 전자가 군데군데 박혀 있다.	알파(α) 입자 산란 실험의 결과를 설명할 수 없다.
(다)	(+)전하를 띤 원자핵이 중심에 있고, 그 주위를 (−)전하를 띤 전자가 돌고 있다.	원자의 안정성과 수소의 선 스펙트럼을 설명할 수 없다.
(라)	• 전자가 에너지를 방출 또는 흡수하지 않는 안정된 궤도(전자 껍질)를 돌고 있다. • 전자가 다른 전자 껍질로 전이될 때 에너지 차이만큼 에너지를 흡수 또는 방출한다.	• 다전자 원자의 선 스펙트럼을 서술할 수 없다. • 불확정성의 원리에 어긋난다.
(마)	• 원자 내 전자의 위치를 전자의 존재 확률 분포로 나타낸다. • 전자의 존재 확률이 90 %인 공간을 나타내는 경계면 그림을 그려 오비탈을 나타낸다.	파동 방정식의 물리적 의미를 알기 어려우므로, 파동 함수의 제곱인 전자 존재 확률로 오비탈을 나타낸다.

채점 기준		배점(%)
(1)	원자 모형 5개의 이름을 모두 옳게 쓴 경우	20
	원자 모형 1개의 이름을 옳게 쓴 경우 각각	4
(2)	각 모형의 특징과 한계점을 한 가지 이상씩 모두 옳게 서술한 경우	80
	어떤 모형의 특징 한 가지를 옳게 서술한 경우 각각	8
	어떤 모형의 한계점 한 가지를 옳게 서술한 경우 각각	8

02 (1) 가상의 우주가 현대 원자 모형과 다른 점은 스핀 자기 양자수(m_s)이다. 현대 원자 모형은 스핀 자기 양자수(m_s)가 2가지이지만, 가상의 우주는 4가지이다. 따라서 가상의 우주에서 한 개의 오비탈에 최대로 채워질 수 있는 전자 수는 4이다.
(2) 가상의 우주에서 각 전자 껍질에 채워질 수 있는 최대 전자 수는 $4n^2$이 되므로 K 전자 껍질에 4개, L 전자 껍질에 16개, M 전자 껍질에 36개, N 전자 껍질에 64개의 전자가 수용될 수 있다.

모범 답안 (1) 4개
(2) K 전자 껍질 – 4개, L 전자 껍질 – 16개, M 전자 껍질 – 36개, N 전자 껍질 – 64개

채점 기준		배점(%)
(1)	가상의 우주에서 한 오비탈에 채워질 수 있는 전자 수를 옳게 구한 경우	20
(2)	각 전자 껍질에 들어가는 전자 수를 모두 옳게 구한 경우	80
	하나의 전자 껍질에 들어가는 전자 수를 옳게 구한 경우 각각	20

03 방사성 동위 원소는 동위 원소 중 불안정하여 방사선을 방출하는 원소를 말한다. ^{14}C와 같은 방사성 동위 원소를 이용하여 오래된 화석이나 유물의 연대를 측정할 수 있다.

모범 답안 (1) 연대 측정, 폐기물 처리, 식품 보관, 암 치료 등
(2) 반감기가 1번 지나면 처음 양의 50 %로 되고, 2번 지나면 처음 양의 25 %, 3번 지나면 처음 양의 12.5 %가 남는다. 따라서 유물의 추정 연대는 5700년×3=17100년 전이다.

채점 기준		배점(%)
(1)	이용 분야를 4가지 이상 옳게 쓴 경우	40
	이용 분야 1가지를 옳게 쓴 경우 각각	10
(2)	유물의 연대를 풀이 과정과 함께 옳게 구한 경우	60
	유물의 연대만 옳게 구한 경우	30

04 (1) 평균 원자량은 동위 원소의 존재 비율을 고려하여 나타낸 원자량이다.
(2) 염화 브로민의 종류, 분자량, 존재 비율은 다음과 같다.

분자	분자량	존재 비율
AC	35+79=114	$\frac{3}{4}\times\frac{1}{2}=\frac{3}{8}$(37.5 %)
AD	35+81=116	$\frac{3}{4}\times\frac{1}{2}=\frac{3}{8}$(37.5 %)
BC	37+79=116	$\frac{1}{4}\times\frac{1}{2}=\frac{1}{8}$(12.5 %)
BD	37+81=118	$\frac{1}{4}\times\frac{1}{2}=\frac{1}{8}$(12.5 %)

모범 답안 (1) 염소(Cl)의 평균 원자량과 브로민(Br)의 평균 원자량은 다음과 같이 구할 수 있다.

염소(Cl)의 평균 원자량$=35\times\frac{75}{100}+37\times\frac{25}{100}=35.5$

브로민(Br)의 평균 원자량$=79\times\frac{50}{100}+81\times\frac{50}{100}=80$

(2) 염화 브로민의 분자량은 114, 116, 118이 가능하다. 분자량이 114인 염화 브로민의 존재 비율은 37.5 %이고, 분자량이 116인 염화 브로민의 존재 비율은 37.5 %+12.5 %=50.0 %, 분자량이 118인 염화 브로민의 존재 비율은 12.5 %이다.

채점 기준		배점(%)
(1)	염소와 브로민의 평균 원자량을 풀이 과정을 서술하여 옳게 구한 경우	40
	염소와 브로민 중 1가지만 옳게 구한 경우	20
(2)	분자량과 존재 비율을 모두 옳게 구한 경우	60
	분자량 1개만 옳게 구한 경우 각각	10
	존재 비율 1개만 옳게 구한 경우 각각	10

05 음극선 실험의 결과로부터 톰슨은 음극선의 정체가 (−)전하를 띤 작은 입자의 흐름이라는 것을 발견하였고, 이 입자를 전자라고 하였다.

모범 답안 (가) 그림자가 생기는 것으로 보아 음극선은 직진한다.
(나) 바람개비가 돌아가는 것으로 보아 음극선은 질량을 가지고 있는 입자의 흐름이다.
(다) 음극선이 자기장에 의해 휘어지는 것으로 보아 음극선은 전하를 띤다.
(라) 음극선이 (+)극 쪽으로 휘어지는 것으로 보아 음극선은 (−)전하를 띠고 있다.

채점 기준	배점(%)
각 실험 결과에 따른 성질을 모두 옳게 서술한 경우	100
하나의 실험 결과에 따른 성질을 옳게 서술한 경우 각각	25

06 (1) 수소 원자($^{1}_{1}H$)는 양성자 1개와 전자 1개로 이루어진 입자이고, 중수소($^{2}_{1}H$)는 양성자 1개가 중성자 1개와 결합한 원

자핵과 전자 1개로 이루어진 입자이며, 3중 수소(^3_1H)는 양성자 1개가 중성자 2개와 결합한 원자핵과 전자 1개로 이루어진 입자이다.

구성 입자	양성자수	중성자수	전자 수
수소(^1_1H)	1	0	1
중수소(^2_1H)	1	1	1
3중 수소(^3_1H)	1	2	1

(2) 수소, 중수소, 3중 수소의 물리적 성질은 질량 차이가 나므로 다르지만, 원자의 중성자수는 화학적 성질에 거의 영향을 주지 않으므로 수소, 중수소, 3중 수소의 화학적 성질은 거의 같다.

모범 답안 (1) • 수소 – 양성자 1개, 중성자 0개, 전자 1개
• 중수소: 양성자 1개, 중성자 1개, 전자 1개
• 3중 수소: 양성자 1개, 중성자 2개, 전자 1개
(2) 3가지 동위 원소의 질량과 같은 물리적 성질은 모두 다르지만, 결합과 관련된 화학적 성질은 같다.

	채점 기준	배점(%)
(1)	수소, 중수소, 3중 수소의 양성자수, 중성자수, 전자 수를 모두 옳게 구한 경우	60
	수소의 동위 원소 3가지 중 한 가지 원소의 양성자수, 중성자수, 전자 수를 옳게 구한 경우 각각	20
(2)	물리적, 화학적 성질을 모두 옳게 서술한 경우	40
	물리적, 화학적 성질 중 한 가지만 옳게 서술한 경우	20

07 (1) $n=1$로 전자 전이가 일어나면서 방출하는 에너지 중 가장 큰 에너지는 $n=\infty \rightarrow n=1$로 전이할 때 방출하는 에너지이고, 가장 작은 에너지는 $n=2 \rightarrow n=1$로 전이할 때 방출하는 에너지이다.

$$E(n=\infty \rightarrow n=1)=-1312\left(\frac{1}{\infty^2}-\frac{1}{1^2}\right)=1312$$

$$E(n=2 \rightarrow n=1)=-1312\left(\frac{1}{2^2}-\frac{1}{1^2}\right)=1312\times\frac{3}{4}$$

따라서 가장 큰 에너지는 가장 작은 에너지의 $\frac{4}{3}$배이다.

(2) B에서 방출되는 전자기파 중 파장이 가장 긴 것은 $n=3 \rightarrow n=2$로 전자가 전이할 때 방출되고, C에서 방출되는 전자기파 중 파장이 가장 짧은 것은 $n=\infty \rightarrow n=3$으로 전자가 전이할 때 방출된다.

$$E(n=3 \rightarrow n=2)=-1312\left(\frac{1}{3^2}-\frac{1}{2^2}\right)=\frac{5}{36}\times1312$$

$$E(n=\infty \rightarrow n=3)=-1312\left(\frac{1}{\infty^2}-\frac{1}{3^2}\right)=\frac{1}{9}\times1312$$

$E=\frac{hc}{\lambda}$이므로 파장은 E에 반비례한다. 따라서 B에서 방출되는 전자기파 중 파장이 가장 긴 것과 C에서 방출되는 전자기파 중 파장이 가장 짧은 것의 파장의 비는 $\frac{36}{5}:9=4:5$이다.

모범 답안 (1) $\frac{4}{3}$배 (2) 4 : 5

	채점 기준	배점(%)
(1)	에너지비를 옳게 구한 경우	50
(2)	파장비를 옳게 구한 경우	50

08 **모범 답안** (1) 수소의 경우는 몇 개의 불연속적인 선 스펙트럼이 나타나는데, 태양빛의 경우는 거의 모든 영역의 파장의 빛이 섞여 있는 연속 스펙트럼이 나타난다.
(2) 수소 원자의 스펙트럼이 불연속적으로 나타나는 것은 수소 원자의 에너지 준위가 불연속적이기 때문이다.

	채점 기준	배점(%)
(1)	수소와 태양의 스펙트럼을 모두 옳게 서술한 경우	50
	수소와 태양의 스펙트럼 중 한 가지만 옳게 서술한 경우	25
(2)	에너지 준위의 불연속성을 서술한 경우	50

2. 원소의 주기적 성질

01 주기율표

개념 모아 정리하기 1권 207쪽

❶ 세 쌍 원소 ❷ 원자량 ❸ 멘델레예프 ❹ 원자 번호 ❺ 세로줄 ❻ 화학적 ❼ 양이온 ❽ 음이온 ❾ 준금속 ❿ 양쪽성 원소

개념 기본 문제 1권 208쪽

01 (가) NaCl (나) 19 (다) 매우 격렬하다. (라) K_2O **02** (1) (나), (다), (라) (2) (바) **03** A: 1주기 18족 원소, B: 2주기 14족 원소, C: 2주기 18족 원소, D: 3주기 2족 원소, E: 4주기 13족 원소 **04** (1) 원자가 전자 수 (2) 전자가 들어 있는 전자 껍질 수 (3) 비금속 원소 (4) 전이 원소 (5) Hg, Br (6) 비금속 원소

01 3개의 원소로 이루어진 어떤 원소의 무리에서 첫 번째 원소와 세 번째 원소의 물리량의 평균값이 두 번째 원소의 물리량과 같은 관계에 있는 원소는 세 쌍 원소 관계이다.
(가), (라) 같은 족 원소는 화학적 성질이 비슷하여 염화물이나 산화물의 화학식 형태가 같다. 따라서 (가)의 화학식은 NaCl, (라)의 화학식은 K_2O이다.
(나) 세 쌍 원소 관계에 있는 Li, Na, K의 원자 번호는 다음과 같은 관계가 성립한다.

$$\text{나트륨의 원자 번호}=\frac{\text{리튬의 원자 번호}+\text{칼륨의 원자 번호}}{2}$$

따라서 칼륨의 원자 번호는 19이다.
(다) Li, Na, K은 같은 족 원소로 모두 물과 반응하고, Li → Na → K으로 갈수록 반응성이 더욱 커진다.

02 (1) 금속 원소가 속한 영역은 주기율표의 왼쪽과 가운데 부분이다. 즉 주어진 그림의 (나), (다), (라) 영역이 금속 원소가 속한 영역이다.
(2) M 전자 껍질에 8개의 전자가 모두 채워진 것으로 보아 $1s^2 2s^2 2p^6 3s^2 3p^6$의 전자 배치를 이루는 원소는 3주기 18족 원소이다. 따라서 (바)에 속하는 원소이다.

03 주기는 가장 바깥 전자 껍질의 주 양자수, 족은 가장 바깥 전자 껍질에 존재하는 전자 수로 구할 수 있다.

04 (1), (2) 족에 따라 원자가 전자 수가 달라서 화학적 성질이 다르고, 주기에 따라 전자가 들어 있는 전자 껍질 수가 다르다.
(3) 비금속은 주기율표의 오른쪽에 주로 위치하고, 금속은 주기율표의 왼쪽과 가운데에 주로 위치한다.
(4) 4주기부터 주기율표의 가로줄이 길어지는 것은 d 오비탈과 f 오비탈에 전자가 채워지는 전이 원소가 존재하기 때문이다.
(5) 금속 원소 중 실온, 1기압에서 유일하게 액체로 존재하는 원소는 수은(Hg)이고, 비금속 원소 중 상온, 상압에서 유일하게 액체로 존재하는 원소는 브로민(Br_2)이다.
(6) 실온, 1기압에서 기체로 존재하는 원소들은 모두 비금속 원소이다.

개념 적용 문제 1권 209~211쪽

01 ④ **02** ② **03** ④ **04** ⑤ **05** ② **06** ④

01 라부아지에는 당시까지 발견된 33가지의 원소를 4그룹으로 분류하였고, 되베라이너는 3개의 원소로 이루어진 어떤 원소의 무리에서 첫 번째 원소와 세 번째 원소의 물리량의 평균값이 두 번째 원소의 물리량과 같다는 것을 발견하고, 이들을 세 쌍 원소라고 하였다.
뉴랜즈는 원소들을 원자량이 증가하는 순서로 배열하면 8번째마다 화학적 성질이 비슷한 원소가 나타난다는 옥타브설을 발표하였고, 멘델레예프는 원소들을 원자량이 증가하는 순서로 배열하면 비슷한 성질을 가지는 원소가 주기적으로 나타난다는 것을 발견하였다. 이후 모즐리가 원소들을 원자 번호 순서로 배열한 주기율표를 만들었으며, 오늘날에도 이 주기율표가 널리 사용되고 있다.

02 ① A는 2주기 1족 원소인 Li으로, 금속 원소에 해당한다.
③ 원자가 전자 수는 A 1, B 2, C 7, D 1, E 6이다.
④ 각 원소의 원자 번호는 A 3, B 4, C 9, D 11, E 16이다.
⑤ 주기율표에서 수소를 제외한 같은 족 원소들은 화학적 성질이 비슷하다.
바로 알기 ② B는 2주기 2족 원소인 Be으로, Be의 양성자 수와 전자 수는 모두 4이고, 원자가 전자 수는 2이다.

03 바닥상태의 전자 배치에서 전자가 들어 있는 오비탈 수가 6인 경우는 $1s^2 2s^2 2p^6 3s^1$ 또는 $1s^2 2s^2 2p^6 3s^2$로, 3주기 1족 원소나 2족 원소이다. 그런데 주어진 그림에서는 1족 원소에만 빗금이 표시되어 있으므로 A는 3주기 1족 원소이다. 또, A와 B는 같은 족 원소이므로 B는 2주기 1족 원소이다.
B와 C는 같은 주기 원소이므로 C는 2주기 16족 원소나 17족 원소 중 하나이다. 또, 바닥상태 원자의 홀전자 수는 D가 E보다 크다는 조건에 따라 D와 E는 같은 족 원소가 아니며, D는 2주기 16족, E는 3주기 17족 원소임을 알 수 있다. 따라서 C는 2주기 17족 원소이다.
ㄱ. E는 3주기 17족 원소이다.
ㄷ. 2주기 원소는 B, C, D이고, 3주기 원소는 A, E이다. 따라서 B와 D는 같은 주기 원소이다.
바로 알기 ㄴ. C는 2주기 17족 원소인 F으로 원자 번호는 9이다.

04 2, 3주기 원소 중 $\frac{s \text{ 오비탈의 전자 수}}{p \text{ 오비탈의 전자 수}}=1$인 원자는 O, Mg이다. 따라서 X와 Z는 O, Mg 중 하나이므로 Y는 원자가 전자 수가 4인 2주기 14족 원소이다. Z는 Y보다 족의 번호가 2 크므로 Z는 16족 원소인 O이고, X는 Mg이다.

ㄱ. Y는 2주기 14족 원소인 C이다.
ㄴ. X는 금속 원소인 Mg이다.
ㄷ. Z는 16족 원소이므로, Z의 원자가 전자 수는 6이다.

05 다전자 원자에서 주 양자수가 같을 경우 오비탈의 에너지 준위는 s 오비탈이 p 오비탈보다 작아야 하지만, 주어진 조건에서는 $2s$ 오비탈과 $2p$ 오비탈의 에너지 준위가 같으므로 원자 X는 수소(H)이다. 따라서 H의 양성자수는 1이고, $\frac{\text{양성자수}}{\text{중성자수}}=1$에 의해 중성자수도 1이므로 질량수 $a=2$이다.
Y는 X와 같은 주기이므로 1주기 18족 원소인 헬륨(He)이며, He의 양성자수는 2이고, 중성자수도 2이므로 질량수 $b=4$이다.
Z의 질량수 c는 $a+b=2+4=6$이므로, Z의 양성자수는 $\frac{c}{2}=3$이다. 따라서 Z는 원자 번호 3인 리튬(Li)이다.
ㄷ. H와 He은 비금속 원소이고, Li은 금속 원소이다.
바로 알기 ㄱ. X는 1주기 1족 원소인 H이다.
ㄴ. Y는 18족 원소인 He이고, Z는 1족 원소인 Li이다.

06 원자 번호는 X>Z>Y이고, X, Y, Z의 원자가 전자 수가 각각 2, 5, 6이므로 X는 3주기 2족 원소인 Mg, Y는 2주기 15족 원소인 N, Z는 2주기 16족 원소인 O이다.
ㄱ. X는 3주기 2족 원소인 Mg이다.
ㄷ. X는 안정한 이온이 될 때 전자 2개를 잃고, Z는 안정한 이온이 될 때 전자 2개를 얻는다.
바로 알기 ㄴ. 바닥상태 원자에서 Y(N)의 홀전자 수는 3이고, Z(O)의 홀전자 수는 2이다.

02 원소의 주기적 성질

개념 모아 정리하기 1권 225쪽

❶감소 ❷증가 ❸감소 ❹증가
❺감소 ❻증가 ❼증가 ❽감소
❾증가

개념 기본 문제 1권 226쪽

01 (1) ○ (2) × (3) ○ **02** ㄷ **03** ㄱ, ㄷ, ㄹ **04** (1) ${}_{3}\mathrm{Li}>{}_{11}\mathrm{Na}>{}_{19}\mathrm{K}$ (2) ${}_{8}\mathrm{O}<{}_{7}\mathrm{N}<{}_{9}\mathrm{F}$ **05** (1) 3 (2) 13족 **06** (1) F, Na (2) C^{4+}, P^{3-} (3) Na, F (4) Li, Mg (5) $E_1<E_2<E_3\ll E_4<E_5<E_6<E_7<E_8<E_9<E_{10}<E_{11}\ll E_{12}<E_{13}$

01 (1) 수소 원자의 경우 원자핵과 전자 사이의 인력만 존재하므로 바닥상태의 수소 원자에서 원자가 전자가 느끼는 유효 핵전하는 수소 원자의 핵전하와 같은 +1이다.
(2), (3) 같은 주기 또는 같은 족에서 유효 핵전하는 원자 번호가 증가할수록 커진다.

02 ㄷ. c와 e는 같은 전자 껍질에 있고, d는 e보다 안쪽 전자 껍질에 있으므로 e에 영향을 미치는 가려막기 효과는 d가 c보다 크다.
바로 알기 ㄱ. 리튬(Li) 원자와 같은 다전자 원자의 경우 원자핵과 전자 사이의 인력 외에도 전자 사이의 반발력이 존재하므로 유효 핵전하는 +3보다 작다.
ㄴ. Li은 원자 번호 3인 원소이고, Be은 원자 번호 4인 원소이다. 각 원소의 원자가 전자가 느끼는 유효 핵전하는 원자 번호가 클수록 증가하므로 b가 e보다 작다.

03 원자 반지름은 같은 주기에서는 원자 번호가 클수록, 같은 족에서는 원자 번호가 작을수록 작다. 원자의 전자 배치를 보면 A, B, C는 전자 껍질 수가 같으므로 같은 주기 원소이다.
ㄱ. A, B, C는 같은 주기 원소로 원자 번호가 클수록 원자 반지름이 작으므로 원자 반지름은 A>B>C이다.
ㄷ, ㄹ. B, C, D는 전자를 잃거나 얻어 이온으로 되면서 Ne과 같은 전자 배치를 이루므로 B^{3-}, C^{-}, D^{+}의 이온 반지름을 비교하면 원자 번호가 클수록 이온 반지름이 작으므로 $B^{3-}>C^{-}>D^{+}$이다.
바로 알기 ㄴ. A가 전자 1개를 잃고 A^{+}이 되면 He과 같은 전자 배치를 이루고, C가 전자 1개를 얻어 C^{-}가 되면 Ne과 같은 전자 배치를 이룬다. 따라서 전자 껍질 수가 더 큰 C^{-}의 이온 반지름이 A^{+}의 이온 반지름보다 크다.

04 같은 족에서는 원자 번호가 클수록 이온화 에너지가 감소하고, 같은 주기에서는 원자 번호가 클수록 이온화 에너지가 대체로 증가하는 경향이 나타난다.

(1) Li, Na, K은 모두 1족 원소로, 원자 번호가 작을수록 이온화 에너지가 커지므로 이온화 에너지는 Li>Na>K이다.

(2) N, O, F은 모두 2주기 원소로, 원자 번호가 클수록 이온화 에너지가 큰 경향을 나타내지만, N는 p 오비탈에 홀전자가 3개 있어 O에 비해 안정한 전자 배치를 이루므로 이온화 에너지는 O<N이다. 즉 이온화 에너지는 O<N<F이다.

05 이온화 에너지의 크기는 $E_1 < E_2 < E_3 \ll E_4$이므로 순차 이온화 에너지가 급격하게 증가하기 전까지의 전자 3개가 원자가 전자인 것을 알 수 있다. 따라서 원자가 전자 수는 3이며, 이 원소는 13족 원소이다.

06 (1) 같은 족 원소끼리는 주기율표의 아래쪽에 위치한 원소일수록 원자 반지름이 크고, 같은 주기 원소끼리는 주기율표의 왼쪽에 위치한 원소일수록 원자 반지름이 크다. 따라서 원자 반지름이 가장 큰 원소는 Na이고, 가장 작은 원소는 F이다.

(2) 같은 족 원소끼리는 주기율표의 아래쪽에 위치한 원소일수록 이온 반지름이 크고, 같은 주기에서는 음이온 반지름이 양이온 반지름보다 더 크며, 양이온 반지름과 음이온 반지름은 각각 원자 번호가 클수록 작아진다. 이온 반지름이 가장 작은 이온은 C^{4+}, 가장 큰 이온은 P^{3-}이다.

(3) 주기율표에서 이온화 에너지는 오른쪽, 위쪽으로 갈수록 증가하는 경향이 나타난다. 따라서 제1 이온화 에너지가 가장 작은 원소는 Na이고, 가장 큰 원소는 F이다.

(4) 제2 이온화 에너지는 제1 이온화 에너지의 변화에 비해서 그래프의 가로축에서 오른쪽으로 한 칸 더 이동했을 때의 변화와 같은 경향을 보인다. 따라서 제2 이온화 에너지가 가장 큰 원소는 Li이고, 가장 작은 원소는 Mg이다.

(5) Al은 원자 번호가 13, 전자 수도 13이므로 순차 이온화 에너지는 E_1에서 E_{13}까지 있다. 이중에서 전자 껍질이 바뀌는 부분의 전자를 떼어 내는 데 필요한 E_4와 E_{12}의 에너지가 급격하게 증가한다.

개념 적용 문제

1권 227~230쪽

01 ② **02** ② **03** ① **04** ③ **05** ② **06** ③ **07** ② **08** ②

01 Ar과 같은 전자 배치를 이루는 이온은 S^{2-}, Cl^-, K^+, Ca^{2+}이다. 이 이온들의 이온 반지름을 비교하면 $S^{2-}>Cl^->K^+>Ca^{2+}$이다. 주어진 자료에서 이온 반지름은 C>D>A>B이므로 A는 K, B는 Ca, C는 S, D는 Cl이다.

ㄷ. C는 3주기 16족 원소이고 D는 3주기 17족 원소로, C와 D는 같은 주기 원소이다.

바로 알기 ㄱ. C는 이온 반지름이 가장 크므로 S이다.

ㄴ. A와 B는 모두 4주기 원소로, 같은 주기에서 원자 번호가 클수록 원자가 전자가 느끼는 유효 핵전하는 커진다. 따라서 원자가 전자가 느끼는 유효 핵전하는 A<B이다.

02 그림 (가)를 통해 핵전하와 유효 핵전하의 차($Z-Z^*$)는 원자 번호가 커질수록 증가함을 알 수 있다. 2주기 원소의 바닥상태 원자의 전자 배치에서 홀전자 수는 다음과 같다.

원소	$_3Li$	$_4Be$	$_5B$	$_6C$
홀전자 수	1	0	1	2
원소	$_7N$	$_8O$	$_9F$	$_{10}Ne$
홀전자 수	3	2	1	0

홀전자 수가 3인 원소는 $_7N$, 홀전자 수가 2인 원소는 $_6C$와 $_8O$, 홀전자 수가 1인 원소는 $_3Li$, $_5B$, $_9F$이다.

E의 홀전자 수는 3이므로 E는 $_7N$이다. C와 D의 홀전자 수는 각각 2이므로 $_6C$와 $_8O$ 중 하나이며, $Z-Z^*$의 값은 C가 더 크므로 C는 $_8O$, D는 $_6C$이다. A와 B의 홀전자 수는 각각 1이므로 $_3Li$, $_5B$, $_9F$ 중 하나이다. 이중 $_9F$은 원자 번호가 크므로 $Z-Z^*$의 값이 C, D, E보다 커야 한다. 하지만 A와 B는 모두 $Z-Z^*$의 값이 C, D, E보다 작으므로 $_3Li$, $_5B$ 중 하나이고 $Z-Z^*$의 값이 더 큰 A가 $_5B$, B가 $_3Li$이다. 즉, A는 $_5B$, B는 $_3Li$, C는 $_8O$, D는 $_6C$, E는 $_7N$이다.

ㄴ. 같은 주기에서 원자 반지름은 원자 번호가 작을수록 커지므로 B($_3Li$)가 가장 크다.

바로 알기 ㄱ. A~E의 핵전하는 5+3+8+6+7=29이다.

ㄷ. 제1 이온화 에너지가 가장 큰 원소는 E($_7N$)이다.

03 전자가 들어 있는 오비탈 수가 2인 원자는 $_3Li$과 $_4Be$이다. 그런데 $_4Be$의 제1 이온화 에너지가 더 크므로 A가 $_4Be$이고 B는 $_3Li$이다. 또, 전자가 들어 있는 오비탈 수가 5인 것은 $_7N$, $_8O$, $_9F$, $_{10}Ne$이다. 그런데 제1 이온화 에너지는 $_8O<{}_7N<{}_9F<{}_{10}Ne$이므로 C는 $_9F$, D는 $_7N$, E는 $_8O$이다.

ㄱ. 양성자수가 가장 큰 원소는 C($_9F$)이다.

바로 알기 ㄴ. 같은 주기에서 원자가 전자가 느끼는 유효 핵전하는 원자 번호가 커질수록 증가하므로 원자가 전자가 느끼는 유효 핵전하가 가장 큰 것은 C($_9F$)이다.

ㄷ. $\frac{\text{제2 이온화 에너지}}{\text{제1 이온화 에너지}}$ 값이 가장 큰 원소는 원자가 전자 수가 1인 B($_3$Li)이다.

04 A는 주기와 원자가 전자 수가 같으므로 2주기 2족 원소 Be이나 3주기 13족 원소 Al 중 하나이다. 또, A와 B는 같은 족 원소이고 이온화 에너지는 A>B이므로 A는 2주기 2족 원소 Be, B는 3주기 2족 원소 Mg이다. B와 C는 같은 주기 원소이고 원자가 전자가 느끼는 유효 핵전하는 B>C이므로 C는 3주기 원소이면서 Mg보다 원자가 전자가 느끼는 유효 핵전하가 작은 Na이다. 즉 A는 Be, B는 Mg, C는 Na이다.

ㄱ. 원자 반지름은 전자 껍질 수가 클수록 커지므로 2주기 원소는 3주기 원소에 비해 원자 반지름이 작다. 또, 같은 주기에서 원자 번호가 큰 원소일수록 원자 반지름이 작다. 따라서 원자 반지름은 C(Na)>B(Mg)>A(Be)이다.

ㄴ. 이온화 에너지는 일반적으로 같은 주기에서 원자 번호가 클수록 커지고, 같은 족에서 원자 번호가 클수록 작아진다. 따라서 이온화 에너지는 A(Be)>B(Mg)>C(Na)이다.

바로 알기 ㄷ. 원자가 전자가 느끼는 유효 핵전하는 같은 주기, 같은 족에서 원자 번호가 클수록 커진다. 따라서 원자가 전자가 느끼는 유효 핵전하는 B(Mg)>C(Na)>A(Be)이다.

05 Na, Al, Si의 원자가 전자 수는 각각 1, 3, 4이다. 이중 Na은 원자가 전자 수가 1이므로 제2 이온화 에너지가 급격하게 증가한다. 따라서 $\frac{\text{제2 이온화 에너지}}{\text{제1 이온화 에너지}}$ 값이 가장 큰 C가 Na이다. 또, Al과 Si에서 제1 이온화 에너지는 Si가 더 크지만 제2 이온화 에너지는 Al이 더 크다. 따라서 A가 Al이고 B가 Si이다. 즉, A는 Al, B는 Si, C는 Na이다.

ㄴ. Ne과 같은 전자 배치가 되었을 때 양성자수가 클수록 이온 반지름은 작아진다. 따라서 이온 반지름은 C>A이다.

바로 알기 ㄱ. 같은 주기에서 원자가 전자가 느끼는 유효 핵전하는 원자 번호가 커질수록 증가하므로 A<B이다.

ㄷ. 같은 주기에서 제1 이온화 에너지는 원자 번호가 커질수록 대체로 증가하므로 B>A>C이다.

06 A는 제4 이온화 에너지가 급격하게 증가하는 것으로 보아 13족 원소, B는 제3 이온화 에너지가 급격하게 증가하는 것으로 보아 2족 원소, C는 제4 이온화 에너지가 급격하게 증가하는 것으로 보아 13족 원소이다.

ㄱ. C는 원자가 전자 수가 3인 13족 원소이다.

ㄴ. A와 C는 13족 원소이며, 제1 이온화 에너지가 더 작은 A는 3주기, C는 2주기 원소이다. 같은 주기에서 제1 이온화 에너지는 2족 원소가 13족 원소보다 크다. 따라서 A와 B는 같은 주기 원소이다.

바로 알기 ㄷ. A와 C 중 제1 이온화 에너지는 C가 더 큰 것으로 보아 A는 3주기 13족 원소, C는 2주기 13족 원소이다. 따라서 원자가 전자가 느끼는 유효 핵전하는 A>C이다.

07 3주기 원소의 바닥상태 원자의 전자 배치에서 홀전자 수는 다음과 같다.

원소	$_{11}$Na	$_{12}$Mg	$_{13}$Al	$_{14}$Si
홀전자 수	1	0	1	2
원소	$_{15}$P	$_{16}$S	$_{17}$Cl	$_{18}$Ar
홀전자 수	3	2	1	0

홀전자 수가 3인 원소는 $_{15}$P만 있으므로 Z는 $_{15}$P이다. 또, 홀전자 수가 2인 X와 Y는 각각 $_{14}$Si와 $_{16}$S 중 하나이다. 제2 이온화 에너지를 비교하면 Y가 X보다 크므로 Y는 $_{16}$S이고, X는 $_{14}$Si이다. 즉, X는 $_{14}$Si, Y는 $_{16}$S, Z는 $_{15}$P이다.

ㄴ. 같은 주기에서 원자 반지름은 원자 번호가 클수록 감소하므로 원자 반지름은 X>Z>Y이다.

바로 알기 ㄱ. 원자가 전자가 느끼는 유효 핵전하는 같은 주기에서 원자 번호가 클수록 증가하므로, 원자가 전자가 느끼는 유효 핵전하는 Y>Z>X이다.

ㄷ. 같은 주기에서 제1 이온화 에너지는 원자 번호가 커질수록 증가하지만 15족과 16족 원소에서는 15족>16족이므로, 제1 이온화 에너지는 Z>Y>X이다.

08 Na은 원자가 전자 수가 1이므로 제2 이온화 에너지가 매우 크다. 따라서 g는 Na이다. 그 다음 큰 값의 제2 이온화 에너지를 가지는 원소는 비활성 기체인 Ne이므로 f가 Ne이다. F은 전자를 2번째로 떼어 낼 때 쌍을 이루는 전자가 존재하므로 전자 사이의 반발력으로 인해 O의 제2 이온화 에너지보다 작아진다. 따라서 e가 O이고 d가 F이다. 또한 Si의 경우 전자를 2번째로 떼어 낼 때 Al의 경우에 비해 에너지 준위가 높은 오비탈에 있는 전자를 떼어 내므로 제2 이온화 에너지가 작아진다. 따라서 c가 Al, b가 Si, a가 Mg이다.

ㄷ. 같은 주기에서 유효 핵전하는 원자 번호가 커질수록 증가한다. 그런데 g와 b는 Na과 Si이고, a와 c는 Mg과 Al이므로 g와 b의 유효 핵전하 차가 더 크다.

바로 알기 ㄱ. 제1 이온화 에너지는 같은 주기에서 원자 번호가 커질수록 증가한다. g는 Na으로 제1 이온화 에너지가 가장 작다.
ㄴ. a, e, g는 각각 Mg, O, Na이고, 안정한 이온이 되었을 때 모두 Ne과 같은 전자 배치를 이루는 등전자 이온이다. 등전자 이온의 경우 양성자수가 클수록 이온 반지름이 작아지므로 이온 반지름은 $e>g>a$이다.

통합 실전 문제

1권 232~237쪽

01 ①	02 ①	03 ③	04 ⑤	05 ②	06 ①	07 ④
08 ②	09 ①	10 ③	11 ⑤	12 ③	13 ①	

01 ㄴ. 실온, 1기압에서 기체인 원소는 A(H), B(He), C(F), E(Cl)의 4가지이다.
바로 알기 ㄱ. A와 D는 1족 원소이지만, A는 비금속 원소인 수소(H)이므로 알칼리 금속인 D와는 화학적 성질이 다르다.
ㄷ. D와 E는 같은 주기의 원소이다. 같은 주기의 원소들은 물리적, 화학적 성질이 모두 다르다.

02 ② B는 18족 비활성 기체 헬륨이다.
③ D와 F는 17족 원소이므로 원자가 전자 수가 7로 같다.
④ 주기율표에서 원소들은 원자 번호 순서로 배열되어 있다. 따라서 A~G 중에서 원자 번호가 가장 큰 원소는 원자 번호 19인 G이다.
⑤ E와 F는 같은 주기에 속하는 원소이므로 바닥상태의 원자에서 전자가 들어 있는 전자 껍질 수는 서로 같다.
바로 알기 ① C와 G는 알칼리 금속이지만, A는 수소로 비금속이다.

03 ㄱ. Na^+은 Na이 원자가 전자를 잃은 상태이므로 전자 껍질 수가 Na보다 작다. 따라서 입자 크기는 $Na>Na^+$이다.
ㄷ. O^{2-}과 Mg^{2+}은 등전자 이온이므로 원자 번호가 작을수록 이온 반지름이 커지므로 이온 반지름은 $O^{2-}>Mg^{2+}$이다.
바로 알기 ㄴ. F이 전자 1개를 얻어 형성된 F^-은 전자 사이의 반발력이 F보다 커져 전자 구름이 증가한다. 따라서 입자의 크기는 $F<F^-$이다.

04 ㄱ. 입자 크기가 $Na>Na^+$인 이유는 전자 껍질 수에 차이가 나기 때문이다.
ㄴ. (나)에서 $F<F^-$인 것은 원자가 음이온이 되면 전자 수가 늘어나서 전자 사이의 반발력이 커지기 때문이다.
ㄷ. O^{2-}과 Mg^{2+}은 등전자 이온이고, 핵전하가 큰 Mg^{2+}이 전자를 끌어당기는 힘이 강하므로 입자 크기가 더 작다.

05 ㄷ. N, O, F, S, Cl의 바닥상태 전자 배치에서 홀전자 수는 각각 3, 2, 1, 2, 1이고, 원자 반지름은 S>Cl>N>O>F이다. 그런데 $b-e=0$인 것으로 보아 B와 E의 홀전자 수는 각각 1임을 알 수 있다.(둘 다 2인 경우는 나머지 등식이 성립하지 않는다.) 그런데 원자 반지름이 B>E이므로 B는 Cl이고, E는 F이다. 같은 족에서 원자가 전자가 느끼는 유효 핵전하는 원자 번호가 커질수록 증가한다. 따라서 F<Cl이므로 B(Cl)>E(F)이다.
바로 알기 ㄱ, ㄴ. 두 번째 식에서 $a-c=1$이고, 세 번째 식에서 $d-1=1$이므로 A, C, D의 홀전자 수는 각각 3, 2, 2이다. 그런데 원자 반지름이 C>D이므로 A는 N, C는 S, D는 O임을 알 수 있다. 제1 이온화 에너지는 N>O이므로 A>D이고, $a+b+c=6$이다.

06 ㄱ. A는 제2 이온화 에너지가 급격하게 증가하는 것으로 보아 A의 원자가 전자 수는 1이고, A는 1족 원소인 나트륨(Na)이다. C는 제3 이온화 에너지가 급격하게 증가하는 것으로 보아 C의 원자가 전자 수는 2이고, C는 2족 원소인 마그네슘(Mg)이다. 금속 알루미늄(Al)은 비금속보다 이온화 에너지가 작으므로 B는 Al이고, 제1 이온화 에너지가 가장 큰 E는 네온(Ne), D는 플루오린(F)이다. 따라서 C, D, E의 주기를 모두 합하면 3+2+2=7이다.
바로 알기 ㄴ. B는 Al이고 C는 Mg이므로 원자가 전자가 느끼는 유효 핵전하는 B가 C보다 크다.
ㄷ B는 Al으로 원자가 전자 수가 3인 13족 원소이다.

07 ㄱ. A는 $\frac{E_2}{E_1}$ 값이 매우 크므로 제2 이온화 에너지가 급격하게 증가하였다는 것을 알 수 있다. 따라서 A는 원자가 전자 수가 1인 1족 원소 Na이다.
ㄷ. C는 Mg이므로 안정한 이온의 이온식은 C^{2+}(Mg^{2+})이다.
바로 알기 ㄴ. B는 $\frac{E_4}{E_3}$ 값이 매우 큰 것으로 보아, B는 원자가 전자 수가 3인 13족 원소 Al이다. C는 $\frac{E_3}{E_2}$ 값이 매우 큰 것으로 보아, C는 원자가 전자 수가 2인 2족 원소 Mg이다. 따라서 제1 이온화 에너지는 C(Mg)>B(Al)이다.

08 ㄷ. 같은 주기에서 원자 반지름은 원자 번호가 커질수록 감소한다. 따라서 원자 번호가 커지는 순서는 A<B<D<C이다. 같은 주기에서 이온화 에너지는 원자 번호가 증가할수록 커지며 예외적으로 2족>13족, 15족>16족이다. 이온화 에너지는 C－D의 경우 원자 번호 순서와 맞지 않으므로 C, D가 16족, 15족의 O, N임을 알 수 있다. 따라서 A는 붕소(B), B는 탄소(C), C는 산소(O), D는 질소(N)이므로 원자가 전자가 느끼는 유효 핵전하는 C가 가장 크다.

바로 알기 ㄱ. A는 붕소(B)이므로 준금속이고, B는 탄소(C)이므로 비금속이다.
ㄴ. 같은 주기에서 원자 반지름은 원자 번호가 커질수록 감소한다. 따라서 원자 번호는 A<B<D<C이다.

09 N, F, Na, S의 원자가 전자 수, 홀전자 수, [원자가 전자 수－홀전자 수]는 표와 같다.

구분	A	B	C	D
원소 기호	Na	N	S	F
원자가 전자 수(a)	1	5	6	7
홀전자 수(b)	1	3	2	1
a－b	0	2	4	6

따라서 A는 Na, B는 N, C는 S, D는 F이다.
ㄱ. D는 플루오린(F)이다.

바로 알기 ㄴ. p 오비탈은 p_x, p_y, p_z의 3개이므로 오비탈 수는 C(S)에서 $1s^2 2s^2 2p^6 3s^2 3p^4$로 9개이고, B(N)에서 $1s^2 2s^2 2p^3$로 5개이다.
ㄷ. 전자 수가 같은 등전자 이온의 반지름은 핵전하가 클수록 작아진다. 따라서 A의 이온(Na^+) 반지름<D의 이온(F^-) 반지름이다.

10 ㄱ. 2주기 원소 중 홀전자 수가 1인 것은 Li, B, F이고, 0인 것은 Be, Ne이다. 제1 이온화 에너지는 Ne>F>Be>B>Li이므로 A는 $_3Li$, B는 $_5B$, C는 $_4Be$, D는 $_9F$이다. 따라서 A($_3Li$)의 원자가 전자 수는 1이다.
ㄴ. B($_5B$)는 C($_4Be$)보다 원자 번호가 더 크므로 원자 반지름은 C>B이다.

바로 알기 ㄷ. $_4Be^{2+}$은 He의 전자 배치, $_9F^-$은 Ne의 전자 배치와 같으므로 이온 반지름은 전자 껍질 수가 더 많은 $_9F^-$이 $_4Be^{2+}$보다 크다.

11 원자가 전자 수가 1인 A와 B는 1족 원소이고, 원자가 전자 수가 7인 C와 D는 17족 원소이다. 이온화 에너지는 같은 족에서는 원자 번호가 클수록 감소하므로 B와 D는 2주기 원소이고, A와 C는 3주기 원소이다.
ㄴ. 1족 원소는 제2 이온화 에너지가 급격하게 증가하므로 같은 주기의 원소 중 $\frac{\text{제2 이온화 에너지}}{\text{제1 이온화 에너지}}$가 가장 크다.
ㄷ. A는 3주기 1족, D는 2주기 17족 원소이므로 안정한 이온의 전자 배치는 Ne의 전자 배치와 같다.
A^+: K(2)L(8), D^-: K(2)L(8)

바로 알기 ㄱ. A는 B보다, C는 D보다 제1 이온화 에너지가 작으므로 A와 C는 3주기 원소이다.

12 ㄱ. 이온화 에너지가 가장 작은 B는 (라)이다. 바닥상태에서 전자 껍질 수는 A>D이므로 남은 2, 3주기 원소 중 3주기 원소인 (다)가 A이다. A는 1족 원소이고, A와 C의 이온이 옥텟 규칙을 만족할 때 두 이온의 전하 합이 0이므로 C는 17족 원소인 (나)이다.
A－(다), B－(라), C－(나), D－(가)
ㄴ. 같은 족에서 원자 번호가 클수록 이온 반지름이 크므로 이온 반지름은 A<B이다.

바로 알기 ㄷ. 같은 주기에서 원자 번호가 클수록 원자가 전자가 느끼는 유효 핵전하가 크므로 C>D이다.

13 ㄱ. 제3 이온화 에너지가 급격히 증가하는 D는 원자가 전자 수가 2인 Mg이다. A~E는 원자 번호 순이므로 A는 F, B는 Ne, C는 Na, E는 Al이다. 따라서 2주기 원소는 A와 B이다.

바로 알기 ㄴ. 제1 이온화 에너지는 C(Na)<D(Mg)이다.
ㄷ. 기체 상태의 원자 E가 Ne과 같은 전자 배치를 이루는 이온이 되기 위해서 필요한 최소 에너지는 제1, 제2, 제3 이온화 에너지의 합이므로 $(1.8+2.7)\times10^3$ kJ/mol보다 크다.

사고력 확장 문제

1권 238~239쪽

01 (1) 이온 반지름>원자 반지름 ➡ 비금속 원소
원자 반지름>이온 반지름 ➡ 금속 원소
(2) 비금속 원소가 이온으로 될 때는 같은 주기의 비활성 기체와 전자 배치가 같아지므로 A, B는 3주기 원소이다. 금속 원소가 이온으로 될 때는 전 주기의 비활성 기체와 전자 배치가 같아지므로 C와 D는 4주기 원소이다.

(3) 등전자 이온은 원자 번호가 커질수록 이온 반지름이 감소한다.

(4) 원자가 전자가 느끼는 유효 핵전하는 같은 주기에서 원자 번호가 커질수록 증가하고, 주기 바뀔 때 급격하게 작아진다. 따라서 원자가 전자가 느끼는 유효 핵전하는 B>A>D>C이다.

모범 답안 (1) 금속-C, D, 비금속-A, B, A와 B는 이온 반지름이 원자 반지름보다 큰 것으로 보아 비금속 원소이고, C와 D는 원자 반지름이 이온 반지름보다 큰 것으로 보아 금속 원소이다.

(2) 이온의 전자 배치가 모두 Ar과 같으며, A와 B는 비금속 원소이므로 3주기 원소이고, C와 D는 금속 원소이므로 4주기 원소이다.

(3) 원자 번호: D>C>B>A

(4) 유효 핵전하: B>A>D>C

	채점 기준	배점(%)
(1)	금속, 비금속을 분류하고, 그 이유를 옳게 서술한 경우	25
	금속, 비금속을 옳게 분류한 경우	10
(2)	3주기, 4주기를 옳게 서술한 경우	25
(3)	원자 번호를 옳게 비교한 경우	25
(4)	유효 핵전하를 옳게 비교한 경우	25

02 (1) A에서 E_1이 1이라고 할 때 E_2는 9.2, E_3는 13.9, E_4는 19.2이므로 순차 이온화 에너지가 급격하게 증가하는 E_2에서 안쪽 전자 껍질에 들어 있는 전자를 처음으로 잃은 것이다. 원자가 전자를 모두 떼어 내고 안쪽 전자 껍질의 전자를 떼어 낼 때 이온화 에너지가 급격히 증가하기 때문에 어떤 원소의 순차 이온화 에너지가 급격하게 증가하기 전까지의 전자 수가 원자가 전자 수와 같다.

(2) 한 원소의 순차 이온화 에너지는 차수가 증가할수록 증가하고, 전자 껍질이 바뀌는 부분에서 급격히 증가한다. 이는 이온화가 진행될수록 전자 사이의 반발력이 감소하고, 전자와 원자핵 사이의 인력이 증가하며, 전자 껍질이 바뀔 때는 원자핵과 전자 사이의 평균 거리가 매우 가까워지고 원자가 전자가 느끼는 유효 핵전하가 크게 증가하여 원자핵과 전자 사이의 인력이 크게 증가하기 때문이다.

모범 답안 (1) A와 D는 E_2가 크게 증가하므로 원자가 전자 수가 1인 1족 원소로 K, Na 중의 하나이다. 같은 족에서는 원자 번호가 클수록 이온화 에너지가 감소하므로 A는 Na, D는 K이다. B는 E_3가 크게 증가하므로 원자가 전자 수가 2인 2족 원소 Mg, C는 E_4가 크게 증가하므로 원자가 전자 수가 3인 13족 원소인 Al이다.

(2) 같은 원자에서 전자를 떼어 낼수록 전자 사이의 반발력은 감소하고 원자핵과 전자 사이의 인력은 증가하므로 순차 이온화 에너지가 증가한다. 따라서 D에서 E_3는 E_2보다 크다.

	채점 기준	배점(%)
(1)	A, B, C, D를 모두 옳게 쓰고, 그 이유를 옳게 서술한 경우	60
	A, B, C, D만 옳게 쓴 경우	30
(2)	E_2, E_3를 옳게 비교하여 서술한 경우	40
	E_2, E_3만 옳게 비교한 경우	20

03 (2) 수소의 경우에는 원자핵과 전자 사이의 인력만 고려하므로 주 양자수에 의해 핵과 전자 사이의 평균 거리가 정해지면 전자의 에너지 상태가 쉽게 결정된다. 그러나 다전자 원자의 경우 핵과 전자 사이의 인력뿐만 아니라 전자 상호 간의 반발력도 고려해야 한다. 다전자 원자에서 전자와 핵 사이의 인력은 전자 사이의 반발력에 의해 감소하는데, 이러한 효과를 가려막기 효과라고 한다.

모범 답안 (1) Be의 경우 원자 번호는 4이므로 원자핵의 전하는 +4이고, 바닥상태에서 오비탈의 전자 배치는 $1s^2 2s^2$이므로 전자가 채워진 오비탈의 주 양자수는 2이다.
따라서 주어진 식을 이용하여 이온화 에너지를 계산하면 다음과 같다.

$$E_n = -1312\frac{Z^2}{n^2}(\text{kJ/mol})$$
$$= -1312\frac{4^2}{2^2}(\text{kJ/mol})$$
$$= -5248\ \text{kJ/mol}$$

이온화 에너지는 5248 kJ/mol이다.

(2) 보어는 수소 원자의 선 스펙트럼을 에너지의 양자화라는 개념을 도입하여 완벽하게 설명하였으나 전자가 2개 이상인 원자에 대해서는 적용되지 않았다. Be의 제1 이온화 에너지는 899 kJ/mol으로 보어의 식을 이용해서 이론적으로 계산한 값보다 매우 작다. 이것은 Be의 경우 가려막기 효과로 인해 원자가 전자가 느끼는 유효 핵전하가 감소하기 때문이다.

	채점 기준	배점(%)
(1)	주어진 식을 이용하여 풀이 과정과 함께 이온화 에너지를 옳게 구한 경우	40
	주 양자수만 옳게 구한 경우	10
(2)	보어 모형의 한계와 함께 가려막기 효과와 유효 핵전하의 개념을 언급하여 옳게 서술한 경우	60
	보어 모형의 한계만 언급한 경우	30

04 **모범 답안** $2s$ 오비탈에 배치된 전자가 $2p$ 오비탈에 배치된 전자보다 $1s$ 오비탈에 배치된 전자에 의한 가려막기 효과가 작아 유효 핵전하가 크다.

채점 기준	배점(%)
전자 존재 확률과 가려막기 효과를 언급하여 옳게 서술한 경우	100
용어의 언급 없이 옳게 서술한 경우	60

논구술 대비 문제

I 화학의 첫걸음

실전 문제 1 1권 242쪽

예시 답안 (1) 사이클로헥세인은 탄소와 수소로만 이루어진 탄화수소로 무극성 분자이다. 포도당은 사이클로헥세인과 마찬가지로 6개의 탄소 원자가 고리 모양으로 배열한 분자 모양을 가지고 있지만, 사이클로헥세인과는 달리 탄소 원자에 수소 원자 대신 물과 상호 작용하여 정전기적 인력이 작용하는 극성 부분인 하이드록시기($-OH$)를 가지고 있다. 즉, 포도당은 탄소 원자에 물과 상호 작용할 수 있는 하이드록시기($-OH$)를 가지고 있어 물에 대한 용해도가 사이클로헥세인보다 크다.

(2) $-OH$의 H가 $-CH_3$로 치환되어 $-OCH_3$로 되면 극성 정도가 작아지게 되어 극성 용매인 물과의 정전기적 인력에 의한 상호 작용 정도가 $-OH$일 때보다 작아진다. 따라서 용해도는 $-OH$일 때보다 작아지게 될 것이다.

실전 문제 2 1권 243쪽

예시 답안 (1) 금속 나트륨과 산소 기체의 반응을 화학 반응식으로 나타내면 다음과 같다.

$4Na(s) + O_2(g) \longrightarrow 2Na_2O(s)$

Na 23 g의 양은 1몰이고, 0 ℃, 1기압에서 $O_2(g)$ 44.8 L의 양은 2몰이다. 화학 반응식에서 Na과 O_2의 반응 몰비가 4 : 1이므로 Na 1몰이 완전히 반응하는 데 소모되는 O_2의 양은 0.25몰이고 반응 후 용기에는 반응하지 않은 O_2 1.75몰이 남아 있다. 0 ℃, 1기압에서 기체 1몰의 부피가 22.4 L이므로 반응 후 실린더 내부의 부피는 $22.4\ L\times1.75=39.2\ L$이다.

(2) (1)에서 반응한 Na과 생성된 Na_2O의 몰비가 2 : 1이므로 생성된 Na_2O의 양은 0.5몰이다. 또, Na_2O과 물의 반응을 화학 반응식으로 나타내면 다음과 같다.

$Na_2O(s) + H_2O(l) \longrightarrow 2NaOH(aq)$

이로부터 용액 속 NaOH의 양은 1.0몰이고, 용액의 부피가 10 L이므로 $NaOH(aq)$의 몰 농도는 0.1 M이다.

즉, 수용액 속 OH^-의 몰 농도는 0.1 M이다. 25 ℃에서 $[H^+][OH^-]=1.0\times10^{-14}$이므로 $[OH^-]=0.1$이면 $[H^+]=1.0\times10^{-13}$이고 pH는 13이다.

II 원자의 세계

실전 문제 1 1권 246쪽

예시 답안 (1) 톰슨은 음극선 실험을 통해 전자를 발견하였고, 이는 더 이상 쪼갤 수 없는 입자로 여겨지던 원자가 더 작은 입자로 나누어질 수 있다는 것을 의미한다. 러더퍼드는 알파(α) 입자 산란 실험을 통해 원자핵을 발견하였고, 이는 원자의 대부분은 빈 공간이며 중심에 (+)전하를 띠는 밀도가 매우 큰 입자가 존재한다는 것을 의미한다. 채드윅은 베릴륨(Be)에 알파(α) 입자를 충돌시키는 실험을 통해 중성자를 발견하였고, 이것으로부터 원자핵의 질량을 정확하게 설명할 수 있었다.

(2) 이 별에서 ^2H의 존재 비율이 50 %이며, 수소의 평균 원자량이 1.7이므로 각 동위 원소의 존재비는 $^1H : {}^2H : {}^3H = x : 50 : (50-x)$이다. 그런데 수소의 평균 원자량은 $\frac{x+2\times50+3\times(50-x)}{100}=1.7$이므로 $x=40$이다. 따라서 존재비는 $^1H : {}^2H : {}^3H=4:5:1$이다. 그런데 ^3H가 모두 제거되면 $^1H : {}^2H=4:5$이므로 수소의 평균 원자량은 $\left(1\times\frac{4}{9}\right)+\left(2\times\frac{5}{9}\right)=\frac{14}{9}$이다.

실전 문제 2 1권 247쪽

예시 답안 $^{81}Kr/Kr$의 존재비가 5×10^{-13}에서 2.5×10^{-13}으로 줄었으므로 반감기가 1번 지났음을 알 수 있다. 따라서 Kr은 풀러렌에 유입되고 228000년이 지났다는 것을 알 수 있다.

또, $^{14}C/C$의 존재비가 10^{-12}에서 10^{-27}으로 줄었으므로 반감기가 50번 지났다는 것을 알 수 있다. 이로부터 풀러렌은 생성된 지 $5700년\times50=285000년$이 지났다는 것을 알 수 있다. 따라서 Kr은 그림 Ⅱ와 같이 풀러렌이 생성된 후 유입되었다는 것을 알 수 있다.

Ⅲ 화학 결합과 분자의 세계

1. 화학 결합

01 이온 결합

탐구 확인 문제 2권 019쪽

01 ②, ⑤ **02** (1) 깨지거나 부서진다. (2) 고체 상태에서는 전기 전도성이 없지만, 수용액 상태에서는 전기 전도성이 있다.

개념 모아 정리하기 2권 022쪽

❶ 산소 ❷ 수소 ❸ 전자 ❹ 옥텟 규칙
❺ 낮은 ❻ 중성 ❼ 없고 ❽ 있다
❾ 염화 나트륨 ❿ 염화 칼슘 ⓫ 탄산 칼슘

개념 기본 문제 2권 023쪽

01 (1) × (2) ○ (3) ○ **02** ㄷ **03** ㄴ, ㄷ **04** ㄴ
05 (1) CA (2) DB_3 (3) C_2E **06** A와 B, A와 C, B와 D, C와 D

01 순수한 물은 전기가 통하지 않으므로 황산 나트륨이나 수산화 나트륨과 같은 전해질을 소량 넣은 후 전류를 흘려 주면 물이 분해되어 수소 기체와 산소 기체가 2 : 1의 부피비로 발생한다. 이때 생성된 기체는 각 풍선에 모이므로 풍선이 부풀어 오르는데, 풍선의 크기는 (나)에서가 (가)에서보다 크므로 (가)에서는 산소 기체, (나)에서는 수소 기체가 발생한다.
(1) (가)에서 발생한 산소 기체는 조연성이 있고, (나)에서 발생한 수소 기체는 가연성이 있다.
(2) (가)는 (+)극이고, (나)는 (−)극이다.
(3) 전기 분해가 일어날 때 전자를 잃고 얻는 반응이 일어나는 것으로 보아 수소와 산소가 결합하여 물을 생성할 때에도 전자가 관여한다는 것을 알 수 있다.

02 ㄷ. Na^+과 Cl^-이 Na과 Cl_2를 생성할 때 전자를 주고받는 반응이 일어나므로 이온 결합이 형성될 때 전자가 관여한다는 것을 알 수 있다.

바로 알기 ㄱ. 염화 나트륨 용융액에는 전하를 띤 Na^+과 Cl^-이 존재하여 전류가 흐르므로 전해질을 넣어 줄 필요가 없다.
ㄴ. 염화 나트륨 용융액에 전류를 흘려 주면 (+)극에서 Cl^-이 전자를 잃고 산화되어 Cl_2 기체를 생성하고, (−)극에서 Na^+이 전자를 얻고 환원되어 Na 금속을 생성한다.

03 ㄴ. X는 A^+과 B^-으로 이루어진 물질로 화합물 X의 화학식은 AB이다.
ㄷ. 화합물 X는 양이온과 음이온의 정전기적 인력에 의해 형성되는 이온 결합 물질이다.
바로 알기 ㄱ. A는 전자를 잃고 양이온이 되기 쉬운 금속 원소이고, B는 전자를 얻어 음이온이 되기 쉬운 비금속 원소이다.
ㄹ. 이온 결합 물질은 고체 상태에서 전기 전도성이 없고, 수용액이나 액체 상태에서 전기 전도성이 있다.

04 ㄴ. 이온 결합은 이온 사이의 인력과 반발력이 균형을 이루어 에너지가 가장 낮은 지점에서 형성되므로 B에서 이온 결합이 형성된다.
바로 알기 ㄱ. 두 이온 사이의 거리가 평형 거리(B)보다 가까워지면 반발력의 영향이 점차 커져서 에너지가 높아지며 불안정한 상태가 된다.
ㄷ. 이온 사이의 거리가 평형 거리보다 멀면 반발력보다 인력이 우세하게 작용한다.

05 (1) A는 수소로 비금속 원소, C는 나트륨으로 금속 원소이다. A와 C가 결합할 때 C는 전자를 1개 잃고 +1의 양이온이 되고, A는 전자 1개를 얻어 −1의 음이온이 된다. 양이온과 음이온의 전하의 크기가 같으므로 1 : 1의 개수비로 결합하여 CA를 형성한다.
(2) B는 17족 원소로 비활성 기체와 같은 전자 배치를 이루기 위해 필요한 전자는 1개이다. D는 13족 원소로 원자가 전자가 3개이다. B와 D가 결합할 때 D는 전자 3개를 잃어 +3의 양이온이 되고, B는 전자 1개를 얻어 −1의 음이온이 된다. D^{3+}과 B^-이 결합하여 전기적으로 중성인 물질을 형성하려면 1 : 3의 개수비로 결합해야 하므로 화학식은 DB_3이다.
(3) C는 1족 금속 원소로 비활성 기체와 같은 전자 배치를 이루기 위해 전자 1개를 잃고 +1의 양이온이 되어 C^+이 된다. 또, E는 16족 원소로 비활성 기체와 같은 전자 배치를 이루기 위해 전자 2개를 얻고 −2의 음이온이 되어 E^{2-}이 된다. C^+과 E^{2-}이 2 : 1의 개수비로 결합하여 전기적으로 중성인 C_2E를 형성한다.

06 이온 결합 물질은 금속 원소와 비금속 원소로 이루어진 물질이다. 금속 원소의 안정한 이온은 원자가 전자를 잃고 형성된 양이온으로, 금속 원소의 경우 안정한 이온의 반지름은 원자 반지름보다 작다. 이로부터 A와 D는 금속 원소임을 알 수 있다.

비금속 원소의 안정한 이온은 원자가 전자를 얻어 형성된 음이온으로, 비금속 원소의 경우 안정한 이온의 반지름은 원자 반지름보다 크다. 이로부터 B와 C는 비금속 원소임을 알 수 있다.

금속 원소 A는 비금속 원소 B 또는 C와 결합하여 이온 결합을 형성할 수 있고, 금속 원소 D는 비금속 원소 B 또는 C와 결합하여 이온 결합을 형성할 수 있다.

개념 적용 문제

2권 024~027쪽

01 ③ **02** ④ **03** ① **04** ④ **05** ③ **06** ② **07** ③ **08** ⑤

01 ㄱ. X는 고체 상태에서 전기 분해되지 않지만 용융액에서는 전기 분해되는 것으로 보아 고체 상태에서는 전기 전도성이 없고, 액체 상태에서는 전기 전도성이 있다는 것을 알 수 있다. 따라서 X는 양이온과 음이온이 정전기적 인력으로 결합한 이온 결합 물질이다.

ㄴ. 순수한 액체 Y는 전기 분해되지 않다가 전해질을 첨가하면 성분 원소로 분해되는 것으로 보아 공유 결합으로 이루어진 물질임을 알 수 있으며, 전기 분해하면 성분 원소 C_2와 D_2로 분해되는 것으로 보아 Y를 이루는 C와 D 사이의 결합에는 전자가 관여한다.

바로 알기 ㄷ. 화학 반응 전과 후의 원자의 종류와 수는 같다. 첫 번째 반응에서는 X 2개를 전기 분해했을 때 $A(s)$ 2개와 $B_2(g)$가 생성되므로 X의 화학식은 AB이다. 또, Y 2개를 전기 분해했을 때 $C_2(g)$ 2개와 $D_2(g)$ 1개가 생성되므로 Y의 화학식은 C_2D이다. 따라서 X의 화학식을 구성하는 원자 수는 2, Y의 화학식을 구성하는 원자 수는 3이므로 X와 Y의 화학식을 구성하는 원자 수는 서로 다르다.

02 ㄴ. 실험 Ⅰ에서 X를 가열하면 특정 온도까지는 전류가 흐르지 않다가 특정 온도 이상에서 전류의 세기가 급격히 커지는데, 이는 특정 온도에서 X의 상태가 고체에서 액체로 변하기 때문이다. 이를 통해 X는 고체 상태에서 전기 전도성이 없고, 액체 상태에서 전기 전도성이 있다는 것을 알 수 있다.

ㄷ. 이온 결합 물질 X에 힘을 가하면 힘을 받은 이온 층이 밀리면서 인접한 두 층의 경계면에서 같은 전하를 띤 이온끼리 만나고, 이때 같은 종류의 전하를 띤 이온 사이에 반발력이 작용하여 결정이 부서진다.

바로 알기 ㄱ. X는 원자 사이에 전자가 이동하여 양이온과 음이온을 생성하고, 이들 이온이 정전기적 인력으로 결합한 이온 결합 물질이다.

03 A의 순차 이온화 에너지는 $E_1 < E_2 \ll E_3$이므로 A는 2족 원소이다. B의 순차 이온화 에너지는 $E_1 \ll E_2$이므로 B는 1족 원소이다. 이로부터 A의 안정한 이온은 +2의 양이온이고, B의 안정한 이온은 +1의 양이온임을 알 수 있다. 산소(O)가 금속 원소와 반응할 때 금속 원소의 원자로부터 전자를 얻어 −2의 음이온을 형성하므로 A의 안정한 산화물의 화학식은 AO이다. 염소(Cl)가 금속 원소와 반응할 때 금속 원소의 원자로부터 전자를 얻어 −1의 음이온을 형성하므로 B의 안정한 염화물의 화학식은 BCl이다.

04 ㄱ. A는 2주기 17족 비금속 원소이고, B는 3주기 2족 금속 원소이다. 따라서 A와 B가 반응할 때 금속 원소의 원자인 B는 전자를 잃고 산화되어 +2의 양이온이 되고, 비금속 원소의 원자인 A는 전자를 얻고 환원되어 −1의 음이온이 된다.

ㄷ. 이온 결합력은 이온의 전하량이 클수록, 이온 사이의 거리가 짧을수록 커지며, 이온 결합력이 클수록 녹는점과 끓는점이 높아진다. $BA_2(s)$와 $BC_2(s)$에서 양이온은 B^{2+}으로 같고 음이온은 각각 A^-과 C^-으로 서로 다르다. 이온 반지름은 A^-이 C^-보다 작으므로 이온 결합력은 BA_2가 BC_2보다 크다. 따라서 녹는점은 $BA_2(s)$가 $BC_2(s)$보다 높다.

바로 알기 ㄴ. C는 3주기 17족 비금속 원소이다. BC_2는 금속 원소 B와 비금속 원소 C로 이루어진 이온 결합 물질이고, CA는 비금속 원소 A와 C가 각각 전자를 내어 전자쌍을 만들고, 이 전자쌍을 공유하여 형성된 공유 결합 물질이다. 따라서 BC_2와 CA는 화학 결합의 종류가 다르다.

05 A, B, C는 (+)전하를 띠므로 각각 금속 원소의 양이온이고, D와 E는 (−)전하를 띠므로 각각 비금속 원소의 음이온이다.

O, Na, Mg, Cl, K의 안정한 이온은 각각 O^{2-}, Na^+, Mg^{2+}, Cl^-, K^+이다.

A는 +2의 전하를 가지므로 Mg^{2+}, D는 −2의 전하를 가지므로 O^{2-}, E는 −1의 전하를 가지므로 Cl^-이다. Na^+은 2주기 원소 네온(Ne)과 같은 전자 배치를 이루고, Mg^{2+}은 3주기 원소 아르곤(Ar)과 같은 전자 배치를 이루므로 두 이온의 이온 반지름을 비교하면 $Na^+ < K^+$이다. 따라서 B는 +1의 전하를 가지면서 이온 반지름이 더 작은 Na^+, C는 +1의 전하를 가지면서 이온 반지름이 더 큰 K^+이다. 즉 A는 Mg^{2+}, B는 Na^+, C는 K^+, D는 O^{2-}, E는 Cl^-이다.

ㄱ. Y는 이온 결합 물질 NaCl이다. NaCl은 수용액에서 각 이온이 수화된 상태로 자유롭게 이동할 수 있으므로 전기 전도성이 있다.

ㄷ. 이온 결합 물질에서 이온 결합력은 이온의 전하량이 클수록, 이온 사이의 거리가 짧을수록 크다.

화합물 X는 Mg^{2+}과 O^{2-}, 화합물 Z는 K^+과 O^{2-}으로 이루어진 물질이다. 이들 화합물은 화합물을 이루는 음이온이 같고 양이온이 다른데, 양이온의 전하는 Mg^{2+}이 K^+보다 크고, 이온 반지름은 Mg^{2+}이 K^+보다 작으므로 이온 결합력은 X가 Z보다 크다. 이온 결합력이 클수록 녹는점이 높으므로, 녹는점은 X가 Z보다 더 높다.

바로 알기 ㄴ. X는 Mg^{2+}과 O^{2-}으로 이루어진 물질로 화학식이 MgO이다. Z는 K^+과 O^{2-}으로 이루어진 물질로 화학식은 K_2O이다. 따라서 ㉠은 AD, ㉢은 C_2D로, ㉠의 구성 원자 수는 2, ㉢의 구성 원자 수는 3이다. 따라서 두 화합물을 이루는 구성 원자 수는 서로 다르다.

06 ㄷ. MgS은 Mg^{2+}과 S^{2-}, CaS은 Ca^{2+}과 S^{2-}으로 이루어진 물질이다. 이들 화합물은 화합물을 이루는 음이온이 같고, 양이온이 다른데, 양이온의 반지름은 Mg^{2+}이 Ca^{2+}보다 작으므로 MgS은 CaS보다 이온 결합력이 크다. 따라서 MgS이 형성될 때 방출되는 에너지의 절댓값은 CaS이 형성될 때 방출되는 에너지의 절댓값 E_1보다 크다.

바로 알기 ㄱ. r_0에서 이온 사이의 인력과 반발력이 균형을 이루어 Ca^{2+}과 S^{2-} 사이에 이온 결합을 형성한다. 이온 사이의 거리가 r_0일 때 에너지가 최솟값이 될 뿐 이온 사이의 인력이 최대가 되는 것이 아니다.

ㄴ. (나)는 (가)에 비해 에너지가 최소가 되는 거리가 짧고, 에너지가 더 낮다. 따라서 (나)에서 에너지가 최소가 되는 두 이온 사이의 거리는 CaS을 이루는 두 이온 사이의 거리보다 더 짧아야 한다. Ca^{2+}과 S^{2-} 사이의 거리는 283 pm이고, K^+과 Cl^- 사이의 거리는 314 pm이므로 (나)는 KCl으로 적절하지 않다.

07 NaCl은 Na^+과 Cl^-, KCl은 K^+과 Cl^-, MgO은 Mg^{2+}과 O^{2-}으로 이루어진 물질이다.

NaCl과 KCl은 이온의 전하량이 같지만 이온 사이의 거리는 KCl이 더 길므로 이온 결합력은 NaCl>KCl이고 녹는점은 NaCl>KCl이다. MgO은 NaCl 보다 이온 사이 거리가 짧고 이온 전하량이 크므로 이온 결합력은 MgO>NaCl이고 녹는점은 MgO>NaCl이다. 따라서 A는 MgO, B는 NaCl, C는 KCl이다.

ㄱ. r_0는 두 이온 사이의 거리가 가장 긴 C가 가장 크다.

ㄷ. KBr은 K^+과 Br^-으로 이루어진 물질로 C(KCl)와 양이온이 같고 음이온이 다르다. 이때 이온 반지름은 Br^-이 Cl^-보다 크므로, 이온 결합력은 C(KCl)가 KBr보다 크고 녹는점도 C가 KBr보다 높다.

바로 알기 ㄴ. 이온 결합이 형성될 때 방출되는 에너지는 이온 결합력에 비례한다. 따라서 E는 녹는점이 더 높은 A가 B보다 크다.

08 AB_2를 이루는 A는 4주기 2족 원소이고, B는 3주기 17족 원소이다. 이로부터 AB_2는 $CaCl_2$임을 알 수 있다.

ㄱ. AB_2는 금속 양이온과 비금속 음이온 사이의 정전기적 인력에 의해 형성된 이온 결합 물질이다.

ㄴ. 염화 칼슘($CaCl_2$)은 공기 중의 습기를 흡수하는 성질이 있어 습기 제거제로 이용된다.

ㄷ. 염화 칼슘($CaCl_2$)은 물에 녹을 때 열을 방출하고, 염화 칼슘이 녹은 물은 어는점이 낮아져 잘 얼지 않으므로 겨울철 눈이 내린 도로에 뿌리는 제설제로 이용된다.

02 공유 결합과 금속 결합

개념 모아 정리하기 2권 038쪽

❶ 비금속 ❷ 단일 ❸ 2중 ❹ 3중
❺ 크다 ❻ 감소 ❼ 증가 ❽ 분자 결정
❾ 공유 결정 ❿ 자유 전자 ⓫ 연성 ⓬ 전성
⓭ 자유 전자 ⓮ 공유

개념 기본 문제 2권 039쪽

01 (1) × (2) ○ (3) × (4) ○ (5) ○ (6) ○ **02** ㄴ, ㄷ, ㄹ
03 (1) A: 금속 양이온, B: 자유 전자 (2) 연성, 전성 **04** ㄱ, ㄴ
05 A: 이온 결정, B: 분자 결정, C: 금속 결정

01 X는 탄소(C), Y는 산소(O)이다.
(1) 탄소(C)끼리는 공유 결합을 형성한다.
(2) 공유 결합은 비금속 원소들이 서로 전자를 내놓아 전자쌍을 만들고, 이 전자쌍을 공유하여 형성되는 화학 결합으로, X와 Y는 공유 결합을 형성한다.
(3) Y_2는 O_2이며, 공유 전자쌍 수는 2이다.
(4), (5), (6) XY_2는 CO_2로, C와 O 사이의 결합은 2중 결합이다. 또, CO_2에서 모든 원자는 18족 원소인 네온(Ne)과 같은 전자 배치를 이루어 옥텟 규칙을 만족한다.

02 ㄴ. 수소 원자로부터 수소 분자가 형성될 때 인력과 반발력이 균형을 이루는 위치 b에서 결합이 형성된다.
ㄷ. 두 원자의 원자핵 사이의 거리가 b보다 가까워지면 반발력이 인력보다 우세하게 작용하고, b보다 멀어지면 인력이 반발력보다 우세하게 작용한다. 따라서 b보다 먼 c에서는 인력이 반발력보다 우세하게 작용한다.
ㄹ. 기체 상태의 분자 1몰에서 공유 결합을 끊어 기체 상태의 원자로 만드는 데 필요한 에너지를 결합 에너지라고 하며, 수소 분자 1몰을 기체 상태의 수소 원자로 만드는 데 필요한 결합 에너지는 E kJ/mol이다.
바로 알기 ㄱ. a에서는 반발력이 인력보다 우세하게 작용하여 에너지가 높아지므로 불안정하며, b에서 결합이 형성된다.

03 그림은 금속 결정에 힘을 가하여 금속의 모양이 변형된 모습을 나타낸 것으로, 금속에 힘을 가하면 변형이 일어나더라도 자유 전자가 금속 양이온 사이로 쉽게 이동하여 금속 양이온과 자유 전자 사이의 결합이 유지됨을 알 수 있다.

04 A는 리튬(Li), B는 질소(N), C는 플루오린(F), D는 마그네슘(Mg)이다.
ㄱ. A(*s*)는 금속으로, 전기 전도성이 있다.
ㄴ. D(*s*)는 금속으로, 힘을 가해도 부서지지 않고 변형된다.
바로 알기 ㄷ. B와 C는 모두 비금속 원소로, B와 C는 공유 결합을 형성한다.
ㄹ. A와 D는 금속 원소이고, C는 비금속 원소이다. 따라서 AC와 DC_2는 모두 금속 원소와 비금속 원소가 만나 이루어진 이온 결합 물질이다.

05 A는 고체 상태에서 전기 전도성이 없고, 액체 상태에서 전기 전도성이 있는 것으로 보아 이온 결정이다. B는 실온에서 쉽게 승화하는 것으로 보아 분자 사이의 힘에 의해 결정을 형성하는 분자 결정이다. C는 가는 선으로 뽑을 수 있고 광택이 있는 것으로 보아 금속 결정이다.

개념 적용 문제 2권 040~044쪽

01 ④ **02** ① **03** ⑤ **04** ② **05** ② **06** ③ **07** ②
08 ⑤ **09** ⑤ **10** ③ **11** ⑤

01 공유 결합은 비금속 원소들 사이에 전자를 공유하여 이루어진다. 원자가 전자 수로 보면 ㄱ은 1족의 금속 원소이고, ㄴ과 ㄷ은 각각 15족과 16족의 비금속 원소이며, ㄹ은 가장 바깥 전자 껍질에 8개의 전자가 채워진 18족의 비활성 기체이다. 따라서 ㄴ과 ㄷ이 공유 결합을 형성할 수 있다.

02 ㄱ. X의 원자가 전자 수는 4, Y의 원자가 전자 수는 1, Z의 원자가 전자 수는 5이다. 따라서 원자가 전자 수는 Z>X>Y이다.
바로 알기 ㄴ. XY_4에서 X 원자와 Y 원자 사이에는 1개의 전자쌍을 공유하며, X 원자는 총 4개의 Y 원자와 결합하고 있다. 따라서 XY_4에서 공유 전자쌍 수는 4이다. Z_2에서 Z 원자 사이에는 3개의 전자쌍을 공유하므로 공유 전자쌍 수는 3이다. 즉, 공유 전자쌍 수는 Z_2가 XY_4보다 작다.
ㄷ. Z의 원자가 전자는 5개이므로 비활성 기체와 같은 전자 배치를 이루기 위해서는 3개의 전자가 더 필요하다. 따라서 Z 원자는 3개의 Y 원자와 각각 전자쌍 1개씩을 공유하여 ZY_3를 형성하므로 ZY_3에는 2중 결합이 없다.

03 ㄱ. 원자 반지름은 H가 F보다 작으므로 결합 길이는 H_2가 F_2보다 짧다. 따라서 H_2의 결합 길이는 r_1이고, F_2의 결합 길이는 r_2이다.
ㄴ. 결합 길이가 r_2일 때 F_2이 형성되고, 이때 방출되는 에너지가 −159 kJ이므로 F_2의 결합 에너지는 159 kJ/mol이다.
ㄷ. H_2의 결합 에너지는 436 kJ/mol이고, F_2의 결합 에너지는 159 kJ/mol이다. 결합 에너지는 H_2가 F_2보다 크므로 결합력은 H_2가 F_2보다 크다.

04 2주기 원소 중 이원자 분자는 N_2, O_2, F_2이다. N_2는 3중 결합, O_2는 2중 결합, F_2은 단일 결합을 형성하며, 같은 주기 원소는 대체로 결합 차수가 증가할수록 결합 길이는 감소하고, 결합 에너지는 증가하므로 A_2는 N_2, B_2는 O_2, C_2는 F_2, 이다.
ㄴ. 원자 사이의 결합력은 결합 에너지가 큰 $B_2(O_2)$가 $C_2(F_2)$보다 크다.
바로 알기 ㄱ. $A_2(N_2)$에서 A 원자 사이의 결합은 3중 결합이다.
ㄷ. 일반적으로 공유 결합을 형성하고 있는 원자 사이의 결합 길이가 짧을수록 결합 에너지는 증가한다. $C_2(F_2)$에는 단일 결합이, $A_2(N_2)$에는 3중 결합이 존재하므로 공유 전자쌍 수는 C_2에서 1, A_2에서 3이다. 즉, 공유 전자쌍 수는 C_2가 A_2보다 작다.

05 A는 고체 상태에서 전기 전도성이 없고 액체 상태에서 전기 전도성이 있는 것으로 보아 이온 결정인 (나)에 해당하고, B는 고체 상태와 액체 상태에서 모두 전기 전도성이 없는 것으로 보아 공유 결정인 (가)에 해당한다.
ㄷ. A의 결정 구조는 (나)에 해당하며, 1개의 양이온을 둘러싼 음이온은 6개이고, 1개의 음이온을 둘러싼 양이온은 6개이므로 양이온과 음이온은 1 : 1의 개수비로 결합되어 있다. 따라서 A의 수용액에는 같은 수의 양이온과 음이온이 존재한다.
바로 알기 ㄱ. A는 이온 결합 물질이고, B는 공유 결합 물질이다. 따라서 A와 B의 화학 결합의 종류는 다르다.
ㄴ. (가)는 원자 사이에 공유 결합을, (나)는 양이온과 음이온 사이에 이온 결합을 이루고 있으므로 공유 결합 물질인 B의 결정 구조는 (가)에 해당한다.

06 ㄱ. B는 2주기 1족 금속 원소이다. 따라서 B(*s*)는 자유 전자가 존재하므로 전기 전도성이 있다.
ㄷ. C는 원자가 전자가 6개이고, D는 원자가 전자가 7개이다. 따라서 C와 D가 결합할 때 C는 2개의 D 원자와 각각 전자쌍 1개씩을 공유하므로 CD_2에 존재하는 전체 공유 전자쌍 수는 2이다.
바로 알기 ㄴ. A는 1주기 1족 원소인 수소(H)로 비금속 원소이다. C는 2주기 16족 원소인 산소(O)로 비금속 원소이다. 따라서 A_2C는 비금속 원소로 이루어진 공유 결합 물질이고, B_2C는 금속 원소와 비금속 원소로 이루어진 이온 결합 물질이므로 A_2C와 B_2C를 이루는 화학 결합의 종류는 다르다.

07 ㄷ. AB_2에서 A 원자와 B 원자는 네온과 같은 전자 배치를 이루므로 옥텟 규칙을 만족한다.
바로 알기 ㄱ. AB_2에서 A는 2주기 14족 원소인 탄소이고, B는 2주기 16족 원소인 산소이다.
CB는 양이온과 음이온 사이의 정전기적 인력에 의해 결합한 이온 결합 물질로, 이온 결합 화합물은 전기적으로 중성이며 양이온의 전하와 음이온의 전하의 총합이 0이다. 비금속 원소의 원자가 비활성 기체와 같은 전자 배치를 이루는 음이온이 될 때 음이온의 전하는 (원자가 전자 수$-$8)과 같다. 이로부터 B 이온의 전하는 $(6-8)=-2$이고, 양이온과 음이온이 1 : 1의 개수비로 결합하고 있으므로 양이온의 전하는 $+2$이다. 따라서 $a+b=4$이다.
ㄴ. CB 화합물에서 C의 전하는 $+2$이므로 C는 3주기 2족 원소인 Mg이다. 이로부터 CAB_3는 $MgCO_3$이며, Mg^{2+}과 CO_3^{2-}이 결합하여 형성된 이온 결합 물질이다.

08 A는 1주기 1족 비금속 원소 H, B는 2주기 16족 비금속 원소 O, C는 3주기 1족 금속 원소 Na이다.
ㄱ. $A_2B(H_2O)$에서 B(O) 원자와 A(H) 원자 사이에는 공유 전자쌍이 각각 1개씩 있으므로 전체 공유 전자쌍 수는 2이다. 또, $B_2(O_2)$에서 B(O) 원자 사이에는 공유 전자쌍이 2개 있으므로 전체 공유 전자쌍 수는 2이다. 따라서 $A_2B(H_2O)$와 $B_2(O_2)$에 있는 공유 전자쌍 수는 같다.
ㄴ. $C_2B(Na_2O)$는 금속 원소인 C(Na)와 비금속 원소인 B(O)로 이루어진 이온 결합 물질이다. 따라서 액체 상태의 $C_2B(Na_2O)$는 전기 전도성이 있다.
ㄷ. C(*s*)(Na(*s*))는 금속 결정으로, 금속에 힘을 가해도 금속은 부서지지 않고 변형된다.

09 금속에서 금속 양이온의 (+)전하의 총합과 자유 전자의 (−)전하의 총합은 같아 전기적으로 중성이다. A와 B는 금속 양이온의 수와 자유 전자의 수가 같으므로 A의 양이온과 B의 양이온의 전하는 모두 $+1$이고, C에서는 자유 전자의 수가 C의 양이온 수의 2배이므로 C의 양이온의 전하는 $+2$이다.
ㄱ. B의 양이온의 전하는 $+1$이고, C의 양이온의 전하는 $+2$이다. 따라서 금속 양이온의 전하는 C가 B보다 크다.
ㄴ. A와 B에서 금속 양이온의 전하는 $+1$로 같고 양이온의 크기는 B가 A보다 크므로 금속 양이온과 자유 전자 사이의 정전기적 인력은 A가 B보다 크다. 따라서 녹는점은 A가 B보다 높다.

ㄷ. 금속에 전류를 흘려 주면 (−)전하를 띤 자유 전자가 (+)극 쪽으로 이동한다.

10 SiO_2, Al, NaCl은 각각 공유(원자) 결정, 금속 결정, 이온 결정이다. 3가지 결정 중 금속 양이온이 존재하는 것은 금속 결정과 이온 결정으로 양이온이 존재하지 않는 C는 공유 결정인 SiO_2이다.
금속 결정과 이온 결정 중 고체 상태에서 전기 전도성이 있는 것은 금속 결정이므로 A는 Al, B는 NaCl이다.
ㄱ. 금속 결정 A(Al)는 연성과 전성이 크다.
ㄴ. 이온 결정 B(NaCl)는 양이온과 음이온 사이의 정전기적 인력에 의해 결합되어 있다.
바로 알기 ㄷ. 공유 결정 C(SiO_2)는 원자 사이에 공유 결합을 이루고 있다. 공유 결정은 원자 사이의 결합력이 매우 강하여 승화가 일어나지 않는다.

11 ㄱ. A는 금속 결정으로 금속 양이온과 자유 전자 사이에 비교적 강한 정전기적 인력으로 결합하고 있다. B_2는 비금속 원소의 원자가 공유 결합하여 형성된 분자이다. B_2의 경우 같은 원자가 결합한 무극성 분자이므로 분자 사이의 힘 또한 약하다. 따라서 녹는점은 A가 B_2보다 높다.
ㄴ. AB는 금속의 양이온과 비금속의 음이온이 정전기적 인력으로 결합하여 형성된 이온 결합 물질이다. 고체 상태에서 금속 A는 자유 전자가 자유롭게 이동할 수 있어 전기 전도성이 있지만, AB는 이온들이 자유롭게 이동하지 못하므로 전기 전도성이 없다. 따라서 고체 상태의 전기 전도도는 A가 AB보다 크다.
ㄷ. A와 B는 3주기 원소이고, AB에서 A의 양이온의 전하는 +1이고, B의 음이온의 전하는 −1이다. 따라서 A의 원자가 전자 수는 1이고, B의 원자가 전자 수는 7이므로 B와 A의 원자가 전자 수의 차는 6이다.

통합 실전 문제 2권 046~049쪽

01 ⑤	02 ②	03 ⑤	04 ③	05 ③	06 ⑤	07 ①
08 ⑤						

01 물(H_2O)을 전기 분해할 때 각 전극에서 일어나는 반응은 다음과 같다.
(+)극: $2H_2O \longrightarrow O_2 + 4H^+ + 4e^-$
(−)극: $4H_2O + 4e^- \longrightarrow 2H_2 + 4OH^-$
전체 반응: $2H_2O \longrightarrow 2H_2 + O_2$
염화 나트륨(NaCl) 용융액을 전기 분해할 때 각 전극에서 일어나는 반응은 다음과 같다.
(+)극: $2Cl^- \longrightarrow Cl_2 + 2e^-$
(−)극: $2Na^+ + 2e^- \longrightarrow 2Na$
전체 반응: $2NaCl \longrightarrow 2Na + Cl_2$
ㄱ. Cl_2는 NaCl 용융액을 전기 분해할 때 (+)극에서 생성되는 물질이므로 A_2는 H_2O을 전기 분해할 때 (+)극에서 생성되는 물질이다. 즉 A_2는 O_2이고, O_2에서 O 원자 사이에 전자쌍 2개를 공유하므로 A_2에는 2중 결합이 있다.
ㄴ. Cl_2는 비금속 원소의 원자인 Cl 원자가 전자쌍을 공유하여 형성되므로 화학 결합의 종류는 공유 결합이다.
ㄷ. B는 (−)극에서 생성되는 물질이고 고체 상태로 얻어지므로 NaCl 용융액을 전기 분해할 때 생성되는 Na이다. 따라서 B_2A(Na_2O)는 금속 원소와 비금속 원소로 이루어진 이온 결합 물질이므로 액체 상태에서 전기 전도성이 있다.

02 (가)는 이온 결합, (나)는 금속 결합을 나타낸 모형이다. 또, A는 1주기 1족 비금속 원소 H, B는 2주기 1족 금속 원소 Li, C는 2주기 17족 비금속 원소 F이다.
ㄷ. BA(LiH)와 BC(LiF)는 모두 금속 원소와 비금속 원소로 이루어진 이온 결합 물질로, BA와 BC의 화학 결합 모형은 (가)에 해당한다.
바로 알기 ㄱ. B(s)는 금속 결정으로, 금속 결합으로 이루어져 있으므로 화학 결합 모형은 (나)에 해당한다.
ㄴ. A는 수소(H)로, A_2는 H 원자 사이에 공유 결합을 형성한 분자이다. 따라서 A_2의 화학 결합은 공유 결합으로 (가)와 (나) 모두 해당하지 않는다.

03 화학 반응식을 완성하면 다음과 같다.
$ABC + CD \longrightarrow AD + BC_2$
A는 3주기 1족 원소 Na, B는 2주기 16족 원소 O, C는 1주기 1족 원소 H, D는 3주기 17족 원소 Cl이다.
ㄱ. X는 H_2O이다. H_2O에서 O 원자는 H 원자와 각각 전자쌍 1개씩을 공유하므로 공유 전자쌍 수는 2이다.
ㄴ. ABC(NaOH)에서 B(O)는 네온과 같은 전자 배치를 이루므로 옥텟 규칙을 만족한다.

ㄷ. AD는 NaCl이고, CD는 HCl이다. NaCl 수용액에서는 이온들이 수화된 상태로 자유롭게 이동하므로 전기 전도성이 있다. 또 HCl는 산성 물질이므로 물에 녹아 H^+을 내놓고 이온화하므로 수용액에서 전기 전도성이 있다.

04 ㄱ, ㄷ. 이온 결합력은 이온의 전하량이 클수록 이온 사이의 거리가 짧을수록 크고, 이온 결합력이 클수록 녹는점이 높다. 이온 결합력은 이온의 전하량의 곱에 비례하고, 이온 사이의 거리의 제곱에 반비례한다.

$$F=k\frac{q_1q_2}{r^2}$$

(q_1, q_2: 각 입자의 전하량, r: 두 입자 사이의 거리)

따라서 이온 결합력은 이온 사이의 거리보다 이온의 전하량에 더 큰 영향을 받는다.

녹는점이 높은 (다)와 (라)는 전하가 +2, −2인 CaO과 MgO 중 하나이며, 이온 반지름이 $Mg^{2+} < Ca^{2+}$이므로 녹는점이 가장 높은 (라)는 MgO이고, (다)는 CaO이다.

(가)와 (나)는 전하가 +1, −1인 NaF과 NaCl 중 하나이며, 이온 반지름이 $F^- < Cl^-$이므로 녹는점이 가장 낮은 (가)는 NaCl, (나)는 NaF이다.

바로 알기 ㄴ. (다)는 CaO이고, (나)는 NaF이다. 각 이온의 반지름은 $Ca^{2+} > Na^+$이고, $O^{2-} > F^-$이므로 이온 사이의 거리는 CaO이 더 멀지만 녹는점이 더 높은 이유는 이온의 전하량을 곱한 값이 더 크기 때문이다.

05 ㄱ. CaO은 Ca^{2+}과 O^{2-}, MgO은 Mg^{2+}과 O^{2-}으로 이루어진 물질이다. 이들 화합물은 화합물을 이루는 음이온이 같고 양이온이 다르다. 이때 양이온의 반지름은 $Ca^{2+} > Mg^{2+}$이므로 이온 결합이 형성되는 평형 거리 r_0는 CaO이 MgO보다 크다.

ㄷ. CaO과 KBr을 이루는 이온들의 반지름을 비교하면 $K^+ > Ca^{2+}$, $Br^- > O^{2-}$이다. 이온의 전하량을 곱한 값 또한 CaO이 KBr보다 크다. 따라서 이온 결합력은 CaO이 KBr보다 크므로 녹는점은 CaO이 KBr보다 높다.

바로 알기 ㄴ. KBr은 K^+과 Br^-, KCl은 K^+과 Cl^-으로 이루어진 물질이다. 이들 화합물은 화합물을 이루는 양이온이 같고 음이온이 다르다. 이때 음이온의 반지름은 $Br^- > Cl^-$이므로 이온 결합력은 이온 사이의 거리가 짧은 KCl이 KBr보다 크다. 따라서 결합이 형성될 때 방출되는 에너지의 크기는 KCl이 KBr보다 크다.

06 A는 3주기 2족 금속 원소인 Mg이고, B는 3주기 17족 비금속 원소인 Cl이며, C는 2주기 17족 비금속 원소인 F이다.

ㄱ. B_2와 C_2는 모두 17족 원소의 이원자 분자이므로 공유 전자쌍 수가 1로 같다.

ㄴ. AC_2는 Mg과 F으로 이루어진 MgF_2이다. MgF_2은 금속 원소와 비금속 원소로 이루어진 이온 결합 물질이므로 액체 상태에서 전기 전도성이 있다.

ㄷ. AC_2는 MgF_2이고, AB_2는 $MgCl_2$이다. 이들 화합물은 화합물을 이루는 양이온이 같고 음이온이 다르다. 이때 음이온의 반지름은 B의 이온(Cl^-)이 C의 이온(F^-)보다 크다. 이온 결합력은 이온의 전하량이 클수록, 이온 사이의 거리가 짧을수록 크므로 이온 결합력은 AC_2가 AB_2보다 크다. 따라서 녹는점은 AC_2가 AB_2보다 높다.

07 2, 3주기 원소 A~D가 이온 결합 화합물 AD와 BC를 형성하므로 A와 B는 금속 원소의 양이온이고, C와 D는 비금속 원소의 음이온이다. 이때 이온 결합 화합물의 화학식을 구성하는 이온 수가 같으므로 A 이온의 (+)전하와 D 이온의 (−)전하의 크기는 같다. 마찬가지로 B 이온의 (+)전하와 C 이온의 (−)전하의 크기는 같다. 또, A~D 이온의 전자 배치는 네온의 전자 배치와 같으므로 이온의 핵 전하량이 클수록 이온 반지름은 작아진다. 따라서 반지름이 가장 작은 A와 B는 3주기 금속 원소이고 원자 번호는 A<B이며, C와 D는 2주기 비금속 원소이고 원자 번호는 C<D이다.

ㄱ. A는 금속 원소이므로 A(s)는 금속 결정이며 자유 전자가 있다.

바로 알기 ㄴ. B는 금속 원소이고, D는 비금속 원소이므로 B와 D로 이루어진 물질은 이온 결합 물질이다.

ㄷ. 양이온의 전하는 B의 이온이 A의 이온보다 크다. 또 음이온의 전하는 C의 이온이 D의 이온보다 크다. 따라서 이온의 전하량을 곱한 값은 BC(s)가 AD(s)보다 크므로 녹는점은 BC(s)가 AD(s)보다 높다.

08 ㄱ, ㄴ. A는 고체 상태에서 전기 전도성이 없고, 액체 상태에서 전기 전도성이 있는 것으로 보아 금속 양이온과 비금속 음이온이 정전기적 인력에 의해 결합한 이온 결합 물질이다. C는 고체 상태와 액체 상태에서 모두 전기 전도성이 있는 것으로 보아 금속 결정이다. 따라서 C는 금속 양이온과 자유 전자가 존재한다.

ㄷ. B와 D는 고체 상태와 액체 상태에서 모두 전기 전도성이 없는 것으로 보아 공유 결합 물질이다.

사고력 확장 문제

2권 050~053쪽

01 양이온과 음이온이 이온 결합을 형성할 때 에너지를 방출한다. 이때 방출하는 에너지는 이온 결합력이 클수록 커진다.

모범 답안 (1) a 영역, KCl과 NaCl은 각 화합물을 이루는 음이온이 같고, 양이온이 다르다. 각 화합물의 양이온인 K^+과 Na^+은 전하량이 같고, 이온 반지름이 다른데, 이온 반지름은 K^+이 Na^+보다 크므로 이온 결합을 형성할 때 이온 사이의 거리는 KCl이 NaCl보다 멀다. 따라서 이온 결합력은 KCl이 NaCl보다 작으므로 이온 결합이 형성될 때 방출되는 에너지도 KCl이 NaCl보다 작다.

(2) c 영역, Mg^{2+}과 Na^+ 중 반지름은 Mg^{2+}이 더 작고 전하량은 Mg^{2+}이 더 크다. 또, O^{2-}과 Cl^- 중 반지름은 O^{2-}이 더 작고, 전하량은 O^{2-}이 더 크다. 따라서 이온 결합력은 이온 사이의 거리가 짧고, 전하량이 큰 MgO이 NaCl보다 크므로 이온 결합이 형성될 때 방출되는 에너지도 MgO이 NaCl보다 더 크다.

	채점 기준	배점(%)
(1)	영역을 옳게 쓰고, 그 이유를 옳게 서술한 경우	50
	영역만 옳게 쓴 경우	30
(2)	영역을 옳게 쓰고, 그 이유를 옳게 서술한 경우	50
	영역만 옳게 쓴 경우	30

02 Ne과 같은 전자 배치를 이루는 A~C 안정한 이온은 각각 A^{2+}, B^{2-}, C^-이므로 A는 3주기 2족 원소, B는 2주기 16족 원소, C는 2주기 17족 원소이다.

(1) 이온 결합 화합물은 전기적으로 중성이므로 결정을 이루는 양이온의 전하와 음이온의 전하의 총합이 0이다.

(2) 이온 결합 물질은 액체 상태에서 전기 전도성이 있지만, 공유 결합 물질은 액체 상태에서 전기 전도성이 없다.

모범 답안 (1) (가)는 A^{2+}과 C^-으로 이루어진 이온 결합 화합물로, 전기적으로 중성이어야 하므로 A^{2+}과 C^-은 1 : 2의 개수비로 결합해야 한다. 따라서 (가)의 화학식은 AC_2이므로 x는 1, y는 2이다.

(2) (가)는 금속 원소와 비금속 원소로 이루어진 이온 결합 물질이고, (나)는 비금속 원소로만 이루어진 공유 결합 물질이다. 따라서 액체 상태에서 전류를 흘려 주면 (가)에서는 전기 분해가 일어나지만, (나)에서는 액체 상태에서 전기 전도성이 없으므로 전류가 흐르지 않아 아무런 변화가 없다.

	채점 기준	배점(%)
(1)	x와 y를 풀이 과정과 함께 모두 옳게 구한 경우	50
	x와 y값만 옳게 구한 경우	30
	이온의 개수비만 옳게 언급한 경우	15
(2)	액체 상태의 (가)와 (나)에 전류를 흘려 주었을 때의 변화를 모두 옳게 서술한 경우	50
	액체 상태의 (가)와 (나)에 전류를 흘려 주었을 때의 변화 중 한 가지만 옳게 서술한 경우	25

03 **모범 답안** 원자 번호: X<Y, 원자 사이의 결합력: HX>HY, X와 Y는 모두 17족 할로젠 원소이므로, 두 원소는 서로 다른 주기이다. HX와 HY 중 원자핵 사이의 거리는 HX가 더 가까우므로, X와 Y 중 원자 반지름은 X가 더 작다는 것을 알 수 있다. 따라서 같은 족에 속하는 X와 Y의 원자 번호는 X가 작고, Y가 더 크다. 원자 사이의 결합력은 원자핵 사이의 거리가 가까울수록, 결합이 형성될 때 방출되는 에너지가 클수록 세다. 따라서 공유 결합이 형성될 때 HX가 HY보다 더 큰 에너지를 방출하므로 원자 사이의 결합력은 HX가 HY보다 세다.

채점 기준	배점(%)
원자 번호와 결합력을 옳게 비교하고, 그 이유를 옳게 서술한 경우	100
원자 번호와 결합력만 옳게 비교한 경우	50

04 바닥상태 전자 배치에서 전자가 들어 있는 오비탈 수와 홀전자 수로 판단할 때 A~E는 다음과 같다.

원소	A	B	C	D	E
전자가 들어 있는 오비탈 수	2	4	5	5	6
홀전자 수	1	2	2	1	0
원소	Li	C	O	F	Mg

모범 답안 (1) (가)와 (라)는 이온 결합 물질이고, (나)와 (다)는 공유 결합 물질이다. (가)와 (라)는 금속 원소와 비금속 원소로 이루어진 화합물이고, (나)와 (다)는 비금속 원소로만 이루어진 화합물이다.

(2) $A_2C(Li_2O)$, (가)는 A(Li)와 C(O)로 이루어진 화합물로서 A^+과 C^{2-}이 2 : 1의 개수비로 결합한다. 따라서 (가)의 화학식은 $A_2C(Li_2O)$이다.

	채점 기준	배점(%)
(1)	(가)~(라)를 이온 결합 물질과 공유 결합 물질로 옳게 구분하고, 그 이유를 옳게 서술한 경우	50
	(가)~(라)를 이온 결합 물질과 공유 결합 물질로 옳게 구분한 경우	25
(2)	(가)의 화학식을 옳게 쓴 경우	50

05 (1) 이온 결합 물질에서 이온 결합력은 이온의 전하량과 이온 사이의 거리에 따라 달라지는데, 이온의 전하량이 클수록, 이온 사이의 거리가 짧을수록 이온 결합력이 커져 녹는점과 끓는점이 높아진다. MgO, CaO, BaO은 각 화합물을 이루는 음이온이 같고 양이온이 다르다. 이때 양이온에 해당하는 원소는 모두 같은 족 원소이다.

(2) 공유 결합 물질의 결합 에너지는 결합 차수가 증가할수록 커진다.

모범 답안 (1) ㉠<㉡<㉢, MgO, CaO, BaO은 각 화합물을 이루는 양이온의 전하가 +2로 모두 같으므로, 이온 결합력은 이온 사이의 거리와 관련이 있다. 이온 결합력이 셀수록 녹는점과 끓는점이 높아지며, 녹는점과 끓는점이 MgO>CaO>BaO이므로 원자 번호는 Mg<Ca<Ba, 각 원소의 이온 반지름도 Mg<Ca<Ba이다. 따라서 이온 결합이 형성되는 결합 길이는 MgO<CaO<BaO 이다.

(2) $N_2>O_2>F_2$, N_2에서는 N 원자 사이에 3중 결합이, O_2에서는 O 원자 사이에 2중 결합이, F_2에서는 F 원자 사이에 단일 결합이 있으므로 결합 길이는 $N_2<O_2<F_2$이다. 결합 에너지는 결합 차수가 증가할수록 커지므로, 결합 에너지는 $N_2>O_2>F_2$이다.

	채점 기준	배점(%)
(1)	결합 길이를 옳게 비교하고, 그 이유를 옳게 서술한 경우	50
	결합 길이만 옳게 비교하거나 양이온에 해당하는 원소의 원자 번호만 옳게 추론한 경우	30
(2)	결합 에너지를 옳게 비교하고, 그 이유를 옳게 서술한 경우	50
	결합 에너지만 옳게 비교한 경우	30

06 (1) 한 원소의 순차 이온화 에너지는 차수가 커질수록 점차 증가하다가 전자 껍질이 바뀌는 부분에서 급격하게 증가한다. 각 원소의 순차 이온화 에너지가 X는 $E_2 \ll E_3$이고, Y는 $E_4 \ll E_5$이며, Z는 $E_7 \ll E_8$이므로 각 원자의 원자가 전자 수는 X가 2, Y가 4, Z가 7이다.

(2) 3주기 원소이면서 원자가 전자 수가 2인 원소 X는 2족 원소인 Mg, 4인 원소 Y는 14족 원소인 Si, 7인 원소 Z는 17족 원소인 Cl이다.

(가)는 $MgCl_2$으로 이온 결정, (다)는 SiO_2로 공유(원자) 결정이다.

모범 답안 (1) ㉠은 3, ㉡은 5이다.

(가)는 3주기 2족에 속하는 금속 원소 X와 3주기 17족에 속하는 비금속 원소 Z로 이루어진 물질이다. 즉 (가)가 형성될 때 X는 원자가 전자 2개를 잃고 +2의 양이온이 되고, Z는 전자 1개를 얻어 −1의 음이온이 된다. 이온 결합 화합물은 전기적으로 중성이므로 X 이온과 Z 이온은 1 : 2의 개수비로 결합하여 XZ_2를 형성하므로 (가)의 화학식의 구성 원자 수 ㉠은 3이다. (나)는 원자가 전자가 4개인 Y와 원자가 전자가 7개인 Z로 이루어진 물질이므로 Y 원자 1개는 4개의 Z 원자와 각각 전자쌍을 한 개씩 공유하여 YZ_4를 형성한다. 따라서 (나)의 화학식의 구성 원자 수 ㉡은 5이다.

(2) (가)<(다), (가)는 이온 결정이고, (다)는 공유(원자) 결정으로 일반적으로 공유 결정은 원자 사이의 결합력이 매우 강하여 녹는점이 매우 높다.

	채점 기준	배점(%)
(1)	㉠, ㉡을 모두 옳게 구하고 그 과정을 옳게 서술한 경우	50
	㉠과 ㉡만 옳게 구한 경우	30
	㉠과 ㉡ 중 한 가지만 옳게 구한 경우	15
(2)	녹는점을 옳게 비교하고, 그 이유를 옳게 서술한 경우	50
	녹는점만 옳게 비교한 경우	30

07 (1) 금속의 녹는점은 금속 양이온과 자유 전자 사이의 정전기적 인력이 클수록 높다. 금속 양이온과 자유 전자 사이의 정전기적 인력은 금속 양이온의 반지름이 작을수록 크다.

(2) C와 D는 같은 주기이고 원자가 전자 수는 C<D이므로 원자 번호는 C<D이다. 같은 주기에서 원자 번호가 작을수록 이온화 에너지가 작아 전자를 잃기 쉬우므로 금속의 반응성은 커진다.

모범 답안 (1) A>B>C, A~C는 원자가 전자 수가 1인 금속 원소로, 모두 같은 족 원소이다. 각 원소의 원자 반지름은 A<B<C이므로 금속 양이온과 자유 전자 사이의 정전기적 인력은 A>B>C이다. 따라서 녹는점은 A>B>C이다.

(2) 금속의 반응성은 C가 D보다 크다. 원자 번호는 C<D이며, 같은 주기에서 원자 번호가 작을수록 이온화 에너지가 작아 전자를 잃기 쉽다. 따라서 금속의 반응성은 C가 D보다 크다.

	채점 기준	배점(%)
(1)	녹는점을 옳게 비교하고, 그 이유를 옳게 서술한 경우	50
	녹는점만 옳게 비교한 경우	30
(2)	금속의 반응성을 옳게 비교하고, 그 이유를 옳게 서술한 경우	50
	금속의 반응성만 옳게 비교한 경우	30

08 (1) 2, 3주기에 속하는 A~F의 안정한 이온이 비활성 기체와 같은 전자 배치를 이룰 때 $\frac{\text{양성자수}}{\text{전자 수}}$가 0.7인 원소는 전자 수가 10이고 양성자수가 7이다. 따라서 A, B, C는 각각 2주기 15족, 16족, 17족 원소이다. 마찬가지로 $\frac{\text{양성자수}}{\text{전자 수}}$가 1.1인 원소는 전자 수가 10이고, 양성자 수가 11이므로 D, E, F는 각각 3주기 1족, 2족, 13족 원소이다.

(다)는 2주기 17족 원소인 플루오린(F)과 3주기 1족 원소인 나트륨(Na)으로 이루어진 물질로 화학식은 NaF이므로 화학식의 구성 원자 수 ㉠은 2이다. (마)는 2주기 17족 원소인 플루오린(F)과 3주기 13족 원소인 알루미늄(Al)으로 이루어진 물질로 화학식은 AlF_3이므로 화학식의 구성 원자 수 ㉡은 4이다.

(2) (가)는 2주기 15족 원소인 질소(N)와 2주기 17족 원소인 플루오린(F)으로 이루어진 물질이므로 비금속 원소의 원자들이 전자쌍을 공유하여 형성된 공유 결합 물질이다. 또 (라)는 2주기 16족 원소인 산소(O)와 3주기 2족 원소인 마그네슘(Mg)으로 이루어진 물질이므로 금속 원소와 비금속 원소로 이루어진 이온 결합 물질이다.
(3) (나)는 2주기 16족 원소인 산소(O)와 2주기 17족 원소인 플루오린(F)으로 이루어진 물질이므로 OF_2로 공유 결합 물질이다. 따라서 액체 상태에서 전기적으로 중성인 분자로 존재하므로 전기 전도성이 없다. (다)는 NaF으로 이온 결합 물질이므로 액체 상태에서 이온들이 자유롭게 이동할 수 있으므로 전기 전도성이 있다.

모범 답안 (1) ㉠ 2, ㉡ 4
(2) (가)는 NF_3로 비금속 원소만으로 이루어진 공유 결합 물질이고, (라)는 MgO으로 금속 원소와 비금속 원소로 이루어진 이온 결합 물질이다.
(3) (나)는 OF_2로 공유 결합 물질이다. 따라서 액체 상태에서 전기적으로 중성인 분자로 존재하므로 전기 전도성이 없다. (다)는 NaF으로 이온 결합 물질이므로 액체 상태에서 이온들이 자유롭게 이동할 수 있으므로 전기 전도성이 있다.

	채점 기준	배점(%)
(1)	㉠, ㉡을 모두 옳게 구한 경우	40
	㉠과 ㉡ 중 한 가지만 옳게 구한 경우	20
(2)	(가)와 (라)의 화학 결합의 종류를 모두 옳게 서술한 경우	30
	(가)와 (라)의 화학 결합의 종류 중 한 가지만 옳게 서술한 경우	15
(3)	(나)와 (다)의 전기 전도성을 모두 옳게 서술한 경우	30
	(나)와 (다)의 전기 전도성 중 한 가지만 옳게 서술한 경우	15

유제 ㄱ. O 원자는 원자가 전자가 6개이고, 옥텟 규칙을 만족하기 위해 각 원자가 전자를 2개씩 내어 전자쌍을 만들고, 이 전자쌍을 두 원자가 공유한다. 따라서 O_2에서 O 원자 사이에는 2중 결합이 있고, 각 O 원자에는 비공유 전자쌍이 2개씩 있다.
ㄷ. C 원자는 원자가 전자가 4개이고, 옥텟 규칙을 만족하기 위해 전자 4개가 더 필요하다. F 원자는 원자가 전자가 7개이고, 옥텟 규칙을 만족하기 위해 전자 1개가 더 필요하다. 따라서 C 원자는 4개의 F 원자와 각각 전자쌍 1개씩을 공유한다.
ㄹ. C 원자는 원자가 전자가 4개, O 원자는 원자가 전자가 6개, H 원자는 원자가 전자가 1개이다.
모든 화합물에서 각 원자의 원자가 전자를 이용하여 옥텟 규칙을 만족하도록 하면 다음과 같이 루이스 전자점식을 나타낼 수 있다.

:Ö::Ö: O_2

F 원자 4개가 C 원자를 둘러싼 구조 CF_4

H:C:O:H (C에 H 2개 위아래) CH_3OH

바로 알기 ㄴ. N 원자는 원자가 전자가 5개이고, 옥텟 규칙을 만족하기 위해 전자 3개가 더 필요하다. 또, H 원자는 원자가 전자가 1개이므로 결합에 사용할 수 있는 전자는 1개뿐이다. N 원자는 3개의 H 원자와 전자쌍을 1개씩 공유하므로 N 원자에는 비공유 전자쌍이 1개 있다.
NH_3의 루이스 전자점식은 다음과 같다.

H:N̈:H
 H
NH_3

2. 분자의 구조와 성질

01 결합의 극성

집중 분석 2권 062쪽

유제 ⑤

개념 모아 정리하기 2권 064쪽

❶ 증가 ❷ 감소 ❸ 극성 ❹ 큰
❺ 무극성 ❻ 무극성 공유 ❼ 극성 공유 ❽ 이온
❾ 클 ❿ 원자가 전자 ⓫ 공유 ⓬ 비공유

개념 기본 문제 2권 065쪽

01 X_2: 무극성 공유 결합, XY: 극성 공유 결합 **02** X<Y
03 X_2<XY **04** (가) ㄷ (나) ㄱ **05** (가) ㄴ, ㄷ (나) ㄱ
06 해설 참조 **07** 해설 참조 **08** 3

01 X_2에서는 같은 종류의 원자가 공유 결합하여 전하가 고르게 분포하므로 X 원자 사이에 형성된 결합은 무극성 공유 결합이다. XY에서는 전기 음성도가 서로 다른 원자가 공유 결합하여 전하가 불균일하게 분포하므로 X 원자와 Y 원자 사이에 형성된 결합은 극성 공유 결합이다.

02 XY에서 Y 원자가 부분적인 음전하(δ^-)를 띠는 것으로 보아 공유 전자쌍을 끌어당기는 정도는 Y가 X보다 크다. 따라서 전기 음성도는 X<Y이다.

03 무극성 공유 결합의 쌍극자 모멘트는 0이고, 극성 공유 결합의 쌍극자 모멘트는 0보다 크다.

04 두 원자가 공유 결합을 형성할 때 전기 음성도 차이가 클수록 결합의 극성이 커지고, 전기 음성도 차이가 작을수록 결합의 극성이 작아진다.

05 N_2는 같은 종류의 원자가 결합한 이원자 분자이므로 무극성 공유 결합만 있다.

06 쌍극자 모멘트를 표시할 때는 전기 음성도가 작은 원자에서 전기 음성도가 큰 원자 쪽으로 화살표의 머리 부분이 향하도록 한다.

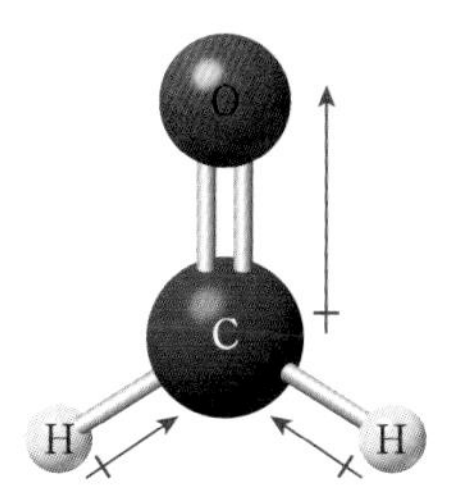

07 (1) $\ddot{\underset{..}{O}}::C::\ddot{\underset{..}{O}}$

(2) $[Na]^+[:\ddot{\underset{..}{Cl}}:]^-$

08 X는 원자가 전자가 5개이므로 X 원자 2개가 전자쌍을 공유하여 옥텟 규칙을 만족하려면 각 원자에서 전자가 3개씩 더 필요하다. 따라서 X 원자는 각각 전자 3개씩을 내놓아 전자쌍을 만들고, 이 전자쌍을 공유하므로 공유 전자쌍 수는 3이다.

개념 적용 문제 2권 066~069쪽

01 ⑤ **02** ① **03** ② **04** ③ **05** ① **06** ③ **07** ⑤ **08** ①

01 같은 주기에서 원자 번호가 커질수록 전기 음성도가 증가하므로 A와 B는 17족 원소이고, C와 D는 1족 원소이다.
ㄱ. 17족 원소의 원자가 전자 수는 7이고, 1족 원소의 원자가 전자 수는 1이다. 따라서 17족 원소인 A와 1족 원소인 D의 원자가 전자 수 차는 6이다.
ㄴ. B는 3주기 17족 원소이고, D는 3주기 1족 원소이다. B와 D가 결합할 때 전자는 금속 원소의 원자 D에서 비금속 원소의 원자 B로 이동하여 이온 결합을 형성한다.
ㄷ. 전기 음성도는 A가 B보다 크므로 A와 B가 결합할 때 공유 전자쌍은 A 원자 쪽으로 치우친다. 따라서 A는 부분적인 음전하(δ^-)를 띤다.

02 ㄱ. (가)에서 X 원자에는 3중 결합 1개와 단일 결합 1개가 존재하고 옥텟 규칙을 만족하므로 X에는 비공유 전자쌍이 존재하지 않는다. 따라서 X의 원자가 전자 수는 4이다.
(나)에서 Y 원자에는 3중 결합 1개가 존재하고 옥텟 규칙을 만족해야 하므로 Y 원자에는 비공유 전자쌍이 1개 존재한다. 따라서 Y의 원자가 전자 수는 5이다. 즉, 원자가 전자 수는 Y가 X보다 크다.
바로 알기 ㄴ. (가)에서는 X 원자와 X 원자 사이에 무극성 공유 결합이 존재한다. 그러나 (나)에서는 모두 다른 원자 사이의 결합만 존재하므로 극성 공유 결합만 존재한다.
ㄷ. X, Y는 2주기 원소이고 원자 번호는 원자가 전자 수가 큰 Y가 X보다 크다. 같은 주기에서 원자 번호가 커질수록 전기 음성도가 대체로 증가하므로, 전기 음성도는 Y가 X보다 크다. 따라서 X와 Y의 결합에서 공유 전자쌍은 Y 원자 쪽으로 치우치므로 Y 원자는 부분적인 음전하(δ^-)를 띤다.

03 H, F, Cl의 전기 음성도는 F>Cl>H이고, 이들 원자만으로 이루어질 수 있는 이원자 분자는 각각 HF, HCl, ClF이다. 이때 전기 음성도 차가 가장 큰 것은 HF이므로 $x>y>0$에 따라 (가)는 HF이다.
(나)에서 부분적인 음전하(δ^-)를 띠는 A는 (가)에 공통으로 들어 있는 원소로, 주어진 원자 중 H는 전기 음성도가 가장 작아 부분적인 음전하(δ^-)를 띨 수 없으므로 A는 F이다. 그리고 B는 H, C는 Cl이다.
ㄷ. (나)는 ClF이고, (다)는 HCl이다. 원자 반지름은 F>H이므로 결합 길이는 (나)가 (다)보다 길다.

바로 알기 ㄱ. A는 F이다.
ㄴ. (가)에서 B는 H로, 부분적인 양전하(δ^+)를 띤다.

04 원자가 전자 수는 X가 1, W가 6, Y가 4, Z가 5이다. 이때 X는 W, Y, Z와 분자를 형성하는 비금속 원소 수소(H)이다.
ㄱ. Z의 원자가 전자 수는 5이므로 Z_2에서 옥텟 규칙을 만족하기 위해서는 Z 원자 사이에 3중 결합이 있어야 한다. 또, W의 원자가 전자 수는 6이므로 W_2에서 옥텟 규칙을 만족하기 위해서는 W 원자 사이에 2중 결합이 있어야 한다. 따라서 공유 전자쌍 수는 Z_2가 W_2보다 크다.
ㄴ. XYZ는 HCN이므로 루이스 구조식은 다음과 같다.
H－C≡N:
XYZ에서 비공유 전자쌍은 Z(N)에 1개가 있다.
바로 알기 ㄷ. 같은 주기에서 전기 음성도는 원자 번호가 커질수록 대체로 증가하며, 2주기 원소인 W, Y 중 원자 번호는 원자가 전자 수가 더 큰 W가 더 크다. 따라서 전기 음성도는 W가 Y보다 크므로 YW_2에서 Y는 부분적인 양전하(δ^+)를 띤다.

05 (가)는 C와 H로 이루어진 분자이고, (나)는 O와 H로 이루어진 분자이다. 이때 H는 전자가 1개뿐이므로 다른 원자와 단일 결합만을 형성한다. C 원자는 원자가 전자가 4개이므로 C 원자 1개는 최대 4개의 공유 결합을 형성할 수 있다. 따라서 (가)는 C 원자 2개를 포함한 C_2H_2이다. (나)는 공유 결합 수가 3이므로 O 원자 2개와 H 원자 2개로 이루어진 H_2O_2이다. C_2H_2과 H_2O_2의 루이스 전자점식은 다음과 같다.

H:Ö:Ö:H (나) H_2O_2　　H:C⋮⋮C:H (가) C_2H_2

ㄱ. (가)에서 탄소 원자 사이의 결합은 무극성 공유 결합이다.
바로 알기 ㄴ. (나)에서 O 원자에 비공유 전자쌍이 각각 2개씩 있으므로 비공유 전자쌍은 총 4개이다.
ㄷ. (가)와 (나) 분자를 이루는 구성 원자 수는 모두 4이다.

06 2주기 원소의 바닥상태 전자 배치에서 홀전자 수는 다음과 같다.

원소	Li	Be	B	C	N	O	F
홀전자 수	1	0	1	2	3	2	1

A는 리튬(Li), B는 베릴륨(Be), C는 탄소(C), D는 질소(N), E는 산소(O)이다.
ㄱ. A_3D는 금속 원소와 비금속 원소로 이루어진 이온 결합 물질이다.
ㄴ. CE_2는 이산화 탄소(CO_2)이며, CO_2의 루이스 전자점식은 다음과 같다.
Ö::C::Ö
CO_2 분자에서 공유 전자쌍 수와 비공유 전자쌍 수는 4로 같으므로 $\frac{\text{비공유 전자쌍 수}}{\text{공유 전자쌍 수}}=1$이다.
바로 알기 ㄷ. B는 2족 원소인 베릴륨(Be)이다. Be은 원자가 전자 2개를 이용하여 Cl 2개와 각각 전자쌍 1개씩을 공유하므로 중심 원자에는 공유 전자쌍 2개만이 존재한다. 따라서 BCl_2에서 B는 옥텟 규칙을 만족하지 않는다.

07 수소는 원자가 전자가 1개로, 다른 원자와 결합하면 비공유 전자쌍이 존재하지 않는다. 따라서 수소 화합물 (가)~(라)에 있는 비공유 전자쌍은 모두 2주기 원소의 원자에 있다.
(가)는 구성 원자 수가 2이고, 비공유 전자쌍 수가 3이므로 (가)를 구성하는 2주기 원자에는 원자가 전자 7개가 존재한다. 따라서 (가)는 HF이다. (라)는 구성 원자 수가 4이고, 비공유 전자쌍이 존재하지 않으므로 (라)는 C_2H_2이다. 구성 원자 수가 4이고, 비공유 전자쌍 수가 4인 (나)는 H_2O_2이며, (다)는 N_2H_2이다.
분자 (가)~(라)를 루이스 구조식으로 나타내면 다음과 같다.

H－F: (가)　　H－O－O－H (나)
H－N=N－H (다)　　H－C≡C－H (라)

ㄱ. (가)에서 전기 음성도는 A가 수소(H)보다 크므로 공유 전자쌍이 A 원자 쪽으로 치우친다. 따라서 A는 부분적인 음전하(δ^-)를 띤다.
ㄴ. (나), (다), (라)에는 모두 같은 원자 사이의 결합이 존재하므로 무극성 공유 결합이 존재한다.
ㄷ. 공유 전자쌍 수는 (다)에서 4이고, (라)에서 5이다.

08 2주기 원소의 원자가 중심 원자이고, 중심 원자가 1개인 수소 화합물에는 CH_4, NH_3, H_2O, HF가 있다.
이중 구성 원자 수가 2, 4, 3인 분자는 각각 HF, NH_3, H_2O이다. 따라서 (가)는 HF, (나)는 NH_3, (다)는 H_2O이다.

ㄱ. 전기 음성도는 F>O이므로 $a>b$이다.

바로 알기 ㄴ. (가)에서 H 원자 수는 1이고, 비공유 전자쌍은 F에 3개가 있으므로 $\frac{\text{비공유 전자쌍 수}}{\text{H 원자 수}}=3$이다. (나)에서 H 원자 수는 3이고, 비공유 전자쌍은 N에 1개가 있으므로 $\frac{\text{비공유 전자쌍 수}}{\text{H 원자 수}}=\frac{1}{3}$이다. 따라서 $c \times d=1$이다.

ㄷ. 공유 전자쌍 수는 (나)에서 3, (다)에서 2이므로 (나)가 (다)보다 크다.

02 분자의 구조와 극성

개념 모아 정리하기 2권 086쪽

❶ 전자쌍 반발 이론		❷ >	❸ >
❹ 선형	❺ 180°	❻ 굽은 형	❼ 삼각뿔
❽ 무극성	❾ 극성	❿ 무극성	⓫ 극성
⓬ 극성	⓭ 무극성		

개념 기본 문제 2권 087~088쪽

01 ㉠ 선형 ㉡ 평면 삼각형 ㉢ 사면체 **02** ㉠ 굽은 형 ㉡ 삼각뿔 ㉢ 정사면체 **03** $x<y<z$ **04** ㄴ, ㄷ **05** ㄷ **06** ⑤ **07** ㄷ **08** (1) ◯ (2) × (3) × (4) ◯ (5) × **09** HF, NH_3 **10** (1) ◯ (2) ◯ (3) ◯ (4) × (5) × (6) ◯

01 전자쌍 2개가 반발력을 최소로 하는 전자쌍 배열 구조는 선형이고, 전자쌍 3개가 반발력을 최소로 하는 전자쌍 배열 구조는 평면 삼각형이다. 또, 전자쌍 4개가 반발력을 최소로 하는 전자쌍 배열 구조는 사면체이다.

02 H_2O에서 중심 원자인 O 원자 주위에는 공유 전자쌍 2개, 비공유 전자쌍 2개가 있다. 따라서 H_2O의 분자 구조는 굽은 형이다. NH_3에서 중심 원자인 N 원자 주위에는 공유 전자쌍 3개, 비공유 전자쌍 1개가 있다. 따라서 NH_3의 분자 구조는 삼각뿔이다. CH_4에서 중심 원자인 C 원자 주위에는 공유 전자쌍만 4개 있으므로 분자 구조는 정사면체이다.

03 H_2O, NH_3, CH_4에서 중심 원자에 존재하는 전자쌍 수는 4로 같지만 비공유 전자쌍 수는 $H_2O>NH_3>CH_4$이므로 결합각의 크기는 $H_2O<NH_3<CH_4$이다. 따라서 $x<y<z$이다.

04 공유 결합을 형성하는 원자 사이에 전기 음성도 차이가 없거나, 극성 공유 결합을 형성하지만 분자 구조가 대칭을 이루어 쌍극자 모멘트 합이 0인 분자는 무극성 분자이다.

ㄴ, ㄷ. E_2는 같은 종류의 원자가 결합하고 있으므로 무극성 분자이며, BE_3는 전기 음성도가 큰 E 원자 쪽으로 공유 전자쌍이 치우쳐 있지만 평면 삼각형 구조로 120°의 결합각을 이루며 대칭을 이루므로 쌍극자 모멘트 합이 0이 되는 무극성 분자이다.

바로 알기 ㄱ. AE의 분자 구조는 선형이며, 두 원자의 전기 음성도가 달라 전기 음성도가 큰 E 원자 쪽으로 공유 전자쌍이 치우쳐 있어 E 원자는 부분적인 음전하(δ^-)를 띠고, A 원자는 부분적인 양전하(δ^+)를 띠는 극성 분자이다.

05 ㄷ. (가)는 무극성 분자이고, (다)는 극성 분자이므로 물에 대한 용해도는 (다)가 (가)보다 크다.

바로 알기 ㄱ. (가)~(다)는 모두 분자 구조가 사면체이며, 중심 원자에 결합된 원자의 종류가 같지 않으면 극성을 나타낸다. 따라서 극성 분자는 (나)와 (다), 즉 2가지이다.

ㄴ. (나)의 분자 구조는 사면체로, 결합각(∠HCCl)은 90°보다 크다.

06 결합의 쌍극자 모멘트 합이 0이 아닌 분자는 극성 분자이며, 분자 구조가 대칭을 이루어 쌍극자 모멘트 합이 0인 분자는 무극성 분자이다. ④와 ⑤의 구조는 중심 원자에 비공유 전자쌍이 있는 경우에 나타난다. ⑤는 굽은 형의 평면 구조이며, ④는 삼각뿔의 입체 구조이다.

07 ㄷ. H_2O과 CO_2는 각각 공유 전자쌍 수와 비공유 전자쌍 수가 같으므로 $\frac{\text{비공유 전자쌍 수}}{\text{공유 전자쌍 수}}=1$이다.

바로 알기 ㄱ. 결합의 쌍극자 모멘트 합이 0인 무극성 분자는 평면 삼각형 구조를 이루는 BCl_3와 선형 구조를 이루는 CO_2 2가지이다.

ㄴ. CH_2Cl_2는 중심 원자에 비공유 전자쌍이 존재하지 않지만 중심 원자에 결합된 원자의 종류가 같지 않으므로 극성 분자이다. 따라서 극성 분자가 모두 중심 원자에 비공유 전자쌍을 가지는 것은 아니다.

08 (1) AC_4는 중심 원자인 A와 4개의 C가 공유 결합하므로 정사면체 구조를 이룬다. 따라서 AC_4는 무극성 분자로 결합의 쌍극자 모멘트 합이 0이다.
(2) BC_2는 중심 원자인 B에 공유 전자쌍 2개와 비공유 전자쌍 2개가 존재하므로 굽은 형 구조이다.
(3) EB는 E^{2+}과 B^{2-} 사이의 정전기적 인력으로 결정을 이루고, DC는 D^+과 C^- 사이의 정전기적 인력으로 결정을 이루므로 EB의 녹는점이 DC의 녹는점보다 높다.
(4) D_2B는 D^+과 B^{2-}으로 이루어진 이온 결합 물질이므로 고체 상태에서 전기가 통하지 않는다.
(5) AB_2에서 A와 B는 전기 음성도가 서로 다르므로 극성 공유 결합으로 이루어져 있다.

09 전기장 속에 극성 분자를 넣으면 부분적인 전하 때문에 분자들이 일정한 방향으로 배열하고, 무극성 분자를 넣으면 전기장의 영향을 받지 않으므로 무질서하게 배열한다.

10 (1) 극성 분자는 NH_3와 H_2O이고, 무극성 분자는 $BeCl_2$, BCl_3, CCl_4, CO_2이다.
(2) CO_2는 결합의 쌍극자 모멘트 방향이 서로 반대 방향이므로 결합의 쌍극자 모멘트가 서로 상쇄되어 분자의 쌍극자 모멘트가 0인 무극성 분자이다.
(3), (4) $BeCl_2$과 CO_2는 선형 구조이며, BCl_3는 평면 삼각형 구조이다. CCl_4는 정사면체 구조로 대칭 구조이므로 무극성 분자이며, NH_3는 삼각뿔 구조를 이루는 극성 분자이다.
(5) BCl_3와 CCl_4는 극성 공유 결합으로 이루어진 무극성 분자이다.
(6) $BeCl_2$에서 Be 주위에는 전자가 4개 있고, BCl_3에서 B 주위에는 전자가 6개 있으므로 모두 옥텟 규칙을 만족하지 않는다.

개념 적용 문제 2권 089~094쪽

01 ④ **02** ④ **03** ③ **04** ⑤ **05** ① **06** ② **07** ① **08** ② **09** ③ **10** ③ **11** ① **12** ⑤ **13** ③

01 ㄴ. N 원자에 비공유 전자쌍이 존재하며, 비공유 전자쌍의 반발력에 의해 결합각이 감소하여 결합각(α)은 약 107°이다. C 원자 주위에는 3개의 원자가 결합되어 있고 비공유 전자쌍이 존재하지 않으므로 결합각(β)은 약 120°이다. 따라서 결합각의 크기는 $\alpha < \beta$이다.
ㄷ. 2개의 N 원자에는 각각 1개의 비공유 전자쌍이 존재하고, O 원자에는 2개의 비공유 전자쌍이 존재하므로 요소 분자에 존재하는 전체 비공유 전자쌍 수는 4이다.
바로 알기 ㄱ. 요소 분자의 $-NH_2$에서 N 원자는 전체 전자쌍이 4개이고, 비공유 전자쌍이 1개 존재하므로 요소 분자는 입체 구조를 이룬다.

02 ㄴ. (가)에서 중심 원자에 전자쌍이 4개이고, 이중에서 비공유 전자쌍이 1개 있으므로 결합각 α는 107°이다. (나)에서 중심 원자에 전자쌍이 3개이므로 결합각 β는 120°이다. 따라서 결합각의 크기는 $\alpha < \beta$이다.
ㄷ. (가)는 삼각뿔 구조를 이루며, 결합의 극성이 상쇄되지 않으므로 극성 분자이다. 반면 (나)는 평면 삼각형 구조를 이루며, 결합의 극성이 상쇄되므로 무극성 분자이다. 따라서 분자의 쌍극자 모멘트는 (가)가 (나)보다 크다.
바로 알기 ㄱ. (가)에서 X는 Cl 원자 3개와 단일 결합을 형성하고 비공유 전자쌍이 1개 있으므로 원자가 전자는 5개이다. (나)에서 Y는 Cl 원자 3개와 단일 결합을 형성하므로 원자가 전자는 3개이다. X와 Y는 같은 주기 원소이므로 원자 번호는 원자가 전자가 많은 X가 Y보다 크다. 같은 주기에서 전기 음성도는 원자 번호가 클수록 크므로 전기 음성도는 X가 Y보다 크다.

03 HCN에서 중심 원자인 C 원자 주위의 전자쌍이 반발력을 최소로 하는 분자의 구조는 선형이다. 이때 C 원자에 결합한 원자가 H 원자와 N 원자로 다르므로 전기 음성도가 큰 N 원자 쪽으로 전자쌍이 치우치며 분자의 쌍극자 모멘트는 0보다 크다. C_2H_2에서 각각의 원자 주위에 반발하는 전자쌍 수가 2이므로 분자 구조는 선형이다. 이때 C 원자와 결합한 원자가 H 원자로 같으므로 결합의 극성이 상쇄되어 분자의 쌍극자 모멘트는 0이다.
ㄱ. HCN와 C_2H_2은 모두 선형 구조를 이룬다.
ㄷ. 두 분자에 모두 3중 결합이 있다.
바로 알기 ㄴ. HCN에서는 결합의 극성이 상쇄되지 않으므로 분자의 쌍극자 모멘트가 0보다 크다. 반면 C_2H_2에서는 결합의 극성이 상쇄되므로 분자의 쌍극자 모멘트가 0이다.

04 ㄱ. AE_x에서 중심 원자 주위에 공유 전자쌍 수가 4이고, 중심 원자는 옥텟 규칙을 만족하므로 비공유 전자쌍이 없다. 이로부터 중심 원자 A는 탄소(C)임을 알 수 있고, 가능한 분자식은 CO_2이거나 CF_4 뿐이다. 이때 분자의 비공유 전자쌍 수가 4이므로 AE_x는 CO_2이다. CO_2는 선형 구조를 이룬다.
ㄴ. BD_y에서 중심 원자 B 주위에 공유 전자쌍 수가 3이고 분자 구조가 삼각뿔이므로 중심 원자에는 비공유 전자쌍이 1개 있다. 이로부터 중심 원자 B는 원자가 전자가 5개인 질소(N)임을 알 수 있으며, 2주기 원소 중 질소(N)와 공유 전자쌍을 1개씩 공유하는 원자는 플루오린(F)이다. 즉 BD_y는 NF_3로, 각 플루오린(F) 원자에 비공유 전자쌍이 3개씩 있으므로 BD_y에 들어 있는 비공유 전자쌍 수는 10이다. 따라서 ㉡은 10이다.
ㄷ. BD_y에서 D는 플루오린(F)이므로 CD_z에서 중심 원자 C에 결합한 원자는 플루오린(F)이다. 플루오린(F)은 원자가 전자가 7개이므로 다른 원자가 공유 결합할 때 전자쌍 1개를 공유한다. CD_z에서 중심 원자의 공유 전자쌍이 3개인 것으로 보아 중심 원자 C에 결합한 D의 원자 수는 3이다. 또 플루오린(F) 원자에는 비공유 전자쌍이 3개씩 존재하고 CD_z에 있는 비공유 전자쌍 수가 9이므로 중심 원자 C에는 비공유 전자쌍이 존재하지 않는다. 따라서 중심 원자 C에는 공유 전자쌍만 3개 존재하므로 분자 구조 ㉢은 평면 삼각형이다.

05 ㄱ. A는 구성 원자 수가 3이고 결합각이 180°이므로 분자 구조는 선형이다. 이로부터 A는 무극성 분자임을 알 수 있으며, 무극성 분자의 쌍극자 모멘트는 0이다. 반면 D는 구성 원자 수가 3이고 결합각이 105°보다 작으므로 분자 구조는 굽은 형이다. 이로부터 중심 원자와 염소 원자 사이의 결합의 극성이 상쇄되지 않으므로 D는 극성 분자임을 알 수 있으며, 극성 분자의 쌍극자 모멘트는 0보다 크다. 따라서 분자의 쌍극자 모멘트는 D가 A보다 크다.
바로 알기 ㄴ. B와 C의 구성 원자 수가 4로 같은데, B의 결합각이 120°이므로 B의 분자 구조는 평면 삼각형이다. 이로부터 B의 중심 원자에는 비공유 전자쌍이 없다고 판단할 수 있다. C의 결합각이 109.5°보다 작은 것으로 보아 중심 원자에는 비공유 전자쌍이 1개 있다. 따라서 비공유 전자쌍 수는 C가 B보다 크다.
ㄷ. 분자 구조는 B가 평면 삼각형이고, D가 굽은 형이다. B는 결합의 극성이 상쇄되어 무극성 분자이지만 D는 결합의 극성이 상쇄되지 않아 극성 분자이다.

06 주어진 분자 HCN, CO_2, CH_4, C_2H_2, BCl_3의 구조식으로부터 분자 구조를 파악해보면 다음과 같다.

분자	HCN	CO_2	CH_4
구조식	H−C≡N	O=C=O	H−C(−H)(−H)−H
분자 구조	선형	선형	정사면체
분자의 극성	극성	무극성	무극성
분자	C_2H_2	BCl_3	
구조식	H−C≡C−H	B(−Cl)(−Cl)(−Cl)	
분자 구조	선형	평면 삼각형	
분자의 극성	무극성	무극성	

각 분류 기준에 속하는 분자는 다음과 같다.

분류 기준	예	아니요
(가)	HCN, CO_2, C_2H_2	CH_4, BCl_3
(나)	CO_2, C_2H_2, CH_4, BCl_3	HCN

㉠에 속하는 분자는 다중 결합이 있으면서 극성 분자이므로 HCN이다. ㉡에 속하는 분자는 다중 결합이 있으면서 무극성 분자이므로 CO_2, C_2H_2이다. ㉢에 속하는 분자는 단일 결합만 있는 무극성 분자이므로 CH_4, BCl_3이다.
ㄴ. ㉡에 속하는 분자인 CO_2와 C_2H_2은 모두 선형 구조를 이룬다.
바로 알기 ㄱ. ㉠에 속하는 분자인 HCN에는 2중 결합이 없다.
ㄷ. ㉢에 속하는 분자 중 CH_4의 중심 원자 탄소(C)는 옥텟 규칙을 만족하지만, BCl_3의 중심 원자 붕소(B)는 옥텟 규칙을 만족하지 않는다.

07 2주기 원소 중 플루오린과 결합하여 화합물을 생성하는 경우는 BeF_2, BF_3, CF_4, NF_3, OF_2 5가지이다. 여기서 중심 원자에 비공유 전자쌍이 있는 플루오린 화합물은 NF_3, OF_2이고, 중심 원자에 비공유 전자쌍이 없는 플루오린 화합물은 BeF_2, BF_3, CF_4이다.
중심 원자에 비공유 전자쌍이 있는 플루오린 화합물은 NF_3, OF_2인데, 분류 기준에서는 ㉠과 YF_3이다. YF_3의 분자식을 갖는 플루오린 화합물은 NF_3이며, ㉠은 OF_2이어야 하므로 WF_2는 OF_2이다.

중심 원자에 비공유 전자쌍이 없는 플루오린 화합물은 BeF_2, BF_3, CF_4인데, 분류 기준에서는 XF_3와 ㉡이다. XF_3의 분자식을 갖는 플루오린 화합물은 BF_3이며, ㉡은 남아 있는 분자식 ZF_4이므로 ZF_4는 CF_4이다.
즉, WF_2는 OF_2, XF_3는 BF_3, YF_3는 NF_3, ZF_4는 CF_4이고, ㉠과 ㉡은 각각 $WF_2(OF_2)$, $ZF_4(CF_4)$이다.
ㄴ. ㉠에 해당하는 WF_2에서 중심 원자에는 공유 전자쌍 2개, 비공유 전자쌍 2개가 있고, ㉡에 해당하는 ZF_4에서 중심 원자에는 공유 전자쌍 4개가 존재한다. 따라서 결합각은 ㉡이 ㉠보다 크다.
바로 알기 ㄱ. YF_3는 NF_3이고, ㉠에 해당하는 WF_2는 OF_2이다. NF_3와 OF_2는 모두 극성 분자이므로 분류 기준에는 '극성 분자인가?'를 적용할 수 없다.
ㄷ. $XF_3(BF_3)$에서 중심 원자에는 공유 전자쌍만 3개 있으므로 원자가 전자가 3개이다. $YF_3(NF_3)$에서 중심 원자에는 공유 전자쌍 3개, 비공유 전자쌍이 1개 있으므로 원자가 전자가 5개이다. 따라서 원자 번호는 X<Y이므로 전기 음성도는 원자 번호가 큰 Y가 X보다 크다.

08 (가) 무극성 분자는 CO_2와 BCl_3의 2가지이다.
(나) 다중 결합이 존재하는 분자는 $H-C\equiv N$, $O=C=O$의 2가지이다.
(다) 중심 원자에 8개의 전자가 배치되어 옥텟 규칙을 만족하는 분자는 HCN, CO_2, H_2O, NH_3의 4가지이다. BCl_3에서 B는 원자가 전자가 3개이고, 3개의 Cl와 결합하고 있으며, 비공유 전자쌍은 존재하지 않는다. 따라서 B 주위에는 6개의 전자가 배치되므로 옥텟 규칙을 만족하지 않는다.
a~d에 해당하는 물질은 다음과 같다.
a : BCl_3 b : CO_2
c : HCN d : H_2O, NH_3

09 ㄱ. (가)에서 중심 원자인 A는 부분적인 양전하(δ^+)를 띠고, B 원자는 부분적인 음전하(δ^-)를 띠므로 공유 전자쌍은 B 원자 쪽으로 치우친다. 따라서 전기 음성도는 A<B이다. (나)에서 중심 원자인 B는 부분적인 양전하(δ^+)를 띠고, C 원자는 부분적인 음전하(δ^-)를 띠므로 전기 음성도는 B<C이다. 즉, 전기 음성도는 C가 A보다 크다.
ㄷ. (가)의 분자 구조가 선형인 것으로 보아 중심 원자에는 비공유 전자쌍이 존재하지 않는다. 반면 (나)의 분자 구조는 굽은 형인 것으로 보아 중심 원자에는 비공유 전자쌍이 존재한다.
즉, 중심 원자의 비공유 전자쌍 수는 (나)가 (가)보다 크다.
바로 알기 ㄴ. (가)의 분자 구조는 선형으로, (가)는 결합의 극성이 상쇄되는 무극성 분자이다. 무극성 분자의 쌍극자 모멘트는 0이다. (나)의 분자 구조는 굽은 형으로, (나)는 결합의 극성이 상쇄되지 않는 극성 분자이다. 극성 분자의 쌍극자 모멘트는 0보다 크다.
따라서 분자의 쌍극자 모멘트는 (나)가 (가)보다 크다.

10 분자 XZ_4의 쌍극자 모멘트가 0이므로 XZ_4의 분자 구조는 결합의 극성이 상쇄되는 정사면체 구조이다. 따라서 중심 원자인 X 주위에는 공유 전자쌍만 4개 존재하므로 X는 원자가 전자가 4개인 탄소(C)이다. X와 단일 결합을 형성하여 옥텟 규칙을 만족하는 Z는 원자가 전자가 7개인 17족 원소 플루오린(F)이다.
YZ_2는 쌍극자 모멘트가 0보다 큰 극성 분자이므로 중심 원자 Y와 Z 사이의 결합은 단일 결합이어야 한다. 또, Y 원자는 옥텟 규칙을 만족하므로 Y 원자에는 비공유 전자쌍이 2개 있다. 이로부터 Y는 원자가 전자가 6개인 산소(O)임을 알 수 있다.
ㄱ. XYZ_2는 COF_2로, 구조식은 다음과 같다.
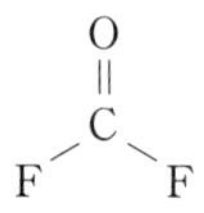

따라서 XYZ_2에는 2중 결합이 있다.
ㄴ. XYZ_2에서 중심 원자 X에 반발하는 전자쌍 수가 3이므로 결합각은 약 120°이다. YZ_2에서 중심 원자 Y에는 비공유 전자쌍이 2개 있으므로 분자 구조는 굽은 형이다. 따라서 결합각은 XYZ_2가 YZ_2보다 크다.
바로 알기 ㄷ. YZ_2에서 전기 음성도는 Z가 Y보다 크므로 Z가 부분적인 음전하(δ^-)를 띤다.

11 구성 원자 수가 4인 분자는 CH_2O와 BCl_3이다. 이중 BCl_3는 중심 원자에 Cl 원자 3개가 결합하고 있고, 중심 원자에는 비공유 전자쌍이 존재하지 않으므로, BCl_3는 평면 삼각형 구조를 이루는 무극성 분자이다. 따라서 (가)는 CH_2O, (나)는 BCl_3이다.
구성 원자 수가 5인 분자는 CH_2Cl_2와 CF_4이다. 이중 CF_4은 중심 원자에 F 원자 4개가 결합하고 있으므로, CF_4는 정사면체 구조를 이루는 무극성 분자이다. 따라서 (라)는 CF_4이고, (다)는 CH_2Cl_2이다.

ㄱ. (가)는 CH_2O로, C 원자와 O 원자 사이의 결합은 2중 결합이다.

바로 알기 ㄴ. (나)는 BCl_3로, B와 Cl 사이의 결합은 서로 다른 원자가 결합한 극성 공유 결합이다. (라)에서도 C와 F 사이의 결합은 서로 다른 원자가 결합한 극성 공유 결합이다. 즉 (나)와 (라)에는 극성 공유 결합만 있다.

ㄷ. (다)는 CH_2Cl_2로 구조식은 다음과 같다.

H
|
:Cl: − C − :Cl:
|
H

중심 원자인 C를 중심으로 공유 전자쌍 4개가 사면체 구조로 배열하여 다음과 같은 분자 구조를 이룬다.

:Cl:
|
H····C − :Cl:
H

전기 음성도는 Cl가 C보다 크므로 C−Cl 결합에서 공유 전자쌍이 Cl 원자 쪽으로 치우친다.

C−H 결합에서는 전기 음성도가 큰 C 원자 쪽으로 공유 전자쌍이 치우치므로 공유 전자쌍 사이의 반발 정도가 다르다. 따라서 각 원자 사이의 결합각은 같지 않다.

12 (가)에서 원자 수비가 X : Y=1 : 2이므로 실험식과 분자식은 XY_2이다. 이때 (가)에서 X와 Y는 모두 옥텟 규칙을 만족하므로 가능한 분자는 CO_2이거나 OF_2이다. (나)에서 원자 수비가 Y : Z=1 : 2이므로 실험식과 분자식은 YZ_2이다. 이로부터 (가)와 (나)에 공통으로 들어 있는 Y는 산소(O) 원자이므로 (가)는 CO_2, (나)는 OF_2이다. 또 (다)의 구성 원자의 종류는 3가지이므로 탄소(C), 산소(O), 플루오린(F)이 모두 (다)를 구성한다. 이때 중심 원자는 공유 결합 수가 가장 많은 탄소(C)이고, 나머지 산소(O)와 플루오린(F)이 1 : 2 또는 2 : 1로 결합하고 있다. 구성 원자가 모두 옥텟 규칙을 만족하는 분자는 COF_2이며, 구조식은 다음과 같다.

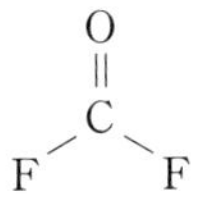

ㄱ. (가)는 CO_2이고, (다)는 COF_2이다. 즉 (가)의 분자 구조는 선형이고, (다)의 분자 구조는 평면 삼각형이므로 결합각은 (가)가 (다)보다 크다.

ㄴ. (가)와 (다)에서 C 원자와 O 원자 사이의 결합은 2중 결합이다.

ㄷ. (가)는 분자 구조가 선형이고, C 원자에 O 원자 2개가 결합하고 있어 결합의 극성이 상쇄되는 무극성 분자이다. (나)는 분자 구조가 굽은 형으로 결합의 극성이 상쇄되지 않는 극성 분자이다. 따라서 분자의 쌍극자 모멘트는 (나)가 (가)보다 크다.

13 N, O, F의 이온화 에너지는 F>N>O이므로 원소 A는 O, B는 N, C는 F이다.

이로부터 분자를 구성하는 모든 원자가 옥텟 규칙을 만족하는 분자 (가)~(다)에 대한 자료는 다음과 같다.

분자	(가)	(나)	(다)
분자식	$B_2(N_2)$	$A_2C_2(O_2F_2)$	$BC_m(NF_3)$
구조식	:N≡N:	:F̤̈−Ö−Ö−F̤̈:	:F̤̈−N̈−F̤̈: (N 아래 :F̤̈:)
비공유 전자쌍 수	x(2)	y(10)	z(10)

ㄱ. $m=3$, $x=2$, $y=10$, $z=10$이므로 $\frac{y+z}{m+x}=\frac{10+10}{2+3}=4$이다.

ㄴ. (나)에서 산소 원자 사이의 결합은 같은 원자가 결합한 무극성 공유 결합이다.

바로 알기 ㄷ. (다)에서 중심 원자에는 공유 전자쌍 3개와 비공유 전자쌍 1개가 있으므로 (다)는 삼각뿔 구조를 이룬다. 따라서 (다)는 구성 원자가 같은 평면상에 존재하지 않는 입체 구조이다.

통합 실전 문제

2권 096~101쪽

01 ③ 02 ① 03 ② 04 ③ 05 ③ 06 ① 07 ③
08 ① 09 ⑤ 10 ⑤ 11 ① 12 ③

01 NH_3, HCN, HCHO 중 구성 원자 수가 같은 분자는 NH_3와 HCHO이므로 이 두 분자는 각각 (가)와 (나) 중 하나이다. 또 구성 원자가 모두 같은 평면상에 존재하는 분자는 선형 구조를 이루는 HCN와 평면 삼각형 구조를 이루는 HCHO이다. 따라서 (가)는 HCHO, (나)는 NH_3, (다)는 HCN이다.

(가)~(다)의 구조식은 다음과 같다.

```
  :O:          ..
   ||        H-N-H
 H-C-H         |         H-C≡N:
               H
  (가)         (나)        (다)
```

ㄱ. (가)에서 C 원자와 O 원자 사이의 결합은 2중 결합이다.

ㄴ. $\frac{\text{비공유 전자쌍 수}}{\text{공유 전자쌍 수}}$는 (가)에서 $\frac{1}{2}$, (다)에서는 $\frac{1}{4}$이므로 (가)가 (다)보다 크다.

바로 알기 ㄷ. (나)는 삼각뿔 구조를 이루고, (다)는 선형 구조를 이룬다. 따라서 결합각은 (다)가 (나)보다 크다.

02 (다)는 기준 Ⅰ에서 '아니요'로 분류되므로 (가)와 (나)는 '예'로 분류될 수 밖에 없다.

HCHO, FCN, CH_2Cl_2의 구조식은 다음과 같다.

```
                              ..
                             :Cl:
  :O:         ..               |
   ||        :F-C≡N:       H-C-H
 H-C-H        ..               |
                             :Cl:
                              ..
  (가)         (나)            (다)
```

ㄱ. 분자 구조는 (가)가 평면 삼각형, (나)는 선형, (다)는 사면체이므로 (가)와 (나)에만 적용되는 기준 Ⅰ에는 '평면 구조인가?'를 적용할 수 있다.

바로 알기 ㄴ. HCHO에서 공유 전자쌍 수와 비공유 전자쌍 수는 각각 4, 2이다. FCN에서 공유 전자쌍 수와 비공유 전자쌍 수는 각각 4, 4이다. 따라서 ㉠은 HCHO, ㉡은 FCN이다. HCHO은 평면 삼각형 구조를 이루고, FCN은 선형 구조를 이루므로 결합각은 ㉡이 ㉠보다 크다.

ㄷ. (다)에서 비공유 전자쌍은 Cl 원자에 각각 3개씩 있으므로 (다)에 있는 비공유 전자쌍 수는 6이다. 또 ㉡에서 비공유 전자쌍 수는 4이므로 비공유 전자쌍 수는 (다)가 ㉡보다 크다.

03 ㄷ. (나)에서 가운데 C 원자를 중심으로 결합한 원자가 3개이므로 3개의 원자들이 다음과 같은 평면 삼각형 구조를 이룬다. 따라서 모든 탄소 원자가 같은 평면에 위치한다.

```
          H
          |
   H     C
    \  //  \
     C       C
     |        \\\
     H          N:
```

바로 알기 ㄱ. (가)에서 2주기 원소인 C와 O는 옥텟 규칙을 만족해야 하므로 구조식은 다음과 같다.

```
 H  :O:  H
 |   ||  |
H-C--C--C-H
 |       |
 H       H
```

결합각 α는 중심 원자 주위에 전자쌍 4개가 공간에서 배열할 때의 각도이므로 약 109.5°이고, 결합각 β는 중심 원자 주위에 전자쌍 3개가 공간에서 배열할 때의 각도이므로 약 120°이다. 따라서 결합각은 $\alpha < \beta$이다.

ㄴ. (나)에서 2주기 원자들이 옥텟 규칙을 만족하도록 구조식을 그리면 다음과 같다.

```
H  H         ┌ ㉡ 3중 결합
|  |         |
C=C-C≡N:
|   └ ㉠ 2중 결합
H
```

04 수소(H), 탄소(C), 산소(O), 플루오린(F)으로 이루어진 삼원자 분자에서 다른 원자와 단일 결합만을 형성하는 H와 F은 중심 원자가 될 수 없다. 따라서 H, C, O, F으로 가능한 삼원자 분자는 CO_2, H_2O, OF_2이다. 이중 CO_2는 분자 구조가 선형으로 분자의 쌍극자 모멘트가 0이다. 따라서 (가)는 CO_2이고, A는 탄소(C), B는 산소(O)이다.

ㄱ. (나)와 (다)는 각각 H_2O과 OF_2인데, (나)에서 B는 부분적인 음전하(δ^-)를 띠므로 (나)는 H_2O, (다)는 OF_2이다. 두 분자 모두 극성 분자이므로 분자의 쌍극자 모멘트는 0보다 크다. 따라서 a와 b는 모두 0보다 크다.

ㄴ. (나)는 H_2O로, 분자 구조는 굽은 형이다.

바로 알기 ㄷ. (다)는 OF_2이므로 중심 원자 B에 결합된 D는 플루오린(F)이다. 전기 음성도는 플루오린(F) > 산소(O)이므로 (다)에서 D는 부분적인 음전하(δ^-)를 띤다.

05 ㄱ. 분자 (가)~(다)에서 2주기 원자는 옥텟 규칙을 만족하므로 (가)의 중심 원자인 C 원자 주위에는 공유 전자쌍이 4개이다. (나)의 중심 원자인 N 원자 주위에는 공유 전자쌍이 3개이므로 각 N 원자에는 비공유 전자쌍이 1개씩 있다. (다)의 중심 원자인 N 원자 주위에는 공유 전자쌍이 3개이므로 각 N 원자에는 비공유 전자쌍이 1개씩 있다. 따라서 비공유 전자쌍이 있는 분자는 (나)와 (다) 2가지이다.

ㄴ. (가)에서 중심 원자에는 비공유 전자쌍이 없으므로 각 탄소 원자를 중심으로 결합한 3개의 원자는 평면 삼각형 구조를 이룬다. (다)에서 중심 원자에는 비공유 전자쌍이 1개 있으므로 각 질소 원자를 중심으로 결합한 2개의 원자는 굽은 형 구조를 이룬다. 따라서 (가)의 결합각(∠HCC)은 (다)의 결합각(∠FNN)보다 크다.

바로 알기 ㄷ. (나)에서 중심 원자에는 비공유 전자쌍이 1개 존재하므로 N 원자를 중심으로 삼각뿔 구조를 이룬다. 즉 (나)의 구조는 입체 구조로, 모든 구성 원자가 같은 평면상에 존재하지 않는다.

06 AB_4에서 공유 전자쌍이 4개, 비공유 전자쌍이 없는 것으로 보아 중심 원자인 A에는 공유 전자쌍만 4개 있고, B에는 비공유 전자쌍이 없는 것을 알 수 있다. 따라서 AB_4는 CH_4이므로 A는 탄소(C), B는 수소(H)이다.
중심 원자가 A인 분자 AC_2에서 비공유 전자쌍은 A에 결합된 C에 있고, 이때 비공유 전자쌍이 4개인 것으로 보아 AC_2는 이산화 탄소(CO_2)에 해당한다. 따라서 C는 산소(O)이고, D는 플루오린(F)이다.
ㄱ. AC_2에 있는 공유 전자쌍은 4개이다. CD_2에는 비공유 전자쌍이 C에 2개, D에 각각 3개씩 있으므로 전체 비공유 전자쌍은 8개이다. 따라서 $\frac{y}{x}=\frac{8}{4}=2$이다.
바로 알기 ㄴ. AC_2의 분자 구조는 선형으로, 결합의 극성이 상쇄되는 무극성 분자이다. CD_2의 분자 구조는 굽은 형으로 결합의 극성이 상쇄되지 않는 극성 분자이다. 따라서 분자의 쌍극자 모멘트는 CD_2가 AC_2보다 크다.
ㄷ. B는 수소(H)이고, C는 산소(O)이므로 B_2C는 물(H_2O)이다. 물(H_2O)에서 중심 원자 O에는 공유 전자쌍이 2개, 비공유 전자쌍이 2개 있으므로 굽은 형이다. AC_2의 분자 구조는 선형이므로 B_2C의 분자 구조는 ㉡이 아니다.

07 ㄱ. NCl_3, CO_2, CH_2F_2의 구조식과 공유 전자쌍 수, 비공유 전자쌍 수는 다음과 같다.

분자	NCl_3	CO_2	CH_2F_2
구조식	:Cl–N–Cl: (N에 :Cl: 결합)	O=C=O	F–C–F (C에 H 2개 결합)
공유 전자쌍 수	3	4	4
비공유 전자쌍 수	10	4	6
$\frac{\text{비공유 전자쌍 수}}{\text{공유 전자쌍 수}}$	$\frac{10}{3}$	1	$\frac{3}{2}$

$\frac{\text{비공유 전자쌍 수}}{\text{공유 전자쌍 수}}$가 가장 큰 (다)는 NCl_3이고, 가장 작은 (가)는 CO_2이므로 중간 값을 갖는 (나)는 CH_2F_2이다.
CH_2F_2의 $\frac{\text{비공유 전자쌍 수}}{\text{공유 전자쌍 수}}=\frac{3}{2}$이므로 $a=1.5$이다.
ㄴ. (가) CO_2의 분자 구조는 선형이고, (다) NCl_3의 분자 구조는 삼각뿔이다. 따라서 결합각은 (가)가 (다)보다 크다.
바로 알기 ㄷ. (나)는 CH_2F_2로 중심 원자에 결합한 원자들이 사면체로 배열하지만 중심 원자에 결합한 원자들의 종류가 모두 같지는 않으므로 결합의 극성이 상쇄되지 않는다. 따라서 (나)는 극성 분자이며, 극성 분자의 쌍극자 모멘트는 0보다 크다.

08 바닥상태인 2주기 원자의 전자 배치, 원자가 전자 수, 전자가 들어 있는 오비탈 수는 각각 다음과 같다.

원자	전자 배치	원자가 전자 수	전자가 들어 있는 오비탈 수
Li	$1s^2 2s^1$	1	2
Be	$1s^2 2s^2$	2	2
B	$1s^2 2s^2 2p^1$	3	3
C	$1s^2 2s^2 2p^2$	4	4
N	$1s^2 2s^2 2p^3$	5	5
O	$1s^2 2s^2 2p^4$	6	5
F	$1s^2 2s^2 2p^5$	7	5

W는 베릴륨(Be), X는 플루오린(F), Y는 산소(O), Z는 질소(N)이다.
ㄱ. WX_2는 BeF_2로, 중심 원자인 베릴륨(Be)에는 공유 전자쌍만 2개 있으므로 분자 구조는 선형이다. 따라서 WX_2는 결합의 극성이 상쇄되는 무극성 분자이며, 무극성 분자의 쌍극자 모멘트는 0이다.
바로 알기 ㄴ. YX_2는 OF_2이다. OF_2에서 중심 원자인 산소(O)에는 공유 전자쌍 2개와 비공유 전자쌍 2개가 있으므로 OF_2의 분자 구조는 굽은 형이다.
ㄷ. ZX_3는 NF_3이다. NF_3에서 중심 원자 질소(N)에는 공유 전자쌍 3개와 비공유 전자쌍 1개가 있으므로 NF_3의 분자 구조는 삼각뿔의 입체 구조이다. 따라서 모든 구성 원자가 같은 평면상에 존재하지는 않는다.

09 ㄱ. C, N, O의 플루오린 화합물 중 중심 원자가 1개이고, 구성 원자가 모두 옥텟 규칙을 만족하는 분자는 CF_4, NF_3, OF_2이다. CF_4, NF_3, OF_2에서 중심 원자의 비공유 전자쌍 수는 각각 0, 1, 2이므로 주어진 조건에 따라 (다)는 OF_2, (가)는 NF_3, (나)는 CF_4이다. 따라서 $l=3$, $m=4$, $n=2$이므로 $\frac{m+n}{l}=2$이다.

ㄴ. (나) CF_4의 분자 구조는 정사면체이므로 결합의 극성이 상쇄되는 무극성 분자이다. (다) OF_2의 분자 구조는 굽은 형으로 결합의 극성이 상쇄되지 않는 극성 분자이다. 따라서 분자의 쌍극자 모멘트는 (다)가 (나)보다 크다.

ㄷ. (가)는 NF_3로, 중심 원자에 공유 전자쌍 3개, 비공유 전자쌍이 1개 있으므로 분자 구조는 삼각뿔이다.

10 HCN, CO_2, CH_4, HCHO의 구조식은 다음과 같다.

H−C≡N:	:Ö=C=Ö:	H−C(H)(H)−H	H−C(=O:)−H
HCN	CO_2	CH_4	HCHO

결합의 쌍극자 모멘트 합이 0인 무극성 분자 (가)와 (나)는 각각 CO_2와 CH_4 중 하나이다. 분자 구조가 정사면체인 CH_4은 입체 구조이므로 (가)는 CH_4이고, (나)는 CO_2이다. 극성 분자인 (다)와 (라) 중에서 2중 결합이 있는 것은 HCHO이므로 (다)는 HCHO이고, (라)는 HCN이다.

ㄱ. (나)의 분자 구조는 선형으로 결합각이 180°이다. (다)의 분자 구조는 평면 삼각형으로 결합각은 약 120°이다. 따라서 결합각은 (나)가 (다)보다 크다.

ㄴ. (나)에서 공유 전자쌍과 비공유 전자쌍은 각각 4개이므로 $\frac{\text{비공유 전자쌍 수}}{\text{공유 전자쌍 수}}=1$이다. (라)에서 공유 전자쌍과 비공유 전자쌍은 각각 4개, 1개이므로 $\frac{\text{비공유 전자쌍 수}}{\text{공유 전자쌍 수}}=\frac{1}{4}$이다. 따라서 $\frac{\text{비공유 전자쌍 수}}{\text{공유 전자쌍 수}}$는 (나)가 (라)의 4배이다.

ㄷ. (가)의 구성 원자 수는 5이고, (라)의 구성 원자 수는 3이다.

11 바닥상태의 원자 A~E에서 조건에 부합되는 전자 배치는 다음과 같다.

원자	전자 배치
A	$1s^22s^22p^1$
B	$1s^22s^22p^5$
C	$1s^22s^22p^4$
D	$1s^22s^22p^2$
E	$1s^22s^22p^3$

A~E에 해당하는 원자는 각각 붕소(B), 플루오린(F), 산소(O), 탄소(C), 질소(N)이다.

ㄱ. $AB_3(BF_3)$의 분자 구조는 평면 삼각형이다. $EB_3(NF_3)$의 분자 구조는 삼각뿔이다. 따라서 결합각은 AB_3가 EB_3보다 크다.

바로 알기 ㄴ. $DC_2(CO_2)$의 분자 구조는 선형으로 분자의 쌍극자 모멘트는 0이다. $CB_2(OF_2)$의 분자 구조는 굽은 형으로 분자의 쌍극자 모멘트는 0보다 크다. 따라서 분자의 쌍극자 모멘트는 CB_2가 DC_2보다 크다.

ㄷ. $EB_3(NF_3)$에서 중심 원자에는 비공유 전자쌍이 1개 있다. $CB_2(OF_2)$에서 중심 원자에는 비공유 전자쌍이 2개 있다.

12 ㄱ. $CuCl_2$와 같은 이온성 물질은 물과 같은 극성 용매에 잘 녹고, 무극성 용매에는 잘 녹지 않는다.
$CuCl_2$가 물이 들어 있는 시험관 Ⅰ에서는 잘 녹고 용매 X가 들어 있는 시험관 Ⅲ에서는 잘 녹지 않은 것으로 보아 용매 X는 무극성 용매이다. 또 용질 Y는 극성 용매에 잘 녹지 않고, 무극성 용매인 X에 잘 녹는 것으로 보아 Y는 무극성 분자로 이루어진 물질이다.

ㄷ. X는 무극성 분자로 이루어진 물질이므로, 사염화 탄소는 X로 적절하다.

바로 알기 ㄴ. X는 무극성 분자로 이루어진 물질이므로 극성 물질인 물과 잘 섞이지 않는다.

사고력 확장 문제

2권 102~105쪽

01 (1) (가)에서 중심 원자인 X는 2주기 16족 원소이고, Y는 2주기 17족 원소이다. (나)에서 중심 원자인 Z는 2주기 14족 원소이다. 따라서 X~Z의 원자 번호는 Z<X<Y이다. 같은 주기에서 원자 번호가 클수록 전기 음성도가 크므로 전기 음성도는 Z<X<Y이다.

(2) (가)에서 중심 원자에는 공유 전자쌍이 2개, 비공유 전자쌍이 2개 있다. (나)에서는 중심 원자에 결합한 원자가 2개이고, 중심 원자에 비공유 전자쌍은 없다.

모범 답안 (1) X~Z의 전기 음성도는 Z<X<Y이므로 (가)에서 공유 전자쌍은 전기 음성도가 큰 Y 원자 쪽으로 치우친다. 따라서 부분적인 양전하(δ^+)를 띠는 원자는 X이다. 또 (나)에서 공유 전자쌍은 전기 음성도가 큰 X 원자 쪽으로 치우치므로 부분적인 양전하(δ^+)를 띠는 원자는 Z이다.

(2) (나)>(가), (가)에서 중심 원자에는 공유 전자쌍이 2개, 비공유 전자쌍이 2개 있으므로 (가)의 분자 구조는 굽은 형이다. (나)에서는 중심 원자에 결합한 원자는 2개이고, 중심 원자에 비공유 전자쌍이 없으므로 (나)의 분자 구조는 선형이다.

	채점 기준	배점(%)
(1)	(가)와 (나)에서 부분적인 양전하(δ^+)를 띠는 원자를 옳게 쓰고, 그 이유를 옳게 서술한 경우	50
	(가)와 (나)에서 부분적인 양전하(δ^+)를 띠는 원자만 옳게 쓴 경우	25
(2)	(가)와 (나)의 결합각을 옳게 비교하고, 그 이유를 분자 구조를 이용하여 옳게 서술한 경우	50
	(가)와 (나)의 결합각만 옳게 비교한 경우	25

02 ㉠과 ㉢은 중심 원자 주위에 공유 전자쌍이 4개 있을 때의 결합각이므로 약 109.5°이다. ㉡은 중심 원자 주위에 공유 전자쌍이 3개, 비공유 전자쌍이 1개 있을 때의 결합각이므로 약 107°이다. ㉣은 중심 원자에 결합한 원자가 3개이므로 중심 원자에 결합한 원자들이 평면 삼각형으로 배열할 때의 결합각이므로 약 120°이다. ㉤은 중심 원자 주위에 공유 전자쌍이 2개, 비공유 전자쌍이 2개 있을 때의 결합각이므로 약 104.5°이다.

모범 답안 중심 원자 주위에 결합한 원자 3개가 평면 삼각형으로 배열한 ㉣에서 결합각이 약 120°로 가장 크다. 또 중심 원자에 전자쌍이 모두 4개일 때 비공유 전자쌍이 가장 많은 ㉤에서 결합각이 가장 작다.

채점 기준	배점(%)
가장 큰 결합각과 가장 작은 결합각을 모두 옳게 쓴 경우	100
가장 큰 결합각과 가장 작은 결합각 중 한 가지만 옳게 쓴 경우	50

03 (1) CH_3^+는 CH_4에서 H^-을 잃고 형성된 이온이므로 중심 원자 C 주위에는 공유 전자쌍이 3개 존재한다.
NH_4^+은 NH_3가 H^+과 배위 공유 결합하여 형성된 이온이므로 중심 원자 N 주위에 공유 전자쌍이 4개 존재한다.
(2) 중심 원자에 공유 전자쌍이 4개인 분자 또는 이온은 NH_4^+ 뿐이다.

모범 답안 (1) 분자 또는 이온을 이루는 중심 원자에 공유 전자쌍이 3개인 경우 그 구조가 평면 삼각형이다. 중심 원자에 공유 전자쌍이 3개 있는 분자 또는 이온은 BCl_3와 CH_3^+이므로 이들의 구조는 평면 삼각형이다.
(2) 중심 원자에 공유 전자쌍이 4개인 분자 또는 이온은 NH_4^+ 뿐이므로 NH_4^+의 구조는 정사면체이다.

	채점 기준	배점(%)
(1)	평면 삼각형 구조를 이루는 분자나 이온을 모두 옳게 고른 경우	50
	평면 삼각형 구조를 이루는 분자나 이온을 1가지만을 옳게 고른 경우	30
(2)	정사면체 구조를 이루는 분자나 이온을 옳게 고른 경우	50

04 (1) CO_2, HCN, CCl_4, BCl_3의 구조식은 다음과 같다.

O=C=O　　H−C≡N:
CO_2　　HCN

:Cl:　　:Cl:
:Cl−C−Cl:　　B
:Cl:　　:Cl　Cl:
CCl_4　　BCl_3

CO_2는 무극성 분자이며 선형 구조를 이루고, HCN는 극성 분자이며 선형 구조를 이룬다. CCl_4는 무극성 분자이며 정사면체 구조를 이루고, BCl_3는 무극성 분자이며 평면 삼각형 구조를 이룬다.

모범 답안 (1) 4가지 분자 중 HCN만 극성 분자이므로 기준 (가)는 '극성 분자인가?'이다. 나머지 CO_2, BCl_3, CCl_4 중 기준 (나)에 의해 2가지 분자가 적용되므로 (나)는 '모든 구성 원자가 같은 평면상에 존재하는가?'이다. 따라서 나머지 기준 (다)는 '다중 결합이 있는가?'이다.
(2) A>B>C, 분류 기준 (가)~(다)에 의해 분자 A~C는 각각 CO_2, BCl_3, CCl_4이다. 따라서 A의 분자 구조는 선형, B는 평면 삼각형, C는 정사면체이므로 원자 사이의 결합각은 A에서 180°, B에서 120°, C에서 109.5°이다.

	채점 기준	배점(%)
(1)	분류 기준 (가)~(다)를 모두 옳게 서술한 경우	50
	분류 기준 (가)~(다) 중 1가지만 옳게 서술한 경우	30
(2)	결합각을 옳게 비교하고 그 이유를 옳게 서술한 경우	50
	결합각만 옳게 비교한 경우	30

05 수소(H), 탄소(C), 산소(O), 플루오린(F) 중 전기 음성도가 가장 작은 원자는 수소(H)이므로 X는 수소(H)이다. 또 다른 원자와 단일 결합만을 형성하는 수소(H)와 플루오린(F)은 중심 원자가 될 수 없으므로 (나)와 (다)에서 중심 원자인 Y와 W는 각각 탄소(C)와 산소(O) 중 하나이다. 나머지 Z는 플루오린(F)이다. 분자 (가)~(다)에서 중심 원자는 옥텟 규칙을 만족하므로 (나)는 OF_2이고, (다)는 CO_2이며, (가)는 CH_2O이다. (가)~(다)의 구조식은 다음과 같다.

:O:　　O　　O=C=O
H−C−H　　:F:　:F:

(가) CH_2O　　(나) OF_2　　(다) CO_2

모범 답안 (1) 주어진 조건에 따라 W, X, Y, Z는 각각 C, H, O, F이므로 분자 (가), (나), (다)는 각각 CH_2O, OF_2, CO_2이다. 따라서 분자 구조는 (가), (나), (다)가 각각 평면 삼각형, 굽은 형, 선형이다.

(2) (가)~(다)에서 중심 원자에 있는 비공유 전자쌍 수는 (가), (나), (다)가 각각 0, 2, 0이다. 또 분자 구조로부터 결합의 극성이 상쇄되지 않는 분자는 (가)와 (나)이다. 즉 극성 분자는 (가)와 (나)이다.

	채점 기준	배점(%)
(1)	(가)~(다)의 분자 구조를 모두 옳게 쓴 경우	50
	(가)~(다)의 분자 구조 중 2가지를 옳게 쓴 경우	30
(2)	비공유 전자쌍 수와 극성 분자를 모두 옳게 쓴 경우	50
	비공유 전자쌍 수와 극성 분자 중 한 가지만 옳게 쓴 경우	30

06 (1) 홀전자 수가 같은 원자들의 바닥상태 전자 배치는 다음과 같다.

홀전자 수	전자 배치
1	$1s^22s^1$
	$1s^22s^22p^1$
	$1s^22s^22p^5$
2	$1s^22s^22p^2$
	$1s^22s^22p^4$
3	$1s^22s^22p^3$

전자가 들어 있는 p 오비탈 수가 같은 원소 X, Y, Z는 각각 질소(N), 산소(O), 플루오린(F) 중 하나이다. 또, 전자가 모두 채워진 오비탈 수는 F>O>N이고, 제1 이온화 에너지는 F>N>O이다.

제1 이온화 에너지가 X>Z이므로 X는 산소(O)가 될 수 없고, 전자가 모두 채워진 오비탈 수는 Y>Z이므로 Y는 질소(N)가 될 수 없다. 따라서 X는 질소(N), Y는 플루오린(F), Z는 산소(O)이다. Y의 홀전자 수는 1이므로 Y와 홀전자 수가 같고 분자를 형성하는 W는 B(붕소)이다. 따라서 WY_3는 BF_3이고, XY_3는 NF_3이다.

(2) Z는 산소(O)이고, 산소(O) 원자가 1개이며 산소(O) 원자가 옥텟 규칙을 만족하는 수소 화합물은 H_2O이다. 따라서 ZH_n에서 $n=2$이다.

모범 답안 (1) 전자가 들어 있는 p 오비탈 수가 같은 원소 X, Y, Z는 각각 N, O, F 중 하나이다. 또, 전자가 모두 채워진 오비탈 수는 F>O>N이고, 제1 이온화 에너지는 F>N>O이므로 X는 N, Y는 F, Z는 O이다. Y의 홀전자 수는 1이므로 Y와 홀전자 수가 같고 분자를 형성하는 W는 B(붕소)이다. 따라서 WY_3는 BF_3이므로 평면 삼각형 구조이고, XY_3는 NF_3이므로 삼각뿔 구조이다.

(2) Z는 산소(O)이므로 ZH_n은 H_2O이다. 따라서 $n=2$이고, H_2O의 분자 구조는 굽은 형이다. 따라서 H_2O은 결합의 극성이 상쇄되지 않는 극성 분자이며, 극성 분자의 쌍극자 모멘트는 0보다 크다.

	채점 기준	배점(%)
(1)	두 분자의 구조가 모두 옳은 경우	50
	두 분자의 구조 중 1가지만 옳은 경우	25
(2)	n 값과 분자의 쌍극자 모멘트에 대해 옳게 서술한 경우	50
	n 값과 분자의 쌍극자 모멘트에 대해 1가지만 옳게 서술한 경우	30

07 (가)에서 중심 원자에 공유 전자쌍이 3개이고, 분자의 비공유 전자쌍이 1개이므로 분자 구조는 삼각뿔이다.
(가)의 중심 원자는 원자가 전자가 5개인 질소(N) 원자이고, 질소(N) 원자에 결합한 원자는 비공유 전자쌍이 없는 수소(H)이다. (나)에서 중심 원자에 공유 전자쌍이 2개이고, 분자 구조가 굽은 형이므로 중심 원자는 비공유 전자쌍이 2개이다. 따라서 중심 원자는 원자가 전자가 6개인 산소(O) 원자이다. 이로부터 (가)와 (나)에 공통으로 들어 있는 B는 수소(H)이고, A는 질소(N), C는 산소(O)임을 알 수 있다. (다)에서 비공유 전자쌍이 4개이고, (다)에는 산소(O) 원자가 포함되며 중심 원자가 옥텟 규칙을 만족해야 하므로 가능한 분자는 CO_2이다. (라)는 수소(H), 탄소(C), 산소(O)로 이루어진 분자로 공유 전자쌍 수가 4인 CH_2O이다.

모범 답안 (1) ㉠ 삼각뿔, ㉡ 선형, ㉢ 평면 삼각형

(2) (다)는 CO_2이므로 공유 전자쌍 수가 4이다. (라)는 CH_2O이므로 비공유 전자쌍은 산소(O) 원자에 2개가 있다. 따라서 $x=4$이고, $y=2$이다.

	채점 기준	배점(%)
(1)	㉠, ㉡, ㉢을 모두 옳게 쓴 경우	60
	㉠, ㉡, ㉢ 중 2가지만 옳게 쓴 경우	40
	㉠, ㉡, ㉢ 중 1가지만 옳게 쓴 경우	20
(2)	x와 y를 모두 옳게 구한 경우	40
	x와 y 중 1가지만 옳게 구한 경우	20

08 탄소(C), 질소(N), 플루오린(F)으로 이루어진 분자 중 1 : 1의 개수비로 결합하여 옥텟 규칙을 만족하는 분자 중 구성 원자 수가 5 이하인 분자는 C_2F_2, N_2F_2이다. 여기서 공유 전자쌍이 4개이고, 비공유 전자쌍이 8개인 분자는 N_2F_2이다. 따라서 (나)는 질소(N)와 플루오린(F)으로 이루어진 분자로 구성 원자 수비가 1 : 3이므로 분자식은 NF_3이다. X가 플루오린(F), Y가 질소(N)이므로 (다)에서 X와 Z는 탄소(C)와 플루오린(F)으로 이루어진 CF_4이다.
(가)~(다)의 구조식은 다음과 같다.

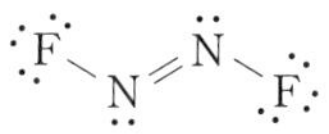

(가) N_2F_2 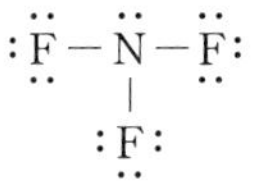　　(나) NF_3 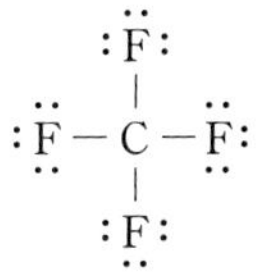　　(다) CF_4

모범 답안 (1) (가)~(다)는 각각 N_2F_2, NF_3, CF_4이므로 다중 결합이 있는 분자는 (가)이다.

(2) (나)는 결합의 극성이 상쇄되지 않는 극성 분자이고, (다)는 결합의 극성이 상쇄되는 무극성 분자이다. 따라서 분자의 쌍극자 모멘트는 (나)가 (다)보다 크다.

	채점 기준	배점(%)
(1)	분자를 옳게 찾은 경우	50
(2)	쌍극자 모멘트를 옳게 비교한 경우	50

09 2주기 원소 3가지로 이루어진 분자 중 공유 전자쌍 수와 비공유 전자쌍 수가 같고, 결합각이 180°이며 선형의 분자 구조를 이루는 분자 (가)는 FCN이다. (나)에서 구성 원소는 2가지이고, 결합각이 120°보다 작으면서 $\frac{\text{비공유 전자쌍 수}}{\text{공유 전자쌍 수}}=3$인 분자는 CF_4이다. (다)에서 $\frac{\text{비공유 전자쌍 수}}{\text{공유 전자쌍 수}}=4$이므로 OF_2이다. (가)~(다)의 구조식은 다음과 같다.

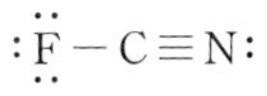

(가) 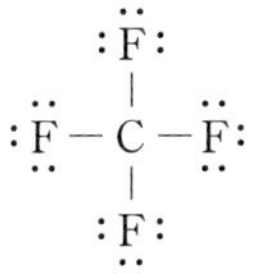　　(나) 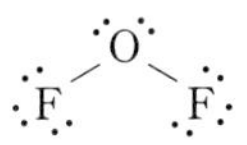　　(다)

모범 답안 (1) (가)는 FCN으로, 중심 원자인 C 원자에 공유 전자쌍이 4개 있다.

(2) (나)에서 중심 원자에는 공유 전자쌍만 4개 있고, 모두 같은 종류의 원자가 결합되어 있으므로 분자 구조는 정사면체이다. 따라서 (나)는 결합의 극성이 상쇄되는 무극성 분자이며, 무극성 분자의 쌍극자 모멘트는 0이다.

(3) (다)에서 중심 원자에는 공유 전자쌍이 2개, 비공유 전자쌍이 2개 있으므로 분자 구조는 굽은 형이다.

	채점 기준	배점(%)
(1)	분자를 옳게 찾고, 공유 전자쌍 수를 옳게 구한 경우	40
	분자만 옳게 찾은 경우	20
(2)	분자를 옳게 찾고, 분자의 극성을 옳게 서술한 경우	30
	분자만 옳게 찾은 경우	15
(3)	분자를 옳게 찾고, 분자 구조와 이유를 옳게 서술한 경우	30
	분자만 옳게 찾은 경우	10

Ⅳ 역동적인 화학 반응

1. 동적 평형과 중화 반응

01 동적 평형

개념 모아 정리하기 2권 117쪽

❶ 정반응 ❷ 정반응 ❸ 역반응 ❹ 증발
❺ 응축 ❻ 응축 ❼ 석출 ❽ 석출

개념 기본 문제 2권 118쪽

01 ㄹ, ㅁ **02** ㄱ, ㄴ **03** ㄴ, ㄷ **04** (1) (가)=(나) (2) 증발 속도>응축 속도 (3) 증발 속도=응축 속도 **05** (1) 용해 속도>석출 속도 (2) 용해 속도=석출 속도

01 ㄹ, ㅁ. 기체 발생 반응과 산 염기 중화 반응은 역반응이 거의 일어나지 않는 비가역 반응이다.
바로 알기 ㄱ. 물의 증발과 응축 현상은 가역 반응이다.
ㄴ. 사산화 이질소(N_2O_4)의 생성 반응과 분해 반응은 가역 반응이다.
ㄷ. 암모니아(NH_3)의 생성 반응과 분해 반응은 가역 반응이다.

02 ㄱ, ㄴ. 화학 평형 상태가 되면 가역 반응이 동적 평형을 이루어 정반응 속도와 역반응 속도가 같아지며, 반응물의 농도와 생성물의 농도가 변하지 않고 일정하게 유지된다.
바로 알기 ㄷ. 순수한 생성물에서 시작해도 역반응이 일어나 반응물이 생성되고 다시 정반응이 일어나 화학 평형 상태에 도달한다.
ㄹ. 화학 반응식의 계수비는 평형 상태에서 존재하는 반응물과 생성물의 농도비와는 관계가 없다.

03 ㄴ. 화학 평형 상태에서 반응물과 생성물의 농도는 일정하게 유지되므로 기체의 색깔이 일정하게 유지된다.
ㄷ. 동적 평형 상태에서 N_2O_4의 분해 속도인 역반응 속도와 생성 속도인 정반응 속도가 같다.
바로 알기 ㄱ. 화학 평형 상태에 이르기까지 반응하고 생성되는 NO_2와 N_2O_4의 몰비가 계수비인 2 : 1이며, 평형 상태의 농도비가 계수비와 같은 것은 아니다.

04 (1) 일정한 온도에서 액체의 증발 속도는 변하지 않으므로 (가)와 (나)에서 증발 속도는 같다.
(2) 동적 평형에 도달하기 전까지 액체의 증발 속도는 증기의 응축 속도보다 크다.
(3) 동적 평형 상태가 되면 액체의 증발 속도와 증기의 응축 속도가 같아져 겉으로 보기에는 아무런 변화가 없는 것처럼 보이는 동적 평형 상태가 된다.

05 (1) (가)는 아직 용해 평형이 이루어지기 전이므로 용해 속도가 석출 속도보다 크다.
(2) (나)는 용해 평형이 이루어진 상태이므로 용해 속도와 석출 속도가 같다.

개념 적용 문제 2권 119~121쪽

01 ② **02** ② **03** ② **04** ⑤ **05** ③ **06** ③

01 ㄴ. 정반응 속도와 역반응 속도가 같으므로 O_2와 O_3의 농도는 변하지 않고 일정하다.
바로 알기 ㄱ. 평형 상태에서 계수비만큼 반응물과 생성물이 존재하는 것은 아니다.
ㄷ. O_2의 생성 반응인 역반응과 O_3의 생성 반응인 정반응은 같은 속도로 계속 일어난다.

02 ㄴ. (가)에서는 액체의 증발 속도가 증기의 응축 속도보다 크므로 액체의 양이 줄어든다.
바로 알기 ㄱ. 증발 속도는 (가)와 (나)가 같지만 응축 속도가 (가)에 비해 (나)가 크다. 이때 증발된 입자 수는 (가)보다 (나)가 많으므로 증기의 압력은 (나)가 (가)보다 크다.
ㄷ. (나)는 동적 평형 상태이므로 액체의 증발과 증기의 응축은 계속 일어나지만 겉으로 보기에 일어나지 않는 것처럼 보인다.

03 ㄷ. 평형 상태에서는 정반응 속도와 역반응 속도가 같으므로 C_2H_6의 생성 속도와 분해 속도는 같다.
바로 알기 ㄱ. 반응 용기에 반응물 중 한 가지만 넣으면 반응이 일어나지 않는다.
ㄴ. 화학 평형 상태에서 반응물 C_2H_2과 생성물 C_2H_6의 농도가 일정하게 유지되는 것이며 항상 같은 것은 아니다.

04 ㄱ. (가)는 용해 평형 상태이므로 동적 평형 상태이다.
ㄴ. (나)에서 수용액 속에 염화 수소(HCl)가 용해되므로 pH는 감소한다.
ㄷ. (가)는 포화 수용액이다. 따라서 이 포화 수용액 속에 염화 수소(HCl) 기체를 통과시키면 염화 수소 기체의 염화 이온(Cl^-)이 나트륨 이온(Na^+)과 반응하여 염화 나트륨(NaCl) 결정으로 석출되므로 석출되는 염화 나트륨의 양이 많아진다.

05 ㄱ. 용해 평형에 도달할 때까지 CO_2의 용해 속도가 석출 속도보다 크다.
ㄷ. 평형 상태에서도 용해와 석출은 계속 일어나고 있으므로 $^{13}CO_2$를 주입하면 용해된 $^{13}CO_2$를 수용액에서 발견할 수 있다.
바로 알기 ㄴ. 평형 상태의 수용액에서도 CO_2의 용해와 석출은 계속 일어난다.

06 ㄱ. 초기에는 생성물의 양이 적으므로 정반응 속도가 역반응 속도보다 크다.
ㄷ. 적갈색을 띠는 NO_2를 넣으면 무색인 N_2O_4가 생성되어 평형 상태가 되므로 초기의 색보다는 옅어진다.
바로 알기 ㄴ. 평형 상태에서는 NO_2와 N_2O_4가 함께 존재한다.

02 산과 염기

집중 분석

2권 134쪽

유제 ㄴ, ㄷ

유제 ㄴ. CN^-은 H_3O^+으로부터 양성자(H^+)를 받으므로 염기이고, CN^-의 짝산은 HCN이다.
ㄷ. F^-은 HF의 짝염기이고 CN^-은 HCN의 짝염기인데, 산의 세기가 HF가 HCN보다 크므로 짝염기의 세기는 CN^-이 F^-보다 크다.
바로 알기 ㄱ. HF의 짝염기는 F^-이다.

개념 모아 정리하기

2권 137쪽

❶ 수소 이온(H^+) ❷ 수소(H_2) ❸ 이산화 탄소(CO_2)
❹ 노란색 ❺ 수산화 이온(OH^-) ❻ 파란색
❼ 수소 이온(H^+) ❽ 수산화 이온(OH^-) ❾ 양쪽성
❿ 14

개념 기본 문제

2권 138~139쪽

01 ㄱ, ㄴ, ㄹ **02** ㄱ, ㄷ **03** ㄱ, ㄴ, ㄷ **04** ㄴ **05** (1) HCl (2) Cl^- (3) HCl와 Cl^-, H_2O과 H_3O^+ **06** ② **07** ㄱ **08** ㄱ, ㄴ **09** ㄱ, ㄴ, ㄷ **10** ㄱ, ㄷ **11** ㄴ, ㄷ

01 ㄱ. 산은 수용액에서 수소 이온(H^+)을 내놓는 물질로, 묽은 수용액은 신맛이 난다.
ㄴ. 산 수용액은 전해질이므로 전류를 흘려 주면 전기가 통한다.
ㄹ. 석회석은 탄산염이므로 산과 반응하여 이산화 탄소(CO_2) 기체를 발생한다.
바로 알기 ㄷ. 산은 수소보다 반응성이 큰 금속과 반응하여 수소 기체를 발생한다. 구리(Cu), 수은(Hg), 은(Ag), 백금(Pt), 금(Au) 등과 같이 수소보다 반응성이 작은 금속은 산에 넣었을 때 수소 기체를 발생하지 않는다.

02 ㄱ. 두 물질 모두 수용액에서 수소 이온(H^+)을 내놓는 산이므로 공통성을 가진다.
ㄷ. 음이온의 종류에 따라 산의 성질이 달라진다.
바로 알기 ㄴ. HCl와 H_2SO_4은 수용액에서 수소 이온(H^+)을 내놓으므로 모두 아레니우스 산에 해당한다.

03 ㄱ. 양성자(H^+)를 줄 수 있는 분자 또는 이온은 산이고, 양성자를 받을 수 있는 분자 또는 이온은 염기이다.
ㄴ. 아레니우스 산 염기 정의는 수용액이 아닌 경우에는 적용할 수 없다는 한계를 지닌다.
ㄷ. 다른 물질의 비공유 전자쌍을 받아들이는 물질은 산이고, 비공유 전자쌍을 내놓는 물질은 염기이다.
바로 알기 ㄹ. 양쪽성 물질은 양성자를 줄 수도 있고 받을 수도 있으므로 산과 염기로 모두 작용할 수 있다.

04 ㄴ. 아레니우스 산은 수용액에서 수소 이온(H^+)을 내놓는 물질로, HCl과 CH_3COOH은 모두 산에 해당한다.

바로 알기 ㄱ. 아레니우스 산은 수용액에서 수소 이온을 내놓는 물질이다.
ㄷ. 아레니우스 산 염기 정의는 수용액이 아닌 경우 산과 염기를 설명할 수 없다.

05 (1), (2) 브뢴스테드·로리 산은 양성자(H^+)를 내놓는 물질이고, 브뢴스테드·로리 염기는 양성자(H^+)를 받는 물질이다. 따라서 정반응에서 브뢴스테드·로리 산은 염화 수소(HCl)이고, 역반응에서 브뢴스테드·로리 염기는 염화 이온(Cl^-)이다.
(3) 짝산 – 짝염기 관계는 H^+를 주고받는 물질에 해당하므로 산인 HCl의 짝염기는 Cl^-이고, 염기인 H_2O의 짝산은 H_3O^+이다.

06 물(H_2O)이 브뢴스테드·로리 산으로 작용하기 위해서는 양성자(H^+)를 내놓아야 한다.
② H_2O이 암모니아(NH_3)에게 양성자를 내놓으므로 산으로 작용한다.
바로 알기 ①, ③ 금속이 물과 반응하는 것은 산화 환원 반응에 해당한다.
④, ⑤ H_2O이 양성자를 받으므로 브뢴스테드·로리 염기로 작용한다.

07 ㄱ. (가)에서는 물(H_2O)이 양성자(H^+)를 받으므로 브뢴스테드·로리 염기로 작용하고, (나)에서는 H_2O이 H^+를 내놓으므로 브뢴스테드·로리 산으로 작용한다. 따라서 H_2O은 양쪽성 물질에 해당한다.
바로 알기 ㄴ. (가)와 (다)에서 H_2O은 H^+를 받으므로 브뢴스테드·로리 염기로 작용한다.
ㄷ. (다)에서 H_2CO_3의 짝염기는 HCO_3^-이다.

08 H_2SO_4과 HNO_3은 산이고, KOH과 NH_3는 염기이다.
ㄱ. 기준 Ⅰ에 의해 '예'에 해당하는 H_2SO_4과 HNO_3은 모두 수용액에서 수소 이온(H^+)을 내놓으므로 아레니우스 산이다.
ㄴ. 기준 Ⅱ가 브뢴스테드·로리 산일 경우 (가)에는 H_2SO_4과 HNO_3이 모두 포함된다.
바로 알기 ㄷ. KOH은 아레니우스 염기이면서 루이스 염기이고, NH_3는 브뢴스테드·로리 염기이면서 루이스 염기이다. 따라서 루이스 염기에 해당하지 않는 (라)에 포함되는 물질은 없다.

09 ㄱ. H_2O은 양성자를 주고받아 자동 이온화 반응이 일어나므로 브뢴스테드·로리 산 염기로 정의할 수 있다.
ㄴ. H_2O은 양성자(H^+)를 주기도 하고, 받기도 하는 양쪽성 물질이다.
ㄷ. 순수한 물은 중성으로, H_3O^+과 OH^-의 농도가 같다.

10 ㄱ. 25 ℃에서 산성 용액의 pH는 7보다 작다.
ㄷ. $pH = -\log[H^+]$이므로 pH 값이 1만큼 작아지면 H^+ 농도는 10배가 된다.
바로 알기 ㄴ. $pH = -\log[H^+]$이므로 용액 속 H^+ 농도가 클수록 pH는 작아진다.

11 (가)는 산성 용액, (나)는 중성 용액, (다)는 염기성 용액이다.
ㄴ. (나)는 H^+과 OH^-의 농도가 같으므로 액성은 중성이다.
ㄷ. 25 ℃에서 물의 자동 이온화 상수는 1.0×10^{-14}이므로 (가), (나), (다)에서 pH와 pOH의 합은 모두 14이다.
바로 알기 ㄱ. (가)는 H^+의 농도가 OH^-의 농도보다 크므로 pH는 7보다 작다.

개념 적용 문제 2권 140~145쪽

01 ② **02** ③ **03** ② **04** ② **05** ③ **06** ① **07** ④ **08** ⑤
09 ⑤ **10** ③ **11** ① **12** ④

01 ㄴ. 아연 조각을 묽은 황산에 넣으면 수소 이온(H^+)이 전자를 얻어 수소 기체가 발생하며 아연 이온(Zn^{2+})이 수용액에 녹아 들어간다. 따라서 +2의 양이온인 Zn^{2+} 1개가 생성되면서 +1의 양이온인 H^+ 2개가 빠져나가므로 수용액 속 양이온 수는 감소한다.
바로 알기 ㄱ. 수용액 속 수소 이온 수가 감소하므로 용액의 pH는 증가한다.
ㄷ. 묽은 황산 대신 탄산을 사용해도 수소 기체가 발생한다.

02 ㄱ. BTB 용액에 의해 산성 용액인 아세트산 수용액은 노란색, 중성 용액인 증류수는 초록색, 염기성 용액인 수산화 나트륨 수용액은 파란색을 띠므로 세 용액의 액성을 구별할 수 있다.

ㄷ. (다)에서 증류수는 전류가 거의 흐르지 않고, 같은 농도일 때 약산인 아세트산 수용액보다 강염기인 수산화 나트륨 수용액의 전류의 세기가 더 크다.

바로 알기 ㄴ. (나)에서 금속 마그네슘과 반응하여 수소 기체를 발생하는 용액은 산성 용액인 아세트산 수용액 1가지이다.

03 ㄴ. NH_3의 짝산은 양성자를 받아서 생성된 NH_4^+이다.

바로 알기 ㄱ, ㄷ. HCl는 양성자(H^+)를 주므로 브뢴스테드·로리 산이다.

04 ㄴ. ㉡ H_2O은 양성자(H^+)를 주므로 브뢴스테드·로리 산으로 작용하고, ㉢ H_2O은 H^+를 받으므로 브뢴스테드·로리 염기로 작용한다. 즉, H_2O은 양쪽성 물질이다.

바로 알기 ㄱ. ㉠ NH_3는 H^+를 받으므로 브뢴스테드·로리 염기로 작용하고, ㉡ H_2O은 H^+를 주므로 브뢴스테드·로리 산으로 작용한다.

ㄷ. 루이스 산은 다른 물질의 비공유 전자쌍을 받아들이는 물질이다. ㉠ NH_3는 비공유 전자쌍을 내놓는 루이스 염기로 작용한다.

05 ㄱ. H_2O은 HCl와의 반응에서 양성자(H^+)를 받으므로 브뢴스테드·로리 염기로 작용한다. 또, H_2O은 NH_3와의 반응에서 양성자(H^+)를 내어 주므로 브뢴스테드·로리 산으로 작용한다.

ㄷ. HCl의 짝염기는 Cl^-이고, NH_3의 짝산은 NH_4^+이다.

바로 알기 ㄴ. 염기성인 NH_3 수용액이 산성인 HCl 수용액보다 pH가 크다.

06 (가)에는 HF와 CH_3COOH이 포함되고, (나)에는 포함되는 물질이 없으며, (다)에는 BF_3가 포함된다.

ㄱ. (가)에 해당하는 물질은 양성자인 수소 이온(H^+)을 내놓으므로 물과 반응할 때 비공유 전자쌍을 받아들이는 루이스 산으로 작용한다.

바로 알기 ㄴ. (나)에 해당하는 물질은 없다.

ㄷ. (다)에 해당하는 물질인 BF_3는 NH_3와 반응할 때 비공유 전자쌍을 받으므로 루이스 산으로 작용한다.

07 ㄴ. 제산제와 비누의 pH가 7보다 크므로 $[H_3O^+]$는 1.0×10^{-7} M보다 작다.

ㄷ. 증류수(물)에 위산을 넣으면 위산은 양성자인 수소 이온(H^+)을 내놓고 증류수는 H^+를 받으므로, 증류수는 브뢴스테드·로리 염기로 작용한다.

바로 알기 ㄱ. 식초를 계속 묽혀도 염기성 용액이 되지 않으며, pH는 7에 가까워질 뿐 7보다 커지지 않는다.

08 ㄱ. 산 ●■는 물에 녹아 ●인 수소 이온(H^+)을 내놓으므로 아레니우스 산이다.

ㄴ. $[H^+]$가 0.003 M이므로 $pH=-\log(3\times10^{-3})=3-\log3=3-0.48=2.52$이다.

ㄷ. 산 ●■의 짝염기인 음이온(■)이 물과 반응하면 양성자를 받으므로 브뢴스테드·로리 염기로 작용한다.

09 ① 25 °C에서 pH와 pOH의 합은 14로 일정하다.

② 25 °C에서 중성 용액의 $[H_3O^+]$는 1.0×10^{-7} M이므로 pH는 7이다.

③ 25 °C에서 물의 이온화 상수(K_w)는 $[H_3O^+]$와 $[OH^-]$를 곱한 값과 같고 1.0×10^{-14}으로 일정하다.

④ 수용액의 산성이 강할수록 $[H_3O^+]$가 크므로 pH는 작아진다.

바로 알기 ⑤ 염기성 수용액에서는 $[OH^-]$가 1.0×10^{-7} M보다 크므로 $[H_3O^+]$는 1.0×10^{-7} M보다 작다.

10 ㄱ. (가)의 pH는 $-\log(5.0\times10^{-8})=8-\log5=8-\log(10\times2^{-1})=7+\log2=7+0.3=7.3$이다.

ㄴ. (다)의 pH는 7이므로 액성은 중성이다.

바로 알기 ㄷ. (나)의 pH는 3이고, (라)의 pH는 $14-pOH=14-12=2$이다.

11 ㄱ. 수용액에서 이온화가 많이 될수록 강산이므로 수용액의 산성은 HX가 HY보다 강하다.

바로 알기 ㄴ. 수용액의 산성은 HX가 HY보다 크므로 $[H_3O^+]$도 HX가 HY보다 크다. 따라서 수용액의 pH는 HX가 HY보다 작다.

ㄷ. HX와 HY는 모두 물과 반응하여 산으로 작용하므로 짝염기가 각각 X^-와 Y^-이다.

12 ㄴ. (가)는 물에 녹아 모두 이온화하였고, (나)는 물에 녹아 이온화된 정도가 (가)보다 작으므로 염기성의 세기는 (가)가 (나)보다 크다.

ㄷ. (나)는 염기성 용액이므로 pH가 7보다 크다. 따라서 $[OH^-]$는 1.0×10^{-7} M보다 크고, $[H_3O^+]$는 1.0×10^{-7} M보다 작다.

바로 알기 ㄱ. (가)에서 $[OH^-]$는 0.005 M이므로 pOH는 $-\log(5\times10^{-3})=2+\log2=2.3$이다. $pH=14-pOH$이므로 pH는 11.7이다.

03 중화 반응

탐구 확인 문제 2권 157쪽

01 ① **02** (1) 0.4 M (2) 0.24 g, 2.4 %

01 **바로 알기** ① NaOH 2 g에 증류수 500 mL를 가하면 용액의 부피가 500 mL보다 커지므로 용액의 농도는 0.1 M보다 작다.

02 (1) 중화 반응의 양적 관계인 $nMV=n'M'V'$에 의해 $1\times x\times 0.01=1\times 0.1\times 0.04$가 성립한다. 따라서 $x=0.4$(M)이다.
(2) 식초 속 아세트산의 양(mol)은 $0.4\times 0.01=0.004$(mol)이므로 질량은 $60\times 0.004=0.24$(g)이다. 따라서 식초 속 아세트산의 함량(%)은 $\frac{0.24\text{ g}}{10\text{ g}}\times 100=2.4$(%)이다.

집중 분석 2권 159쪽

유제 ③

유제 (가)와 (나)는 산성, (다)는 중성, (라)는 염기성 용액이다.
ㄱ. 혼합 용액의 전류의 세기가 가장 작은 것은 완전히 중화된 지점인 (다)이다.
ㄴ. 중화 반응이 완전히 일어난 지점(중화점)인 (다)에서 혼합 용액의 온도가 가장 높고, (라)는 더 낮은 온도의 용액이 첨가되므로 온도가 낮아진다.
바로 알기 ㄷ. 페놀프탈레인 용액을 떨어뜨렸을 때 붉게 변하는 것은 염기성 용액인 (라)이다.

개념 모아 정리하기 2권 161쪽

❶ 알짜 이온 ❷ 수소 이온(H^+) ❸ 수산화 이온(OH^-)
❹ 구경꾼 이온 ❺ 지시약 ❻ 중화 ❼ 높은
❽ 작은 ❾ pH ❿ 염기성 ⓫ 산성

개념 기본 문제 2권 162~163쪽

01 ㄱ, ㄴ **02** ㄱ, ㄷ **03** ㄷ **04** 50개 **05** ㄱ, ㄴ **06** 0.32 g
07 ③ **08** A: 피펫, B: 뷰렛 **09** 무색에서 붉은색으로 변화
10 0.2 M **11** ㄴ, ㄷ **12** ㄴ, ㄹ

01 ㄱ, ㄴ. 산의 수소 이온(H^+)과 염기의 수산화 이온(OH^-)이 1 : 1의 몰비로 반응하여 물이 생성되고, 산의 음이온과 염기의 양이온이 반응하여 염이 생성된다. 이 과정에서 중화열이 발생한다.
바로 알기 ㄷ. 산의 음이온과 염기의 양이온이 반응하면 염이 생성된다.

02 ㄱ. 산의 수소 이온(H^+)과 염기의 수산화 이온(OH^-)이 1 : 1의 몰비로 반응하여 물을 생성한다.
ㄷ. 산의 음이온은 염화 이온(Cl^-)이고, 염기의 양이온은 칼슘 이온(Ca^{2+})이므로 염화 칼슘($CaCl_2$)을 생성한다.
바로 알기 ㄴ. 중성이므로 BTB 용액을 떨어뜨렸을 때 초록색을 띤다.

03 ㄷ. 구경꾼 이온은 반응에 참여하지 않은 이온이므로 염기의 양이온인 A와 산의 음이온인 Cl^-이다.
바로 알기 ㄱ. 수용액에서 전하의 총합은 0이므로 A는 +2의 양이온이다.
ㄴ. (가)에는 수소 이온(H^+)이 2개 존재하고, (나)에는 수산화 이온(OH^-)이 2개 존재하므로 두 수용액을 혼합하면 완전히 중화된다. 따라서 혼합 용액은 중성이므로 용액의 pH는 7이다.

04 OH^- 100개를 완전히 중화 반응시키기 위해 H^+ 100개가 필요하다. 이때 H_2CO_3 분자 1개에 들어 있는 수소 이온(H^+)은 2개이므로 필요한 H_2CO_3 분자 수는 50개이다.

05 ㄱ. 페놀프탈레인 용액을 떨어뜨렸을 때 붉게 변하는 용액은 염기성 용액으로, OH^-이 존재하는 (가)와 (나)에 해당한다.
ㄴ. 용액의 온도가 가장 높은 것은 중화 반응이 가장 많이 일어난 (다)이다.
바로 알기 ㄷ. 생성된 물 분자 수는 (다)와 (라)가 같다.

06 H^+의 양(mol)은 산의 가수×농도×부피(nMV)이므로 주어진 산의 양(mol)은 $2\times 0.2\times 0.02=0.008$(mol)이다. 따라서 필요한 수산화 나트륨(NaOH)의 양(mol)도 0.008 mol이어야 하므로 수산화 나트륨의 질량을 x라고 하면 다음과 같다.

$$\frac{x}{40}=0.008,\ x=0.32\text{(g)}$$

07 약산인 아세트산 수용액을 강염기인 수산화 나트륨 수용액으로 중화 적정하는 반응에서 중화점의 pH는 7보다 크다.

08 삼각 플라스크에 일정량의 식초를 넣기 위해서는 피펫(A)을 이용하고, 중화 적정을 하기 위해 표준 용액을 넣어 적정을 하는 실험 기구는 뷰렛(B)이다.

09 식초에 수산화 나트륨 수용액을 넣으면 용액의 액성이 산성 → 중성 → 염기성으로 된다. 페놀프탈레인 용액의 색은 중화점에 도달할 때까지 무색이지만 중화점 이후 과량으로 존재하는 OH^-에 의해 붉게 변한다.

10 중화 반응의 양적 관계인 $nMV=n'M'V'$에 의해 $1\times x\times 0.1=1\times 0.1\times 0.2$의 식이 성립하므로 HA의 농도($x$)는 0.2 M이다.

11 ㄴ, ㄷ. 묽은 염산에 수산화 나트륨 수용액을 떨어뜨리면 중화열이 발생하므로 혼합 용액의 온도가 높아진다. 따라서 혼합 용액의 온도가 가장 높은 지점이 중화점이다. 또, 중화점에서는 이온 농도가 가장 작으므로 전류의 세기는 가장 작아진다.

바로 알기 ㄱ. 혼합 용액의 색이 무색에서 붉은색으로 변하므로 용액 전체의 색이 붉게 변하는 지점을 찾아야 한다.

12 일정량의 묽은 염산에 수산화 나트륨 수용액을 가할 때 중화점에서 용액의 온도가 가장 높다. 따라서 용액의 액성은 A는 산성, B는 중성, C는 염기성을 나타낸다.

ㄴ. 중화점 이후 수산화 나트륨 수용액을 가해도 더 이상 물이 생성되지 않으므로 생성된 물 분자 수는 B와 C가 같다.

ㄹ. BTB 용액을 떨어뜨렸을 때 파란색으로 변하는 것은 용액의 액성이 염기성인 C이다.

바로 알기 ㄱ. pH는 염기성 용액>중성 용액>산성 용액이므로 용액의 pH는 C>B>A이다.

ㄷ. B는 중화점으로, 이온 농도가 가장 작으므로 전류의 세기가 가장 작다.

개념 적용 문제 2권 164~168쪽

01 ③ **02** ③ **03** ④ **04** ① **05** ③ **06** ② **07** ⑤ **08** ① **09** ② **10** ①

01 반응 전과 후 구경꾼 이온은 반응하지 않으므로 ◎은 염기의 양이온이고, ■은 산의 음이온이다. 반응에 참여한 ●은 OH^-이고, ▨은 H^+이다.

ㄱ. (가)에서 염기의 양이온인 ◎은 OH^-인 ●의 절반만큼 존재하므로 ◎은 +2의 양이온임을 알 수 있다. ▨은 H^+이므로 ◎의 전하는 ▨의 2배이다.

ㄴ. (다)는 반응에 참여하고 남은 OH^-인 ●이 1개 존재하므로 염기성을 나타낸다. 따라서 수용액의 pH는 7보다 크다.

바로 알기 ㄷ. (가)는 ◎ : ●=1 : 2의 개수비로 결합한 염기 2입자가 녹아 있고, (나)는 ▨ : ■=1 : 1의 개수비로 결합한 산 3입자가 녹아 있다. 따라서 같은 부피로 존재하는 두 수용액의 몰 농도비는 (가) : (나)=2 : 3이다.

02 A는 Cl^-, B는 Ca^{2+}, C는 OH^-, D는 H^+이다.

ㄱ. $Ca(OH)_2$ 수용액의 몰 농도를 x라 하면 중화점까지 들어간 염산의 부피가 40 mL이므로 $nMV=n'M'V'$에 의해 $2\times x\times 0.05=1\times 0.1\times 0.04$, $x=0.04$(M)이다.

ㄴ. (가)는 염기성이고 (나)는 중성이므로 혼합 용액의 pH는 (가)가 (나)보다 크다.

바로 알기 ㄷ. 알짜 이온 반응식은 C인 OH^-과 D인 H^+으로 나타낼 수 있다. $H^+ + OH^- \longrightarrow H_2O$

03 (가) → (마) → (다)의 과정으로 부피 플라스크를 이용하여 수산화 나트륨 표준 용액을 만든 후 뷰렛에 채워 넣고, (라) → (나) → (바)의 과정으로 삼각 플라스크 속 식초 수용액을 중화 적정하여 아세트산 농도를 계산한다(사).

04 ㄱ. 수산화 나트륨(NaOH) 0.4 g은 0.01 mol에 해당하고 수용액의 부피가 1 L이므로 NaOH 수용액의 몰 농도는 0.01 M이다.

바로 알기 ㄴ. 중화 적정에 쓰인 식초의 몰 농도를 x라 하면 NaOH 수용액의 부피가 20 mL이므로 $nMV=n'M'V'$에 의해 $1\times x\times 0.01=1\times 0.01\times 0.02$, $x=0.02$(M)이다. 이때 식초를 $\frac{1}{10}$로 묽혔으므로 묽히기 전 식초의 몰 농도는 0.2 M이다.

ㄷ. 식초 속 아세트산의 양(mol)은 $0.2\ \text{M}\times\frac{10}{1000}\ \text{L}$이고 식초의 질량이 10 g이므로 아세트산의 함량은 다음과 같다.

$$\frac{(0.2\times 0.01\times 60)\ \text{g}}{10\ \text{g}}\times 100=1.2(\%)$$

05 ㄱ. 염산에서 H^+의 양(mol)은 0.001 mol이고, 초기 이온 수 $2N$은 H^+과 Cl^- 수의 합이므로 N은 0.001 mol임을 알 수 있다.

ㄴ. NaOH 수용액의 몰 농도를 x라 하면 중화점까지 들어간 NaOH 수용액의 부피가 20 mL이므로 $nMV=n'M'V'$에 의해 $1\times x\times 0.02=1\times 0.1\times 0.01$, $x=0.05$(M)이다.

바로 알기 ㄷ. 중화점 이후에는 더 이상 물이 생성되지 않고, a는 중화점의 절반에 해당하는 NaOH 수용액이 가해진 지점이므로 생성된 물 분자 수는 b가 a의 2배이다.

06 ㄷ. (가)와 (라)에서 혼합 용액의 최고 온도가 같으므로 생성된 물 분자 수도 같다.

바로 알기 ㄱ. 혼합 용액의 온도가 가장 높은 (나)에서 반응한 수용액의 부피는 수산화 칼륨 수용액이 40 mL이고, 0.2 M 염산이 20 mL이다. 수산화 칼륨 수용액의 몰 농도 x는 $nMV=n'M'V'$에 의해 $1\times x\times 0.04=1\times 0.2\times 0.02$, $x=0.1$(M)이다.

ㄴ. 혼합 용액 (다)의 액성은 산성이다.

07 실험 Ⅰ과 Ⅱ에서 중화점은 과량으로 들어간 OH^-의 수가 증가하기 시작하는 지점이다.

ㄱ. 실험 Ⅰ에서 0.1 M NaOH(aq) 20 mL와 반응한 HCl(aq)의 몰 농도를 x라 하면 $nMV=n'M'V'$에 의해 $1\times x\times 0.04=1\times 0.1\times 0.02$, $x=0.05$(M)이다. 이때 OH^-의 수가 실험 Ⅰ이 Ⅱ의 2배이므로 실험 Ⅱ의 HCl(aq) 농도는 실험 Ⅰ의 $\frac{1}{2}$인 0.025 M이다.

ㄴ. 실험 Ⅰ이 실험 Ⅱ의 2배만큼 중화 반응이 일어났으므로 최고 온도는 실험 Ⅰ이 실험 Ⅱ보다 높다.

ㄷ. 실험 Ⅱ에서 NaOH(aq)의 몰 농도는 실험 Ⅰ의 $\frac{1}{2}$에 해당하므로 0.05 M이다.

08 ㄱ. 0.1 M NaOH 수용액 10 mL와 반응한 산 HA 수용액의 몰 농도를 x라 하면 $nMV=n'M'V'$에 의해 $1\times x\times 0.01=1\times 0.1\times 0.01$, $x=0.1$(M)이다. 또, 0.1 M NaOH 수용액 10 mL와 반응한 산 HB 수용액의 몰 농도를 x'라 하면 $1\times x'\times 0.02=1\times 0.1\times 0.01$, $x'=0.05$(M)이다.

바로 알기 ㄴ. (가)의 경우 산 HA 수용액은 중화점을 지난 지점이므로 산성이고, 산 HB 수용액은 중화점 이전의 지점이므로 염기성이다. 따라서 두 혼합 용액의 pH는 같지 않다.

ㄷ. (나)와 (다)는 전류의 세기가 가장 작으므로 각 혼합 용액의 중화점이다. 이때 존재하는 산의 음이온 수는 염기의 양이온인 Na^+의 수와 같으므로 0.001몰로 같다.

09 0.1 M $Ca(OH)_2$(aq)과 x M HNO_3(aq)이 반응할 때 혼합 용액의 온도가 가장 높은 (나)에서 HNO_3(aq)의 부피가 80 mL, $Ca(OH)_2$(aq)의 부피가 40 mL이므로 $1\times x\times 0.08=2\times 0.1\times 0.04$, $x=0.1$(M)이다.

ㄴ. (가)에서는 HNO_3(aq)이 과량으로 존재하므로 생성된 물 분자의 양(mol)은 $Ca(OH)_2$(aq) 속 OH^-의 양(mol)과 같고, (라)에서는 $Ca(OH)_2$(aq)이 과량으로 존재하므로 생성된 물 분자의 양(mol)은 HNO_3(aq) 속 H^+의 양(mol)과 같다. 따라서 (가)와 (라)에서 생성된 물 분자의 양(mol)은 0.004 mol로 같다.

바로 알기 ㄱ. x는 0.1이다.

ㄷ. (나)는 완전히 중화되었고, (다)에는 반응하지 않고 남은 OH^-이 존재하므로 (나)와 (다)의 혼합 용액은 염기성을 띤다.

10 혼합 용액에는 구경꾼 이온이 반응하지 않고 존재하며, (가)에만 포함된 ▲은 H^+에 해당하므로 혼합 후 각 용액에 들어 있는 입자 수는 다음과 같다.

구분	(가)			(나)	
양이온 종류	▲	■	●	■	●
단위 부피 속 양이온 수	2	3	3	2	6
전체 부피 속 양이온 수	2×40 =80	3×40 =120	3×40 =120	2×80 =160	6×80 =480

이때 (가)와 (나)에서 NaOH 수용액의 부피비가 1 : 4이고, KOH 수용액의 부피비가 3 : 4이므로 ●은 Na^+이고, ■은 K^+임을 알 수 있다.

ㄱ. 혼합 전과 후 Na^+, K^+ 수는 일정하고 H^+ 수는 반응 후 남은 H^+, Na^+, K^+의 총 수와 같다. 따라서 혼합 전 각 수용액에 포함된 입자 수는 다음과 같다.

구분	HCl(aq)		NaOH(aq)		KOH(aq)	
	H^+	Cl^-	Na^+	OH^-	K^+	OH^-
(가)	320	320	120	120	120	120
	20 mL		5 mL		15 mL	
(나)	640	640	480	480	160	160
	40 mL		20 mL		20 mL	

이때 염산 20 mL에 포함된 이온 640개의 농도가 0.2 M에 해당한다. NaOH 수용액 5 mL에는 이온 240개가 포함되어 있으므로 NaOH(*aq*)의 농도 x는 640개 : 0.2 M =(4×240)개 : x, x=0.3 M이고, KOH 수용액은 15 mL에 이온 240개가 포함되어 있으므로 KOH(*aq*)의 농도 y는 640개 : 0.2 M=$\left(\frac{4}{3}\times240\right)$개 : y, y=0.1 M이다.

바로 알기 ㄴ. 생성된 물 분자 수는 (가) : (나)=240 : 640=3 : 8이므로 (나)가 (가)보다 많다.
ㄷ. (나)는 중성이므로 페놀프탈레인 용액을 떨어뜨리면 무색이다.

통합 실전 문제

2권 170~175쪽

01 ②	02 ⑤	03 ②	04 ③	05 ⑤	06 ①	07 ③
08 ⑤	09 ②	10 ③	11 ⑤	12 ③		

01 ㄴ. 염화 나트륨 포화 수용액에 $H^{37}Cl$를 넣으면 용해와 석출이 계속 일어나 새로운 용해 평형에 도달하므로 염화 나트륨 결정에서 $Na^{37}Cl$이 발견된다.

바로 알기 ㄱ. 주어진 반응은 용매인 증류수에 염화 나트륨(NaCl)이 용해되는 현상으로, 용해 속도와 석출 속도가 같아 더 이상 녹지 않는 것처럼 보이는 동적 평형 상태를 나타낸다. 따라서 염소 기체가 발생하지 않으며, 과량의 염화 수소 기체가 용액 밖으로 빠져나온다.
ㄷ. 용해와 석출이 같은 속도로 일어나는 $NaCl(s) \rightleftharpoons Na^+(aq) + Cl^-(aq)$의 용해 평형 상태의 용액에 $H^{37}Cl$를 넣으면 $^{37}Cl^-$의 농도가 증가하여 Cl^-이 Na^+과 반응하는 역반응이 우세하게 일어나므로 수용액 속 Na^+의 농도는 감소한다.

02 ㄱ. 반응 초기에는 석출된 CO_2의 양이 적으므로 CO_2의 용해 속도가 석출 속도보다 크다.
ㄴ. A는 용해 평형이 이루어진 동적 평형 상태이므로 용해 속도와 석출 속도가 같다.
ㄷ. A에서 실린더에 기체 상태로 존재하는 CO_2의 양이 0.04 mol이므로 물에 용해된 CO_2의 양은 0.06 mol이다.

03 ㄴ. 강철 용기에 반응물인 A 기체 대신 생성물인 B 기체를 넣어도 역반응이 진행되어 반응물이 생성되고 다시 정반응이 진행되어 생성물이 생성되는 가역 반응이 일어나므로 평형 상태에서 두 물질의 농도는 일정하게 유지된다.

바로 알기 ㄱ. t에서 정반응 속도와 역반응 속도가 같은 동적 평형 상태이지만, 반응물인 A의 농도와 생성물인 B의 농도가 같지는 않다.
ㄷ. 강철 용기에 반응물인 A 1몰 대신 생성물인 B 1몰을 넣으면 평형 상태에서 농도가 달라지므로 정반응 속도와 역반응 속도는 v가 아니다.

04 ㄱ. (가)에서 CH_3COOH은 물에 녹아 수소 이온(H^+)을 내놓으므로 아레니우스 산이다.
ㄴ. (나)에서 NH_3는 비공유 전자쌍을 내놓으므로 루이스 염기이자 양성자(H^+)를 받아들이므로 브뢴스테드·로리 염기이다.

바로 알기 ㄷ. (가)에서 H_2O은 양성자(H^+)를 받아들이므로 브뢴스테드·로리 염기이고, (나)와 (다)에서 H_2O은 양성자(H^+)를 내놓으므로 브뢴스테드·로리 산이다.

05 ㄱ, ㄴ. (가)의 N는 비공유 전자쌍을 가지므로 ㉠에서 수소 이온, 즉 양성자(H^+)를 받아들여 브뢴스테드·로리 염기로 작용한다.
ㄷ. ㉡에서 (가)는 수소 이온(H^+)을 내놓으므로 아레니우스 산이다. 이때 (가)에서 내놓은 H^+과 첨가한 OH^-이 반응하여 물로 빠져나간다.

06 ㄱ. $y>x$이므로 온도가 높을수록 물의 이온화 상수(K_w)가 커짐을 알 수 있다. 따라서 10 ℃ 물에서 $[H_3O^+]$는 25 ℃에서의 1.0×10^{-7} M보다 작아 pH는 7보다 크다.

바로 알기 ㄴ. 25 ℃에서 pH 6인 산성 용액을 $\frac{1}{1000}$로 묽혀도 pH가 7에 가까워질 뿐 염기성 용액인 pH 7 이상이 되지는 않는다.
ㄷ. 60 ℃에서는 물의 이온화 상수(K_w)가 25 ℃에서보다 더 크므로 (pH+pOH)는 14보다 작다. 따라서 pOH는 12보다 작다.

07 ㄱ. 순수한 물에서는 자동 이온화 반응에 의해 H_3O^+과 OH^-이 1 : 1의 몰비로 생성된다.
ㄴ. 물의 자동 이온화 반응에 대한 이온화 상수(K_w)는 온도에 따라 달라지는데, 특정 온도에서의 pH와 pOH의 합은 $-\log K_w$로 일정하다.

바로 알기 ㄷ. 수용액 속에 존재하는 H_3O^+의 농도가 커질수록 pH는 작아진다.

08 ㄱ. HA와 BOH의 몰비는 $x : y = 3 : 2$이다.

ㄴ, ㄷ. $x=\frac{3}{2}y$이고 H^+이 반응하여 없어지는 만큼 B^+이 생성되므로 혼합 용액 500 mL 속에 들어 있는 전체 양이온의 양은 x mol이다. 따라서 (다)에 들어 있는 양이온의 양(mol)을 n mol이라 하면 500 mL : x mol=20 mL : n mol이므로 $n=\frac{2}{50}x=\frac{3}{50}y$이다. 또, (다)에는 과량으로 들어 있는 H^+에 의해 산성을 나타내므로 페놀프탈레인 용액을 떨어뜨리면 무색이다.

09 A는 염화 이온(Cl^-), B는 칼륨 이온(K^+), C는 수산화 이온(OH^-), D는 수소 이온(H^+)이다.

ㄴ. 혼합 용액 속에서 반응하여 없어지는 OH^-의 수만큼 Cl^-이 생성되므로 중화점 (나)에 도달할 때까지 총 이온 수는 같다.

바로 알기 ㄱ. 구경꾼 이온은 A와 B이다.

ㄷ. KOH(aq) 50 mL와 반응하는 HCl(aq)의 부피가 40 mL이므로 $n \times M \times V = n' \times M' \times V'$에 의해 수용액의 몰 농도비는 KOH($aq$) : HCl($aq$)=4 : 5이다.

10 ㄱ. 묽은 염산(HCl)과 수산화 나트륨(NaOH) 수용액의 중화 반응에서 반응하지 않는 이온은 Cl^-과 Na^+이므로 (가)와 (나)에 공통으로 존재하는 ▲과 ■은 각각 구경꾼 이온 중 하나이다. 이때 (가)에서 ▲의 수는 ●, ■ 수의 합과 같고, (나)에서 ■의 수는 ○, ▲ 수의 합과 같다. 또, (나)에만 존재하는 ○은 OH^-이므로 ●은 H^+이다. 즉, ▲은 Cl^-, ●은 H^+, ■은 Na^+, ○은 OH^-이다.

ㄴ. (가)와 (나)에서 HCl(aq)은 100 mL로 같으므로 Cl^-인 ▲의 수도 같아야 한다. 이때 ▲는 (가)에서 4개이고, (나)에서 2개이므로 혼합 용액의 총 부피는 (나)가 (가)의 2배이다. 단위 부피당 Na^+(■)의 수는 (나)가 (가)의 3배인데, 혼합 용액의 총 부피가 (나)가 (가)의 2배이므로 Na^+의 수는 (나)에서가 (가)에서의 6배이다. 따라서 $y=6x$이다.

(가)의 부피를 V, (나)의 부피를 $2V$라고 하면, 단위 부피 속 이온 수 모형을 통해 전체 부피에서의 이온 수는 다음과 같다.

구분	(가)			(나)		
이온 종류	● H^+	▲ Cl^-	■ Na^+	▲ Cl^-	■ Na^+	○ OH^-
단위 부피 속 이온 수	3	4	1	2	3	1
전체 부피 속 이온 수	$3\times V$	$4\times V$	$1\times V$	$2\times 2V$	$3\times 2V$	$1\times 2V$

바로 알기 ㄷ. (가)에서 H^+과 OH^-은 $V(=4V-3V)$만큼 반응하였고, (나)에서 H^+과 OH^-은 $4V(=6V-2V)$만큼 반응하였으므로 발생하는 중화열은 (나)가 (가)의 4배이다.

11 HCl(aq)과 NaOH(aq)의 중화 반응에서 혼합 용액 Ⅰ이 산성일 때 HCl(aq)을 추가로 넣으면 넣어 준 H^+ 수만큼 양이온 수가 증가한다. 한편 혼합 용액 Ⅰ이 염기성일 경우 HCl(aq)을 추가로 넣으면 넣어 준 H^+과 모두 반응하여 혼합 용액 Ⅱ가 중성이거나, 과량으로 존재하는 혼합 용액 Ⅰ에서의 OH^-에 의해 염기성이 되는데, 이때 양이온 수는 변하지 않게 되므로 혼합 용액 Ⅱ는 산성이어야 함을 알 수 있다. 즉, 혼합 용액 Ⅱ에서는 과량으로 H^+이 존재한다. 이때 혼합 용액 Ⅰ과 Ⅱ에서 양이온 수는 각각 $5N$과 $6N$이다.

다시 설명하자면 첫 번째의 경우 혼합 용액 Ⅰ이 산성이면 HCl(aq) 20 mL와 NaOH(aq) 10 mL의 반응 시 존재하는 양이온 수는 과량으로 존재하는 H^+ 수와 Na^+ 수의 합으로 $5N$이고, 여기에 추가로 HCl(aq) 10 mL를 가하게 되면 양이온 수는 $6N$이 아닌 $7.5N$이 된다. 즉, 혼합 용액 Ⅰ은 산성이 될 수 없다.

두 번째의 경우 혼합 용액 Ⅰ의 액성은 염기성이고 추가로 HCl(aq) 10 mL를 넣었을 때 양이온 수가 $5N$에서 $6N$으로 증가하였으므로 혼합 용액 Ⅱ의 액성은 산성이다. 따라서 혼합 용액 Ⅰ에 포함된 양이온은 Na^+으로 $5N$임을 알 수 있고, 추가로 HCl(aq) 10 mL를 넣었을 때 증가된 양이온은 H^+으로 N임을 알 수 있다.

혼합 용액	HCl(aq)		NaOH(aq)	
	H^+	Cl^-	Na^+	OH^-
Ⅰ	0	$4N$	$5N$	N
	20 mL		10 mL	
Ⅱ	N	$6N$	$5N$	0
	30 mL		10 mL	
Ⅲ	0	$6N$	$6N$	0
	30 mL		$(10+x)$ mL	

ㄱ. 혼합 용액 Ⅰ은 염기성 용액이고, Ⅱ는 산성 용액이다.

ㄴ, ㄷ. 용액 Ⅱ와 Ⅲ의 양이온 수가 같으므로 추가로 넣은 수용액은 NaOH(aq)이다. 이때 혼합 용액 Ⅲ의 액성은 중성이므로 H^+의 수(N)와 반응하는 OH^-의 수(N)가 같아야 한다. 따라서 x는 2 mL임을 알 수 있다.

12 혼합 전과 후 각 수용액에 포함된 입자 수는 다음과 같다.

구분	혼합 전						혼합 후 총 이온 수
	$HCl(aq)$		$NaOH(aq)$		$KOH(aq)$		
	H^+	Cl^-	Na^+	OH^-	K^+	OH^-	
(가)	$30N$	$30N$	0	0	$10N$	$10N$	$60N$
	10 mL		0		10 mL		
(나)	$30N$	$30N$	$50N$	$50N$	0	0	$100N$
	10 mL		10 mL		0		
(다)	$30N$	$30N$	$50N$	$50N$	$10N$	$10N$	$120N$
	10 mL		10 mL		10 mL		

ㄱ. 총 이온 수는 (다)가 (가)의 2배이다.

ㄴ. 몰 농도는 단위 부피당 이온 수에 비례하고, 용액 10 mL당 입자 수가 $HCl(aq)$이 $KOH(aq)$의 3배이므로 몰 농도도 $HCl(aq)$이 $KOH(aq)$의 3배이다.

바로 알기 ㄷ. 혼합 용액 (가)에는 과량으로 존재하는 H^+의 수가 $20N$이고, (나)에는 과량으로 존재하는 OH^-의 수가 $20N$이므로 두 용액을 혼합하면 중성이다.

사고력 확장 문제

2권 176~179쪽

01 (1) (가)는 $^{23}NaCl$의 포화 수용액이므로 용해 속도와 석출 속도가 같은 동적 평형 상태이다.

(2) $^{23}NaCl$ 포화 수용액은 용해와 석출이 같은 속도로 일어난다. 따라서 이 수용액에 질량수가 다른 나트륨의 동위 원소 ^{24}Na을 포함한 $^{24}NaCl$ 결정을 녹이면 이 결정도 용해와 석출이 계속 일어나 용해 속도와 석출 속도가 같아지므로 (나)에서 석출되는 결정에는 $^{23}NaCl$과 $^{24}NaCl$이 모두 존재한다.

모범 답안 (1) (가)는 동적 평형 상태이므로 $^{23}NaCl$의 용해 속도와 석출 속도가 같다.

(2) $^{23}NaCl$과 $^{24}NaCl$, $^{23}NaCl$ 수용액에 $^{24}NaCl$을 넣어도 용해와 석출이 계속 일어나므로 두 결정 모두 석출된다.

	채점 기준	배점(%)
(1)	동적 평형 상태임을 언급하여 용해 속도와 석출 속도가 같음을 옳게 서술한 경우	50
	용해 속도와 석출 속도가 같다고만 서술한 경우	30
(2)	두 결정의 화학식을 모두 쓰고 그 이유를 옳게 서술한 경우	50
	두 결정의 화학식만 옳게 쓴 경우	30

02 아레니우스 산과 염기는 물에 녹아 H^+ 또는 OH^-을 내놓는 물질이고, 브뢴스테드·로리 산과 염기는 양성자(H^+)를 주거나 받는 물질로 정의한다. 아레니우스 산과 염기의 정의는 수용액 상태일 때로 한정된다.

모범 답안 (가)에서 KOH은 물에 녹아 OH^-을 내놓는 물질이므로 아레니우스 정의로만 설명할 수 있는 염기(Ⅰ)는 ㉠ KOH이다. (나)의 ㉡ H_2O과 (다)의 ㉢ NH_3는 양성자(H^+)를 받는 물질이므로 브뢴스테드·로리 정의로 설명할 수 있는 염기(Ⅱ)이다.

채점 기준	배점(%)
염기 Ⅰ과 Ⅱ를 각각 옳게 고르고, 그 이유를 옳게 서술한 경우	100
염기 Ⅰ과 Ⅱ 중 한 가지만 옳게 고르고, 그 이유를 옳게 서술한 경우	50
염기 Ⅰ과 Ⅱ만 각각 옳게 고른 경우	30

03 (가)에서 혼합 용액이 산성이므로 혼합 용액에는 OH^-이 없으며, H^+, A^{2-}, B^{2+}이 존재해야 하고, A^{2-}의 수는 B^{2+}보다 과량으로 존재해야 한다. 따라서 이온 수비는 $H^+ : A^{2-} : B^{2+} = 2N : 2N : N$이다.

(나)에서 혼합 용액이 염기성이므로 혼합 용액에는 H^+이 없으며, A^{2-}, B^{2+}, OH^-이 존재해야 하고, A^{2-}의 수는 (가)에서와 같은 $2N$이어야 한다. 따라서 이온 수비는 $A^{2-} : B^{2+} : OH^- = 2N : 4N : 4N$이다.

(가)와 (나)에서 혼합 전 존재하는 각 이온 수는 다음과 같다.

구분	혼합 전			
	$H_2A(aq)$		$B(OH)_2(aq)$	
	H^+	A^{2-}	B^{2+}	OH^-
(가)	$4N$	$2N$	N	$2N$
	20 mL		20 mL	
(나)	$4N$	$2N$	$4N$	$8N$
	20 mL		$(20+x)$ mL	

모범 답안 (1) (가)에 추가로 B^{2+} $3N$과 OH^- $6N$을 넣어 주어야 하므로 x는 60 mL이다.

(2) (가)에서 반응하는 $H_2A(aq)$과 $B(OH)_2(aq)$의 몰 농도비는 $\frac{6N}{20}$: $\frac{3N}{20}=2:1$이므로 용액 속에 존재하는 양이온은 H^+ $2N$과 B^{2+} N이다. (나)는 (가)에 $B(OH)_2(aq)$ 60 mL를 추가로 가했으므로 용액 속에 존재하는 양이온은 B^{2+} $4N$이다. 따라서 (가)와 (나)에서 존재하는 양이온의 입자 수비는 $3N:4N=3:4$이다.

	채점 기준	배점(%)
(1)	(가)에 추가로 넣어 주어야 하는 이온 수를 언급하여 x를 옳게 서술한 경우	50
	x만을 옳게 쓴 경우	30
(2)	(가)와 (나)에서 존재하는 양이온의 입자 수비를 두 수용액에 존재하는 이온 수를 언급하여 옳게 서술한 경우	50
	(가)와 (나)에서 존재하는 양이온의 입자 수비만 옳게 쓴 경우	30

04 (1) 단위 부피당 이온 수를 혼합 용액 1 mL당 이온 수인 N으로 하면 $HCl(aq)$ 20 mL 속 B 이온 수는 $9N\times20=180N$이다. 여기에 $NaOH(aq)$ 10 mL를 가하여도 B 이온 수는 $6N\times30=180N$으로 일정하므로 B는 $HCl(aq)$의 구경꾼 이온인 Cl^-이다.

또, A 이온은 $NaOH(aq)$ 수용액을 가함에 따라 이온 수가 증가하므로 Na^+이다.

(2) $NaOH(aq)$ 40 mL를 첨가하면 중화점 이후이므로 H^+은 더 이상 존재하지 않고, Cl^-은 일정하며, Na^+과 OH^-은 일정 비율로 증가한다.

모범 답안 (1) A 이온(Na^+)과 B 이온(Cl^-)의 수가 같은 지점이 중화점에 해당한다. 이때 Cl^-의 수는 처음과 같은 $180N$이고, 혼합 용액의 전체 부피가 50 mL이므로 $x=3.6N$이다. 중화점에서 Na^+의 수는 Cl^-과 같은 $180N$이고, 첨가한 $NaOH(aq)$이 30 mL일 때 Na^+ 수가 $180N$이므로 10 mL를 가했을 때 Na^+ 수는 $60N$이 되어 단위 부피당 이온 수 y는 $2N$이다. 따라서 $x+y$는 $5.6N$이다.

(2) $HCl(aq)$ 20 mL에는 H^+ $180N$, Cl^- $180N$이 들어 있고, $NaOH(aq)$ 40 mL에는 Na^+ $240N$, OH^- $240N$이 들어 있으므로 혼합 용액에 남아 있는 이온 수는 H^+ 0, Cl^- $180N$, Na^+ $240N$개, OH^- $60N$으로, 혼합 용액의 단위 부피당 전체 이온 수는 $\frac{180N+240N+60N}{60}=8N$이다.

	채점 기준	배점(%)
(1)	각 수용액에 포함된 이온 수를 언급하여 $x+y$를 옳게 구한 경우	50
	$x+y$만을 옳게 구한 경우	30
(2)	혼합 용액의 단위 부피당 전체 이온 수를 옳게 서술한 경우	50

05 (가)에서 양이온이 3가지이므로 H^+, Na^+, K^+이 존재하며, (나)에서 K^+의 수는 (가)에서와 같고, (나)에서 Na^+의 수는 (가)에서의 6배이다.

혼합 전 각 수용액에 포함된 입자 수는 다음과 같다.

구분	혼합 전					
	$HCl(aq)$		$NaOH(aq)$		$KOH(aq)$	
	H^+	Cl^-	Na^+	OH^-	K^+	OH^-
(가)	$4N$	$4N$	N	N	$2N$	$2N$
	10 mL		5 mL		20 mL	
(나)	$8N$	$8N$	$6N$	$6N$	$2N$	$2N$
	20 mL		30 mL		20 mL	

모범 답안 $HCl(aq)$ 10 mL에는 H^+ $4N$, Cl^- $4N$이 들어 있고, $NaOH(aq)$ 5 mL에는 Na^+ N, OH^- N이 들어 있으며, $KOH(aq)$ 20 mL에는 K^+ $2N$, OH^- $2N$이 들어 있다. (가)와 (나)에서 생성된 물 분자 수는 각각 $3N$, $8N$이므로 몰비는 $3:8$이다.

채점 기준	배점(%)
각 수용액의 이온 수를 언급하여 생성된 물 분자의 몰비를 옳게 서술한 경우	100
생성된 물 분자의 몰비만을 옳게 쓴 경우	50

06 첨가한 용액의 부피가 0 mL에서 단위 부피당 X 이온 수가 $3N$이므로 $HCl(aq)$ 10 mL에는 H^+ 또는 Cl^-이 $30N$ 존재함을 알 수 있다. 이때 염기 수용액 20 mL가 가해진 A에서 단위 부피당 X 이온 수가 N이므로 총 이온 수는 $30N$으로 일정하다. 즉, X 이온은 Cl^-에 해당한다.

혼합 전과 후 각 수용액에 포함된 입자 수는 다음과 같다.

구분	혼합 전						혼합 후		
	$HCl(aq)$		$NaOH(aq)$		$KOH(aq)$				
	H^+	Cl^-	Na^+	OH^-	K^+	OH^-	H^+	Na^+	K^+
(가)	$30N$	$30N$	$20N$	$20N$	–	–	$10N$	$20N$	–
	10 mL		20 mL		–		30 mL		–
(나)	$10N$	$30N$	$20N$	0	$10N$	$10N$	–	$20N$	$10N$
	10 mL		20 mL		30 mL		–	60 mL	

모범 답안 (1) 각 용액에 존재하는 양이온의 종류는 H^+, Na^+, K^+이고, (가)에서는 단위 부피당 양이온의 모형이 ● 2개, ■ 1개가 존재하며 (나)에서는 ● 4개, ▲ 2개가 존재하므로 ▲은 H^+, ●은 Na^+으로 (나)는 A에서의 모형이고, ●은 Na^+, ■은 K^+으로 (가)는 B에서의

모형이다.

(2) $HCl(aq)$ 10 mL에는 H^+ $30N$, Cl^- $30N$이 들어 있고, $NaOH(aq)$ 20 mL에는 Na^+ $20N$, OH^- $20N$이 들어 있으며, $KOH(aq)$ 30 mL에는 K^+ $10N$, OH^- $10N$이 들어 있다. 따라서 각 수용액의 몰 농도비는 $HCl(aq) : NaOH(aq) : KOH(aq) = \frac{60N}{1} : \frac{40N}{2} : \frac{20N}{3} = 9 : 3 : 1$이다.

	채점 기준	배점(%)
(1)	각 수용액에 포함된 단위 부피당 이온 수를 언급하여 (가)와 (나)를 옳게 서술한 경우	50
	(가)와 (나)만을 옳게 쓴 경우	30
(2)	각 수용액의 단위 부피 속에 들어 있는 이온 수를 언급하여 몰 농도비를 옳게 서술한 경우	50
	각 수용액의 몰 농도비만 옳게 쓴 경우	30

07 $HCl(aq)$과 $NaOH(aq)$을 혼합한 용액이 산성이면 Cl^-의 수는 Na^+의 수와 H^+의 수를 합한 값과 같고, 혼합 용액이 염기성이면 Na^+의 수는 Cl^-의 수와 OH^-의 수를 합한 값과 같다.

혼합 전과 후 각 수용액에 포함된 입자 수는 다음과 같다.

구분	혼합 전				혼합 후 전체 양이온 수
	$HCl(aq)$		$NaOH(aq)$		
	H^+	Cl^-	Na^+	OH^-	
Ⅰ	0.01	0.01	0.009	0.009	0.01 (H^+ 0.001, Na^+ 0.009)
	20 mL		30 mL		
Ⅱ	0.01	0.01	0.012	0.012	0.012 (Na^+ 0.012)
	20 mL		40 mL		
Ⅲ	0.015	0.015	0.012	0.012	0.015 (H^+ 0.003, Na^+ 0.012)
	30 mL		40 mL		

모범 답안 (1) 혼합 용액 Ⅲ에 존재하는 양이온의 종류와 수는 H^+ 0.003 mol과 Na^+ 0.012 mol이므로 전체 양이온 수는 0.015 mol로, x는 1.5이다.

(2) 혼합 용액 Ⅱ 60 mL에는 OH^- 0.002 mol이 들어 있고, 혼합 용액 Ⅲ 70 mL에는 H^+ 0.003 mol이 들어 있다. 따라서 혼합 용액 Ⅱ 10 mL에는 OH^-이 $\frac{0.002}{6}$(약 0.0003) mol만큼 들어 있고, 혼합 용액 Ⅲ 10 mL에는 H^+이 $\frac{0.003}{7}$(약 0.0004) mol만큼 들어 있으므로 두 용액을 혼합한 용액의 액성은 산성이다.

	채점 기준	배점(%)
(1)	혼합 용액 Ⅲ에 존재하는 이온 수를 언급하여 x를 옳게 서술한 경우	50
	x만을 옳게 쓴 경우	30
(2)	각 용액 속 H^+ 수와 OH^-의 수를 언급하여 액성을 옳게 서술한 경우	50
	액성만을 옳게 쓴 경우	30

08 $HCl(aq)$에 $NaOH(aq)$을 가할 때 단위 부피당 X 이온 수는 첨가한 용액의 부피가 10 mL일 때 $2n$이고 20 mL일 때 n이다. X 이온이 Cl^-이라면 이온 수가 일정해야 하므로 $(x+10)\times2=(x+20)\times1$이 성립해야 한다. 이 경우 $x=0$이 되므로 X 이온은 Cl^-이 아니고 H^+임을 알 수 있다.

$HCl(aq)$ x mL에 포함된 H^+의 수가 $4n$이고, $NaOH(aq)$ 10 mL를 가할 때와 다시 10 mL를 더 가한 20 mL에서 각각 반응한 H^+의 수가 같아야 하므로 $4\times x\times n-2\times(x+10)\times n=2\times(x+10)\times n-1\times(x+20)\times n$이 성립한다. 따라서 x는 20이다.

$HCl(aq)$ 20 mL에 $NaOH(aq)$ 20 mL를 넣었을 때 혼합 용액 40 mL 속에는 H^+ $40n$이 존재하므로 (다)에서 이 혼합 용액 15 mL에는 H^+ $15n$이 존재한다. 또, $KOH(aq)$ 10 mL가 추가된 혼합 용액 25 mL 속 H^+의 수가 $5n(=0.2n\times25)$이므로 $KOH(aq)$ 10 mL에는 K^+ $10n$, OH^- $10n(=15n-5n)$이 들어 있다.

모범 답안 (1) H^+

(2) $HCl(aq)$ x mL에는 H^+ $80n$, Cl^- $80n$이 들어 있고, $KOH(aq)$ 30 mL에는 K^+ $30n$, OH^- $30n$이 들어 있으므로 K^+ 수는 $30n$이고, Cl^- 수는 $80n$이다. 따라서 $\frac{K^+ \text{ 수}}{Cl^- \text{ 수}}=\frac{3}{8}$이다.

	채점 기준	배점(%)
(1)	X 이온을 H^+이라고 옳게 쓴 경우	40
(2)	각 수용액의 이온 수를 언급하여 $\frac{K^+ \text{ 수}}{Cl^- \text{ 수}}$를 옳게 서술한 경우	60
	$\frac{K^+ \text{ 수}}{Cl^- \text{ 수}}$만 옳게 쓴 경우	30

2. 산화 환원 반응

01 산화 환원 반응

집중 분석 2권 190쪽

유제 ②

유제 ㄴ. $KMnO_4$에서 K의 산화수는 +1, O의 산화수는 −2이므로 Mn의 산화수(x)는 $(+1)+x+(-2)\times4=0$, $x=+7$이다. 또, $MnCl_2$에서 Cl의 산화수는 −1이므로 Mn의 산화수는 +2이다. 즉, Mn의 산화수가 5만큼 감소하였으므로 $KMnO_4$은 환원되면서 다른 물질을 산화시키는 산화제로 작용하였다.

바로 알기 ㄱ. 주어진 반응식을 반응물과 생성물의 원자 수가 같게 맞추면 $a=2$, $b=16$, $c=2$, $d=2$이다. 따라서 b는 $a+c+d$와 같지 않다.

ㄷ. 생성물에서 Cl의 산화수는 KCl과 $MnCl_2$에서 −1, Cl_2에서 0이다.

개념 모아 정리하기 2권 193쪽

❶ 잃는 ❷ 얻는 ❸ 증가 ❹ 감소
❺ 동시에 ❻ 전기 음성도 ❼ 산화제 ❽ 환원제

개념 기본 문제 2권 194~195쪽

01 ㄱ, ㄴ, ㄷ **02** ④ **03** (1) ㉠ 산화, ㉡ 환원 (2) ㉠ 환원, ㉡ 산화 (3) ㉠ 환원, ㉡ 산화 (4) ㉠ 산화, ㉡ 환원 **04** ㄴ **05** ㄹ **06** (1) +3 (2) +5 (3) −1 (4) +2 (5) +5 (6) −3, +5 **07** ㄱ, ㄴ **08** (1) $a=1$, $b=2$, $c=4$, $d=1$, $e=2$, $f=2$ (2) 산화제: NO_3^-, 환원제: Cu **09** (1) 산화제: Fe_2O_3, 환원제: CO (2) 산화제: $FeCl_3$, 환원제: $SnCl_2$ **10** ㄱ, ㄷ **11** (1) ㉠ 0, ㉡ +4, ㉢ +2 (2) +6에서 +3으로 감소 (3) 산화제: $Na_2Cr_2O_7$, 환원제: C **12** (1) ○ (2) × (3) ○

01 ㄱ. 환원은 전자를 얻는 반응이다.
ㄴ. 산화수가 증가하는 반응은 산화이다.
ㄷ. 한 물질이 산화될 때 다른 물질은 환원되므로 산화와 환원은 항상 동시에 일어난다.

바로 알기 ㄹ. 전기 음성도가 큰 원자일수록 전자를 얻고 환원되기 쉽다.

02 ① Zn은 전자를 잃으면서 산화되고, Cu^{2+}은 전자를 얻으면서 환원된다.
② H의 산화수는 0에서 +1로 증가하고, Cu의 산화수는 +2에서 0으로 감소한다.
③ Cu의 산화수는 0에서 +2로 증가하고, Fe의 산화수는 +3에서 +2로 감소한다.
⑤ Pb의 산화수는 Pb에서 $PbSO_4$이 될 때 0에서 +2로 증가하고, PbO_2에서 $PbSO_4$이 될 때 +4에서 +2로 감소한다.

바로 알기 ④ 화합물을 구성하는 원소에서 산화수의 변화가 없으므로 산화 환원 반응이 아니다.

03 (1) ㉠ C는 산소를 얻고 산화되어 CO_2가 되고, ㉡ CuO는 산소를 잃고 환원되어 Cu가 된다.
(2) ㉠ Fe_2O_3은 산소를 잃고 환원되어 Fe이 되고, ㉡ C는 산소를 얻고 산화되어 CO_2가 된다.
(3) ㉠ N의 산화수는 N_2의 0에서 NH_3의 −3으로 감소하므로 N_2는 환원되고, ㉡ H의 산화수는 H_2의 0에서 NH_3의 +1로 증가하므로 H_2는 산화된다.
(4) ㉠ Zn은 전자를 잃어 Zn^{2+}으로 산화되고, ㉡ Cu^{2+}은 전자를 얻어 Cu로 환원된다.

04 묽은 염산에 아연 조각을 넣었을 때의 화학 반응식은 $Zn + 2HCl \longrightarrow ZnCl_2 + H_2$이다.
ㄴ. Zn의 산화수는 0에서 +2로 증가한다.

바로 알기 ㄱ. Zn은 전자를 잃으면서 Zn^{2+}으로 산화되므로 환원제이다.
ㄷ. 용액 속에서 음이온 수는 변하지 않지만 H^+ 2개가 H_2 기체로 빠져나갈 때 Zn^{2+} 1개가 용액 속에 녹아 들어가므로 전체 양이온 수는 감소한다.

05 ㄹ. 원자 번호 20번 이내의 원자들이 가지는 산화수 중 가장 큰 산화수는 원자가 원자가 전자를 모두 잃을 때와 같으므로 족 번호의 일의 자리와 같거나 그보다 작다.

바로 알기 ㄱ. 플루오린(F)은 전기 음성도가 가장 큰 원소이므로 산화수는 −1만 존재한다.
ㄴ. 다원자 이온에서 성분 원소의 산화수 총합은 다원자 이온의 전하와 같다.

ㄷ. 화합물에서 전기 음성도가 작은 원소의 산화수는 (+)값을 가진다.

06 (1) Fe_2O_3: Fe의 산화수를 x라 하면 $x\times2+(-2)\times3=0$이므로 $x=+3$이다.
(2) $NaClO_3$: Cl의 산화수를 x라 하면 $(+1)+x+(-2)\times3=0$이므로 $x=+5$이다.
(3) NaH: 알칼리 금속의 산화수는 +1이므로 H의 산화수는 −1이다.
(4) $S_2O_3^{2-}$: S의 산화수를 x라 하면 $x\times2+(-2)\times3=-2$이므로 $x=+2$이다.
(5) HNO_3: N의 산화수를 x라 하면 $(+1)+x+(-2)\times3=0$이므로 $x=+5$이다.
(6) NH_4NO_3: NH_4^+에서 N의 산화수를 x라 하면 $x+(+1)\times4=+1$이므로 $x=-3$이고, NO_3^-에서 N의 산화수를 y라 하면 $y+(-2)\times3=-1$에 의해 $y=+5$이다.

07 황이 포함된 물질에서 황의 산화수는 다음과 같다.
S_8: 0 H_2S: −2 SO_2: +4
SO_3: +6 H_2SO_3: +4 H_2SO_4: +6
ㄱ. 황이 포함된 물질에서 황의 산화수가 가장 작은 것은 −2, 가장 큰 것은 +6이므로 차는 8이다.
ㄴ. SO_2에서 SO_3으로 변하는 반응은 S의 산화수가 +4에서 +6으로 증가하므로 SO_2이 산화된다. 즉, SO_2은 환원제이다.
바로 알기 ㄷ. SO_3과 H_2SO_4에서 S의 산화수는 +6으로 같다. 즉, SO_3이 H_2SO_4으로 변하는 반응은 산화 환원 반응이 아니다.

08 (1) Cu의 산화수는 0에서 +2로 증가하고, N의 산화수는 +5에서 +4로 감소한다.
1단계: 주어진 화학 반응식에서 각 물질의 산화수 변화는 다음과 같다.
<2 증가>
$Cu + NO_3^- + H^+ \longrightarrow Cu^{2+} + NO_2 + H_2O$
(0) (+5) (+2) (+4)
<1 감소>
2단계: 감소한 산화수와 증가한 산화수가 같아야 하므로 N의 산화수 변화에 2배를 한다.
$Cu + 2NO_3^- + H^+ \longrightarrow Cu^{2+} + 2NO_2 + H_2O$
3단계: 수소(H)와 산소(O)의 원자 수를 맞춘다.
$Cu + 2NO_3^- + 4H^+ \longrightarrow Cu^{2+} + 2NO_2 + 2H_2O$
따라서 $a=1$, $b=2$, $c=4$, $d=1$, $e=2$, $f=2$이다.
(2) 산화수가 증가한 Cu는 환원제로 작용하고, 산화수가 감소한 NO_3^-은 산화제로 작용한다.

09 (1) Fe_2O_3은 산소를 잃어 환원되므로 산화제이고, CO는 산소를 얻어 산화되므로 환원제이다.
(2) Fe은 산화수가 +3에서 +2로 감소하여 환원되므로 $FeCl_3$은 산화제이고, Sn은 산화수가 +2에서 +4로 증가하여 산화되므로 $SnCl_2$은 환원제이다.

10 ㄱ. (가)에서 N의 산화수는 +2에서 +3으로 증가한다.
ㄷ. NO는 (가)에서 환원제, (나)에서 산화제로 작용하므로 F_2은 산화제, H_2는 환원제로 작용하였다. 즉, F_2은 H_2보다 더 강한 산화제이다.
바로 알기 ㄴ. (나)에서 NO는 산화제이다.

11 (1) ㉠ C의 산화수는 0이고, ㉡ Na_2CO_3에서 C의 산화수는 +4이다. ㉢ CO에서 C의 산화수는 +2이다.
(2) $Na_2Cr_2O_7$에서 Cr의 산화수를 x라 하면 $(+1)\times2+x\times2+(-2)\times7=0$이므로 $x=+6$이다. 또, Cr_2O_3에서 Cr의 산화수를 y라 하면 $y\times2+(-2)\times3=0$이므로 $y=+3$이다.
(3) 산화제는 $Na_2Cr_2O_7$이고, 환원제는 C이다.

12 (1) S의 산화수는 H_2S에서 −2이고, S에서 0이므로 S의 산화수는 2만큼 증가한다.
(2) N의 산화수가 HNO_3에서 +5이고, NO_2에서 +4로 감소하므로 HNO_3은 환원된다. 따라서 HNO_3은 산화제이다.
(3) H_2S에서 S으로 변화하면서 산화수가 −2에서 0으로 2만큼 증가하므로 H_2S 1 mol이 반응할 때 이동한 전자의 양(mol)은 2 mol이다.

개념 적용 문제

2권 196~199쪽

01 ③ **02** ③ **03** ③ **04** ⑤ **05** ⑤
06 ⑤ **07** ④ **08** ③

01 ㄱ. (가)에서 Na의 산화수는 0에서 +1로 증가한다.
ㄴ. (나)에서 Cl의 산화수는 Cl_2에서 0, HCl에서 −1, HClO에서 +1이므로 산화수 총합은 0이다.
바로 알기 ㄷ. (가)와 (다)에서 Cl_2는 환원되므로 산화세로 작용한다.

02 주어진 화학 반응식은 다음과 같다.

(가) $2Mg + O_2 \longrightarrow 2MgO$

(나) $Mg + 2HCl \longrightarrow MgCl_2 + H_2$

(다) $MgO + 2HCl \longrightarrow MgCl_2 + H_2O$

ㄱ. (가)와 (나)에서 Mg은 산화수가 0에서 +2로 증가하여 산화되므로 환원제이다.

ㄴ. 전기 음성도는 비금속 원소인 Cl가 금속 원소인 Mg보다 크다.

바로 알기 ㄷ. (다)는 산화수의 변화가 없는 반응으로, 산과 염기의 중화 반응이다.

03 주어진 화학 반응식에서 A의 산화수가 −4에서 +4로 변하므로 AB_4에서 B의 산화수는 +1이고, AC_2에서 C의 산화수는 −2이다.

$$\underset{(-4)(+1)}{AB_4} + \underset{(0)}{2C_2} \longrightarrow \underset{(+4)(-2)}{AC_2} + \underset{(+1)(-2)}{2B_2C}$$

ㄱ. AB_4에서 A의 산화수는 −4이고, B의 산화수는 +1이므로 전기 음성도는 A가 B보다 크다.

ㄷ. AB_4에서 A의 산화수가 증가하여 산화되므로 AB_4는 환원제이다.

바로 알기 ㄴ. C의 산화수는 0에서 −2로 감소한다.

04 ㄱ. (가)에서 Fe은 산소를 얻어 산화되므로 환원제이다.

ㄴ. (나)에서 C의 산화수는 코크스(C)에서 0, CO에서 +2이므로 산화수가 2 증가하여 산화되었음을 알 수 있다.

ㄷ. (가)와 (나)에서 모두 H의 산화수는 +1에서 0으로 감소한다.

05 ㄱ. NX_3^-에서 N의 산화수가 +5이므로 X의 산화수를 x라 하면 $(+5)+x\times3=-1$이므로 $x=-2$이다. 따라서 NX_2에서 N의 산화수 a는 +4이다.

ㄴ. NY_3에서 N의 산화수가 −3이므로 Y의 산화수는 +1이다. 화합물에서 전기 음성도가 큰 원소의 산화수는 (−)값이므로 N의 전기 음성도가 Y보다 크다는 것을 알 수 있다.

ㄷ. 화합물에서 각 원자의 산화수의 총합은 0이고, X의 산화수는 −2, Y의 산화수는 +1이므로 X와 Y가 결합한 물질의 화학식은 Y_2X이다.

06 계수를 맞추지 않고 반응물과 생성물로 화학 반응식을 나타내면 $A_xB + C_2 \longrightarrow AC + B_2$이고, 반응 전과 후 산화수의 변화는 다음과 같다.

$$\underset{(+1)(-2)}{A_xB} + \underset{(0)}{C_2} \longrightarrow \underset{(+1)(-1)}{AC} + \underset{(0)}{B_2}$$

ㄱ. A_xB에서 A의 산화수는 +1이고, B의 산화수는 −2이므로 x는 2이다.

ㄴ. 반응 후 산화수가 0인 (가)는 B이고, AC의 화합물에서 A의 산화수는 +1이므로 C의 산화수는 −1임을 알 수 있다. 따라서 (나)는 C이다.

ㄷ. 반응 전과 후 감소한 산화수와 증가한 산화수가 같고 원자의 수가 같아야 하므로 화학 반응식을 완성하면 $2A_2\underset{(-2)}{B} + 2\underset{(0)}{C_2} \longrightarrow 4A\underset{(-1)}{C} + \underset{(0)}{B_2}$이다. 따라서 B_2 1 mol이 생성되기 위해 이동한 전자의 양은 4 mol이다.

07 (가) $NO_2 + O_2 \longrightarrow NO + O_3$

(나) $2NO_2 + H_2O \longrightarrow HNO_2 + HNO_3$

ㄴ. (나)에서 질소(N)의 산화수는 NO_2에서 +4, HNO_2에서 +3, HNO_3에서 +5이다. N의 산화수가 감소하면서 환원되기도 하고, 증가하면서 산화되기도 하므로 NO_2는 산화제이자 환원제의 역할을 한다.

ㄷ. 질소의 산화수는 NO에서 +2, NO_2에서 +4, HNO_2에서 +3, HNO_3에서 +5이므로 가장 큰 산화수를 가진 화합물은 HNO_3이다.

바로 알기 ㄱ. A는 $2O_3$이다.

08 (가)에서 일어나는 반응의 화학 반응식은 $2Al(s) + 6HCl(aq) \longrightarrow 2AlCl_3(aq) + 3X(g)$로, X는 H_2이다.

(나)에서 일어나는 반응의 화학 반응식은 $H_2(g) + CuO(s) \longrightarrow Cu(s) + H_2O(l)$이다.

ㄱ. (가)에서 Al의 산화수는 0에서 +3으로 증가한다.

ㄷ. (나)에서 생성된 물의 질량은 3.6 g으로 0.2 mol $\left(=\dfrac{3.6\ g}{18\ g/mol}\right)$에 해당한다. 물 1 mol이 생성될 때 이동한 전자의 양(mol)은 2 mol이므로 (나)의 반응에서 이동한 전자의 양(mol)은 0.4 mol이다.

바로 알기 ㄴ. (나)에서 환원되는 물질은 CuO이고, 산화되는 물질은 X인 H_2이다. 따라서 산화제는 CuO이다.

02 화학 반응과 열

탐구 확인 문제 2권 208쪽

01 (1) 발 (2) 흡 (3) 발 (4) 발 (5) 발 **02** ㄷ

01 발열 반응은 생성물보다 반응물이 가지고 있는 에너지의 총합이 더 크므로 화학 반응이 일어날 때 열을 방출하여 주위의 온도가 높아진다. 흡열 반응은 반응물보다 생성물이 가지고 있는 에너지의 총합이 더 크므로 화학 반응이 일어날 때 열을 흡수하여 주위의 온도가 낮아진다.

02 뷰테인이 연소하는 반응(㉠)은 발열 반응이고, 얼음이 녹아 물로 되는 과정(㉡)은 흡열 반응이다.
ㄷ. ㉠은 발열 반응이므로 반응물의 에너지 총합이 생성물의 에너지 총합보다 크다.
바로 알기 ㄱ. ㉠은 발열 반응이다.
ㄴ. ㉡은 흡열 반응으로, 주위에서 열을 흡수한다.

탐구 확인 문제 2권 209쪽

01 ㄴ, ㄷ, ㄹ, ㅁ **02** ②

02 용액의 질량이 104 g이고, 온도 변화가 10 ℃이므로 방출하는 열량(kJ/g)은 다음과 같다.

$$\frac{4\ \text{J/g·℃} \times 104\ \text{g} \times 10\ \text{℃}}{4\ \text{g}} = 1040\ \text{J/g} = 1.04\ \text{kJ/g}$$

개념 모아 정리하기 2권 211쪽

❶ 발열 반응 ❷ 흡열 반응 ❸ 감소 ❹ 증가
❺ 열에너지 ❻ 상태 ❼ $-Q$ ❽ 1 ℃
❾ 물의 비열(c)

개념 기본 문제 2권 212~213쪽

01 ㄱ, ㄹ **02** ㉠ >, ㉡ <, ㉢ >, ㉣ <, ㉤ 반응물, ㉥ 올라감
03 ㄱ, ㄷ **04** ㄴ, ㄹ **05** (1) ○ (2) × (3) × **06** ㄱ, ㄴ, ㄷ
07 ㄴ, ㄷ **08** 222.5 kJ **09** (1) ○ (2) × (3) ○ **10** ㄱ, ㄴ

01 ㄱ, ㄹ. 발열 반응은 주위로 열을 방출하는 반응으로, 생성물의 에너지 총합이 반응물의 에너지 총합보다 작다.
바로 알기 ㄴ. 발열 반응은 열을 방출하는 반응으로, 반응열(Q)의 크기는 (+)값($Q>0$)이다.
ㄷ. 발열 반응은 반응이 일어나면 주위로 열을 방출하므로 주위의 온도가 올라간다.

02 반응열(Q)의 크기는 발열 반응의 경우 $Q>0$(㉠)이고, 흡열 반응의 경우 $Q<0$(㉡)이다. 발열 반응은 반응물의 에너지 총합이 생성물의 에너지 총합보다 크므로(㉢) 생성물이 더 안정하고, 흡열 반응은 반응물의 에너지 총합이 생성물의 에너지 총합보다 작으므로(㉣) 반응물이 더 안정하다(㉤). 발열 반응은 주위로 열을 방출하므로 주위의 온도가 올라가고(㉥), 흡열 반응은 주위에서 열을 흡수하므로 주위의 온도가 내려간다.

03 ㄱ, ㄷ. 연료를 태워 난방에 이용하거나 묽은 염산과 수산화 나트륨 수용액이 중화하는 반응은 모두 발열 반응이다.
바로 알기 ㄴ. 더운 여름철 마당에 물을 뿌리면 물이 기화하면서 열을 흡수하므로 주위의 온도가 낮아진다. 이 반응은 흡열 반응을 이용한 예이다.
ㄹ. 질산 암모늄의 용해 반응을 이용한 냉각 팩은 흡열 반응을 이용한 예이다.

04 (가)는 발열 반응, (나)는 흡열 반응의 에너지 변화이다.
ㄴ. (가)의 반응이 일어나면 주위로 열을 방출하므로 주위의 온도가 올라간다.
ㄹ. 물의 기화, 탄산 칼슘의 열분해는 모두 흡열 반응이다.
바로 알기 ㄱ. (가)는 발열 반응으로, 반응이 일어날 때 주위로 열을 방출한다.
ㄷ. (나)는 흡열 반응으로, 반응물이 생성물보다 에너지 총합이 더 작아 에너지면에서 더 안정하다.

05 (1) 연료가 연소(㉠)하는 반응은 발열 반응이다.
(2) 광합성(㉡)은 흡열 반응으로 반응물의 에너지 총합이 생성물의 에너지 총합보다 작다.
(3) 반응이 일어나면 주위의 온도가 올라가는 발열 반응은 ㉠이다.

06 열화학 반응식으로부터 반응열의 크기, 반응물의 종류와 상태, 생성물의 종류와 상태를 알 수 있다.

07 ㄴ. 흑연이 다이아몬드로 될 때 에너지가 높아지므로 이 반응은 흡열 반응이다.
ㄷ. 흑연이 다이아몬드보다 에너지가 더 낮으므로 에너지면에서 더 안정하다.
바로 알기 ㄱ. A와 B는 모두 발열 반응이므로 주위의 온도가 높아진다.

08 CH_4 4 g은 $\frac{1}{4}$ mol이며 CH_4 1 mol이 완전 연소할 때 890 kJ

의 열에너지가 발생하므로 $\frac{1}{4}$ mol이 연소할 때는 890 kJ×$\frac{1}{4}$ =222.5 kJ의 열이 발생한다.

09 (1), (2) 반응열(Q)의 크기는 +92 kJ이므로 반응이 일어나면 주위의 온도가 높아진다.
(3) 발열 반응의 반응열(Q) 크기가 92 kJ이므로 NH_3 2몰의 에너지는 N_2 1몰과 H_2 3몰의 에너지 총합보다 92 kJ만큼 더 작다.

10 ㄱ, ㄴ. C_6H_6 1 mol이 완전 연소할 때 방출하는 열량(kJ/mol)은 $\frac{\text{열량계의 열용량×온도 변화}}{C_6H_6\text{의 분자량}}$이다.
바로 알기 ㄷ. O_2(산소)의 분자량은 필요하지 않다.

개념 적용 문제

2권 214~216쪽

01 ③ **02** ③ **03** ④ **04** ② **05** ③ **06** ④

01 ㄱ. 드라이아이스($CO_2(s)$)가 고체에서 기체로 승화(㉠)하는 과정은 흡열 반응이므로 CO_2의 에너지는 커진다.
ㄴ. 물은 얼음으로 응고(㉡)하면서 주위로 열을 방출한다.
바로 알기 ㄷ. ㉠은 흡열 반응이고, ㉡은 발열 반응이다.

02 ㄱ. (가), (나), (다)는 모두 연소 반응으로 발열 반응이다.
ㄴ. 탄화수소의 분자량은 C_2H_2이 26, C_2H_6이 30이고 같은 질량의 탄화수소가 완전 연소할 때 발생하는 열에너지의 크기는 2600×$\frac{1}{26}$ kJ과 3120×$\frac{1}{30}$ kJ에 비례하므로 C_2H_6이 C_2H_2보다 크다는 것을 알 수 있다.
바로 알기 ㄷ. 1몰이 완전 연소할 때 방출하는 열에너지는 C_2H_2은 2600×$\frac{1}{2}$ kJ, C_2H_6은 3120×$\frac{1}{2}$ kJ, H_2는 572×$\frac{1}{2}$ kJ이므로 C_2H_6이 가장 크다.

03 ㄴ. (나)는 발열 반응이므로 주위의 온도가 올라간다.
ㄷ. $H_2O(l)$이 성분 원소로 될 때의 에너지 차가 $H_2O(g)$가 성분 원소로 될 때의 에너지 차보다 크므로 $H_2O(l)$과 $H_2O(g)$가 성분 원소로 될 때 반응열의 절댓값은 $H_2O(l)$이 $H_2O(g)$보다 크다.
바로 알기 ㄱ. (가)는 흡열 반응이므로 반응열(Q)의 크기는 (−)값($Q<0$)이다.

04 ㄴ. (가)에서 CH_4 1 g은 $\frac{1}{16}$ mol이고, (나)에서 CH_3OH 1 g은 $\frac{1}{32}$ mol이다. 따라서 각 물질 1 g이 연소할 때 발생하는 열량은 (가)의 경우 890 kJ/mol×$\frac{1}{16}$ mol이고, (나)의 경우 1452×$\frac{1}{2}$ kJ/mol×$\frac{1}{32}$ mol이므로 $CH_4(g)$이 $CH_3OH(l)$보다 크다.
바로 알기 ㄱ. (가)와 (나)는 모두 반응열(Q)의 크기가 (+)값이므로 발열 반응이다.
ㄷ. (가)에서 H_2O 2 mol, (나)에서 H_2O 4 mol이 생성될 때 발생하는 열량이 각각 890 kJ과 1452 kJ이다. 따라서 H_2O 1 mol이 생성될 때 발생하는 열량은 각각 $\frac{890\text{ kJ}}{2}$(=445 kJ), $\frac{1452\text{ kJ}}{4}$(=363 kJ)이므로 $CH_4(g)$이 $CH_3OH(l)$보다 크다.

05 ㄱ. NaOH의 용해 과정에서 주위의 온도가 올라가므로 용해 과정은 발열 반응이다. 발열 반응은 생성물의 에너지 총합이 반응물의 에너지 총합보다 작다.
ㄴ. NaOH의 용해열(kJ/mol)은 다음과 같다.

$$\frac{\text{용액의 비열×용액의 질량×온도 변화}}{\text{NaOH의 양(mol)}}$$

$$\frac{4.2\text{ J/g·℃}\times100\text{ g}\times5\text{ ℃}}{0.1\text{ mol}}=21000\text{ J/mol}=21\text{ kJ/mol}$$

바로 알기 ㄷ. (나)에 NaOH 4 g을 더 넣어 모두 녹이면 용해열이 더 발생하므로 최고 온도는 25 ℃보다 더 올라간다.

06 ㄴ. 용액이 얻은 열량=용액의 비열×용액의 질량×용액의 온도 변화=4.2 J/g·℃×104 g×10 ℃=4.368 kJ
ㄷ. $CaCl_2$의 질량이 4 g이므로 반응열(kJ/g)은 $\frac{4.368\text{ kJ}}{4\text{ g}}$= 1.092 kJ/g이다.
바로 알기 ㄱ. 용해 과정에서 용액의 온도가 높아졌으므로 $CaCl_2$의 용해 반응은 발열 반응이다.

통합 실전 문제

2권 218~221쪽

01 ② **02** ① **03** ③ **04** ⑤ **05** ④ **06** ③ **07** ③ **08** ②

01 주어진 반응의 화학 반응식은 다음과 같다.

(가) $2NO_2 + 7H_2 \longrightarrow 2NH_3 + 4H_2O$

(나) $2NO_2 \longrightarrow N_2O_4$

(다) $3NO_2 + H_2O \longrightarrow 2HNO_3 + NO$

ㄷ. N의 산화수는 NO_2와 N_2O_4에서 $+4$, NH_3에서 -3, HNO_3에서 $+5$, NO에서 $+2$이므로 N의 산화수가 가장 큰 화합물은 HNO_3이다.

바로 알기 ㄱ. (가)에서 H_2는 산화되므로 환원제이다.

ㄴ. (나)는 산화수의 변화가 없으므로 산화 환원 반응이 아니다.

02 A는 -1과 $+1$의 산화수만을 가지므로 1주기 1족 원소인 수소(H)이다. B는 $+1$의 산화수만을 가지므로 금속 원소인 리튬(Li)이고, C는 최대 $+5$의 산화수를 가지므로 2주기 15족 원소인 질소(N)이다. D는 전기 음성도가 가장 커서 -1의 산화수만을 가지는 플루오린(F)이다.

ㄱ. 금속 원소는 B이다.

바로 알기 ㄴ. 원자가 전자 수가 가장 큰 것은 D이다.

ㄷ. 화합물 BA에서 산화수가 $+1$인 B와 결합한 A의 산화수는 -1이고, 화합물 AD에서 산화수가 -1인 D와 결합한 A의 산화수는 $+1$이다.

03 ㄱ. MnO_4^-에서 O의 산화수는 -2이므로 Mn의 산화수는 $+7$이다. 또, 이온의 산화수는 그 전하와 같으므로 Mn^{2+}에서 Mn의 산화수는 $+2$이다. 즉, Mn의 산화수는 $+7$에서 $+2$로 5만큼 감소하므로 $x=5$이다.

ㄴ. 3단계에서 산화수 변화가 없는 H와 O의 원자 수가 같도록 계수를 맞추면 H_2O의 계수 f는 4이다. f가 4이므로 생성물에서 H 원자 수가 8임을 알 수 있고, 반응물에서 H^+의 계수 c는 8이다. 따라서 $c+f=12$이다.

바로 알기 ㄷ. 산화 환원 반응식을 완성하면 다음과 같다.

$$5Co^{2+}(aq) + MnO_4^-(aq) + 8H^+(aq) \longrightarrow 5Co^{3+}(aq) + Mn^{2+}(aq) + 4H_2O(l)$$

Co^{2+}과 MnO_4^-의 반응 몰비는 5 : 1이므로 Co^{2+} 1 mol을 완전히 산화시키기 위해 필요한 MnO_4^-의 양은 0.2 mol이다.

04 주어진 화학 반응식에서 원소의 산화수 변화는 다음과 같다.

$$a\underset{(+7)}{\underline{KMnO_4}}(aq) + b\underset{(-1)}{H\underline{Cl}}(aq) \longrightarrow cKCl(aq) + d\underset{(+2)}{\underline{Mn}Cl_2}(aq) + 8H_2O(l) + 5\underset{(0)}{\underline{Cl_2}}(g)$$

이때 Mn의 산화수는 5만큼 감소하였고, Cl의 산화수는 1만큼 증가하였으므로 $a=d=2$이다. 또, 원자 수를 맞추면 $c=2$, $b=16$이다.

ㄱ. $a+b+c+d=2+16+2+2=22$이다.

ㄴ. Mn의 산화수가 감소하여 환원되었으므로 $KMnO_4$은 산화제이다.

ㄷ. Cl의 산화수는 -1에서 0으로 증가한다.

05 ㄴ. 반응 전후 원자의 종류와 수가 같도록 하여 반응식을 완성하면 ㉠은 H_2O이고, ㉡은 NaOCl이다.

ㄷ. (나)의 NaCl에서 Cl의 산화수는 -1이고, NaOCl에서 Cl의 산화수는 $+1$이다.

바로 알기 ㄱ. (가)는 산과 염기의 중화 반응으로, 산화수 변화가 없으므로 산화 환원 반응이 아니다.

06 ㄱ. 흑연과 다이아몬드가 연소할 때 생성되는 물질은 CO_2로 같으며, 흑연이 연소할 때 발생하는 열량은 393.5 kJ/mol이고 다이아몬드가 연소할 때 발생하는 열량은 395.4 kJ/mol이므로 흑연보다 다이아몬드의 연소열이 더 크다. 이로부터 흑연의 에너지가 다이아몬드보다 낮음을 알 수 있으므로 흑연이 다이아몬드로 되는 반응은 흡열 반응이다.

ㄴ. 흑연과 다이아몬드가 연소하는 반응은 반응열(Q)이 $Q>0$이므로 주위로 열을 방출하는 발열 반응이다.

바로 알기 ㄷ. 다이아몬드의 에너지가 흑연보다 높으므로 두 물질이 기체 상태로 승화할 때 흡수하는 에너지는 다이아몬드가 흑연보다 작다.

07 ㄱ. (가)는 반응열이 $a<0$이므로 흡열 반응이다. 즉, 반응물의 에너지 총합이 생성물의 에너지 총합보다 작으므로 에너지면에서 반응물이 생성물보다 안정하다.

ㄷ. $N_2O(g)$가 $O_2(g)$와 반응하여 $N_2O_4(g)$로 되는 반응의 반응식은 $2N_2O(g) + 3O_2(g) \longrightarrow 2N_2O_4(g)$이고, (가)식의 2배에서 (나)식을 뺀 값과 같다.

$$2\times(\text{가}): 2N_2(g) + 4O_2(g) \longrightarrow 2N_2O_4(g) + 2a\text{ kJ}$$
$$-(\text{나}): -\{2N_2(g) + O_2(g) \longrightarrow 2N_2O(g) + b\text{ kJ}\}$$
$$\overline{2N_2O(g) + 3O_2(g) \longrightarrow 2N_2O_4(g) + (2a-b)\text{ kJ}}$$

바로 알기 ㄴ. (나)는 반응열이 $b>0$이므로 발열 반응이다. 따라서 (나) 반응에 의해 주위의 온도가 올라간다.

08 ㄴ. 탄소 가루 1.2 g이 완전 연소할 때 온도는 1 ℃ 상승하고, 열량계의 열용량은 40 kJ/℃이므로 40 kJ의 열이 발생한다.

바로 알기 ㄱ. 탄소 1.2 g은 0.1 mol이고 산소 기체 0.1 mol과 반응하여 이산화 탄소 기체 0.1 mol이 생성되므로 반응 전과 후 기체의 총 양(mol)은 변하지 않는다.
ㄷ. (다) 이후 더 넣어 준 탄소 가루 0.6 g은 0.05 mol이므로 온도 변화는 0.1 mol이 연소할 때의 온도 변화 1 ℃보다 작다.

사고력 확장 문제

2권 222~223쪽

01 금속이 금속 양이온으로 되면 산화된 것이다. 즉, 금속은 반응성이 클수록 양이온이 되기 쉽다. 금속과 다른 금속 이온 수용액의 반응에서 반응성이 큰 금속을 반응성이 작은 금속 이온의 수용액에 넣으면 반응성이 작은 금속이 석출된다.

모범 답안 금속은 반응성이 클수록 산화되기 쉽다.
• 마그네슘 조각을 황산 구리(Ⅱ) 수용액에 넣었을 때 다음과 같은 반응이 일어난다. $Mg(s) + CuSO_4(aq) \longrightarrow Cu(s) + MgSO_4(aq)$
Mg이 Mg^{2+}으로 산화되므로 반응성은 Mg>Cu임을 알 수 있다.
• 아연 조각을 황산 구리(Ⅱ) 수용액에 넣었을 때 다음과 같은 반응이 일어난다. $Zn(s) + CuSO_4(aq) \longrightarrow Cu(s) + ZnSO_4(aq)$
Zn이 Zn^{2+}으로 산화되므로 반응성은 Zn>Cu임을 알 수 있다.
• 마그네슘 조각을 황산 아연 수용액에 넣었을 때 다음과 같은 반응이 일어난다. $Mg(s) + ZnSO_4(aq) \longrightarrow Zn(s) + MgSO_4(aq)$
Mg이 Mg^{2+}으로 산화되므로 반응성은 Mg>Zn임을 알 수 있다.
따라서 금속의 반응성은 Mg>Zn>Cu이다.

채점 기준	배점(%)
세 금속의 반응성 크기를 옳게 비교하고, 그 이유를 산화를 이용하여 옳게 서술한 경우	100
세 금속의 반응성 크기만 옳게 비교한 경우	50

02 X의 전기 음성도가 H, Y보다 작다면 (가)와 (나)에서 X의 산화수는 모두 +4가 되고, X의 전기 음성도가 H, Y보다 크다면 (가)와 (나)에서 X의 산화수는 모두 −4가 되므로 주어진 조건에 맞지 않는다. 따라서 전기 음성도는 H<X<Y이다. 또, (다)에서 Y의 산화수는 (나)와 같으므로 Y의 전기 음성도는 Z보다 크다. 17족 원소인 Z의 전기 음성도가 16족 원소인 Y보다 작으므로 Y는 2주기 16족 원소이고, Z는 3주기 17족 원소임을 알 수 있다.

모범 답안 분자를 이루는 각 원자의 산화수 총합은 0이다. (가)에서 H의 산화수가 +1이므로 X의 산화수는 −4이다. (나)에서 전기 음성도는 X<Y이므로 X는 수소로부터 전자 2개를 얻고, Y에게 전자 2개를 잃으므로 X의 산화수는 0이고, Y의 산화수는 −2이다. (다)에서 Y의 산화수는 (나)에서와 같은 −2이고, Z는 3주기 원소로 Y에게 전자 1개를 잃으므로 산화수는 +1이다.

채점 기준	배점(%)
(가)~(다)에서 X, Y, Z의 산화수를 옳게 구하고, 그 이유를 옳게 서술한 경우	100
(가)~(다)에서 X, Y, Z의 산화수만을 옳게 구한 경우	50

03 열화학 반응식 (가)~(다)를 이용하여 어떤 수를 곱하거나, 반응식끼리 더하고 빼서 전체 반응식을 만들면 반응열을 구할 수 있다. 이때 반응식에 곱한 수만큼 반응열도 곱한다.

모범 답안 (1) $C(s) + H_2O(g) \longrightarrow CO(g) + H_2(g) + Q$의 반응식은 (가)−(나)×$\frac{1}{2}$−(다)×$\frac{1}{2}$을 하면 얻어진다.

$$\text{(가)}: C(s) + O_2(g) \longrightarrow CO_2(g)$$
$$-\text{(나)}\times\frac{1}{2}: -\{H_2(g) + \frac{1}{2}O_2(g) \longrightarrow H_2O(g)\}$$
$$-\text{(다)}\times\frac{1}{2}: -\{CO(g) + \frac{1}{2}O_2(g) \longrightarrow CO_2(g)\}$$
$$C(s) + H_2O(g) \longrightarrow CO(g) + H_2(g)$$

(2) 반응열(Q)은 (가)의 반응열−(나)의 반응열×$\frac{1}{2}$−(다)의 반응열×$\frac{1}{2}$=$394\text{ kJ} - \frac{484}{2}\text{ kJ} - \frac{566}{2}\text{ kJ} = -131\text{ kJ}$이다.

	채점 기준	배점(%)
(1)	열화학 반응식 (가)~(다)를 이용하여 반응 ①의 열화학 반응식을 만드는 과정을 옳게 서술한 경우	50
(2)	반응열 Q를 옳게 구한 경우	50

04 반응열은 열량계의 열용량과 온도 변화의 곱으로 구할 수 있다. 이때 연소열은 질량당 에너지 변화량(kJ/g)으로 나타내므로 반응열을 질량으로 나누어 계산한다.

모범 답안 (1) 벤조산 5 g이 완전 연소할 때 발생한 열량은 벤조산의 연소열이 26.4 kJ/g이므로 132 kJ(=26.4 kJ/g×5 g)이다. 따라서 벤조산 5 g의 연소열이 132 kJ이고, 온도 변화가 6.6 ℃이므로 열량계의 열용량은 $20\left(=\frac{132}{6.6}\right)$ kJ/℃이다.

(2) 열량계의 열용량이 20 kJ/℃이고, 에탄올 3 g이 연소할 때 열량계의 온도 변화가 4.5 ℃이므로 연소열은 $30\left(=\frac{20\times4.5}{3}\right)$ kJ/g이다.

	채점 기준	배점(%)
(1)	열량계의 열용량을 옳게 구하고, 그 과정을 옳게 서술한 경우	50
	열량계의 열용량만 옳게 구한 경우	30
(2)	에탄올의 연소열을 옳게 구하고, 그 과정을 옳게 서술한 경우	50
	에탄올의 연소열만 옳게 구한 경우	30

III 화학 결합과 분자의 세계

실전 문제 1 2권 227쪽

예시 답안 (1) 수소 결합은 H 원자와 이웃한 N, O, F 원자 사이에 작용하는 비교적 강한 분자 사이의 상호 작용이다. 수소 결합이 분자 사이의 강한 상호 작용인 것은 N, O, F 원자들의 전기 음성도가 크기 때문이다. DNA에서 단일 가닥의 구아닌(G)의 $-N-H$ 작용기의 부분적인 양전하(δ^+)를 띠는 수소 원자와 이웃한 염기 사이토신(C)의 산소(O) 원자 사이에 수소 결합이 작용하면서 안정한 DNA 이중 나선 구조를 이룬다. 그런데 사이토신의 육각형 고리의 탄소 원자와 결합한 산소(O) 원자가 황(S) 원자로 대체되는 구조를 갖는다면 S 원자는 O 원자보다 전기 음성도가 작으므로 두 염기 사이의 상호 작용은 산소(O) 원자에 비해 약해진다. 따라서 DNA의 단일 가닥 사이의 힘이 약해져 열에 의해서 쉽게 나선 구조가 풀리는 등 안정한 구조를 유지하지 못하게 될 것이다.
(2) CO_2는 선형 분자 구조를 이룬다. C 원자와 O 원자 사이의 결합은 극성 공유 결합이지만 C 원자를 중심으로 결합의 극성이 서로 대칭을 이루고 있어 상쇄되므로 분자의 쌍극자 모멘트는 0이 된다. 즉, CO_2는 무극성 분자이므로 물과 같은 극성 용매에 잘 녹지 않는다.
(3) X가 Na 등과 같은 전기 음성도가 작은 알칼리 금속인 경우 전기 음성도는 $O>H>X$이다. 따라서 O 원자는 H 원자보다 X 원자와 결합한 전자쌍을 끌어당기므로 $-X-O$ 부분에서 전하의 분리가 일어나 OH^-을 생성하게 되어 염기가 된다. 반면 X가 P, S, Cl 등과 같은 비금속 원소인 경우 전기 음성도는 $O>X>H$이다. 이 경우 O 원자는 X 원자보다 H 원자와 결합한 전자쌍을 끌어당기므로 $O-H$에서 전하의 분리가 일어나 H^+을 생성하게 되어 산이 된다.

IV 역동적인 화학 반응

실전 문제 1 2권 230쪽

예시 답안 (1) 수소는 다른 연료에 비해 발열량이 커 자동차의 연료인 가솔린을 대신할 수 있다. 또, 수소를 연료로 사용할 경우 생성물이 물이므로 환경오염을 일으키지 않는 청정 연료이다.
(2) 광촉매 전극에서는 물이 산화되어 전자를 잃으므로 산화 전극이고, 백금 전극에서는 수소 이온이 전자를 얻어 수소 기체가 발생하므로 환원 전극이다.
(3) 기존 광촉매 전극의 경우 태양광의 약 4 %밖에 되지 않는 자외선을 이용하는 반면, 최근 개발된 새로운 광촉매의 경우 400 nm 이하의 자외선 외에 400~700 nm 정도인 가시광선, 그보다 파장이 긴 근적외선 가운데 1200 nm까지의 영역을 이용할 수 있게 됨에 따라 태양광 에너지의 약 99 %를 사용할 수 있게 되었다.

실전 문제 2 2권 231쪽

예시 답안 (1) 고려청자의 비취색이 만들어지는 과정에서 청자의 흙 성분인 Fe^{3+}은 Fe^{2+}으로 환원되고, 일산화 탄소(CO)는 이산화 탄소(CO_2)로 산화된다.
(2) 실외의 경우 $AgCl \longrightarrow Ag + Cl$, $Cl + Cu^+ \longrightarrow Cl^- + Cu^{2+}$의 반응이 일어난다. 이때 첫 번째 화학 반응식의 경우 Ag의 산화수는 $+1$에서 0으로 감소하여 환원되고, Cl의 산화수는 -1에서 0으로 증가하여 산화된다. 두 번째 화학 반응식의 경우 Cl의 산화수는 0에서 -1로 감소하여 환원되고, Cu의 산화수는 $+1$에서 $+2$로 증가하여 산화된다.
실내에서는 실외의 경우와 반대이므로 $Cl^- + Cu^{2+} \longrightarrow Cl + Cu^+$, $Ag + Cl \longrightarrow AgCl$의 반응이 일어나며 산화수는 반대로 변화한다.

화학 | 용어 찾아보기

ㅇ

ㅈ

ㅊ

ㅋ

ㅌ

ㅍ

ㅎ

memo

memo